毛澤東傳

毛澤東傳

叛逆者（1893–1927）

魯林（Alain Roux）著　穆蕾 譯

中文大學出版社

《毛澤東傳：叛逆者（1893–1927）》

魯林 著

穆蕾 譯

法文版 © Larousse 2009
簡體中文版 © 中國人民大學出版社 2014
繁體中文版 © 香港中文大學 2017

國際統一書號（ISBN）：978-998-237-020-3

出版：中文大學出版社

　　　香港　新界　沙田・香港中文大學

　　　傳真：+852 2603 7355

　　　電郵：cup@cuhk.edu.hk

　　　網址：www.chineseupress.com

本社已盡力確保本書各圖片均已取得轉載權。倘有
遺漏，歡迎有關人士與本社接洽，提供圖片來源。

Le Singe et Le Tigre: Mao, Un Destin Chinois (Chapters 1 to 5, in Chinese)

By Alain Roux

Translated by Mu Lei

French edition © Larousse 2009
Simplified Chinese edition © China Renmin University 2014
Traditional Chinese edition © The Chinese University of Hong Kong 2017
All Rights Reserved.

ISBN: 978-988-237-020-3

Published by The Chinese University Press

　　　　The Chinese University of Hong Kong
　　　　Sha Tin, N.T., Hong Kong
　　　　Fax: +852 2603 7355
　　　　E-mail: cup@cuhk.edu.hk
　　　　Website: www.chineseupress.com

Every effort has been made to trace copyright holders of the illustrations
in this book. If any have been inadvertently overlooked, we will be
pleased to make the necessary arrangement at the first opportunity.

Printed in Hong Kong

目　錄

相　遇

繁體中文版序

1965年10月1日，我置身天安門廣場，身邊還有其他十幾位受邀到中國學習中文的法國學生。這一天是中華人民共和國成立的紀念日，我期待着毛主席會在天安門城樓上出現。他沒有來。在歷史的幕後，文化大革命的悲劇已經開始了。

我就這樣錯過了與中國的第一次相遇。對許多西方青年而言，毛澤東代表的社會主義比晦暗的警察國家蘇聯更有生命力，但這個國家的真實狀況卻是，正有一場鬥爭隱匿在國家機器內。我也曾錯過其他與中國相識的良機。很多時候，我像其他西方人一樣，將對更公正、更自由世界的嚮往寄託在中國身上。馬可波羅説中國是一個充滿奇蹟的國家。18世紀，伏爾泰筆下的中國是一個由哲學家統治的王朝。

之後是西方蔑視中國，自負傲慢的時代：中國配不上她的過去，只好到西方侵略者這裏取經，西方價值觀被描繪成普世價值。如今，這些確定性已經讓位給質疑，中國再次成為一個謎。偉大的智者帕斯卡爾（Blaise Pascal）生活的時代恰逢滿清帝國開始沒落，他

在《思想錄》中寫道[1]:「中國的歷史……我告訴你,有盲目的,也有明瞭的……中國晦澀難懂,但其中也能找得到清晰之處:去找出來吧!」。

有一個明智的建議,特別是在撰寫毛澤東這樣特殊的人物傳記時 —— 這些人物打亂了國家的歷史,深遠地改變我們這個時代 —— 寫作時要避免兩個誤區:着迷而盲目,或打倒偶像,把他塑造成一個怪物。作為歷史學家,我努力做到清晰觀察、建立事實、梳理事件的先後關係以及對人民生活的影響。我沒有尋求理解、贊同或辯護甚麼。我是歷史學家,不是法官。讀者會形成自己的意見,偉大舵手的固執使國家陷入饑荒或局部內戰時該如何評判指責,也是讀者的事。我不知道此次與中國讀者的相遇算不算成功。不過,我仍然感謝出版社和譯者讓我有這個機會。他們對自由思考和表達的尊重,使這次與真相的相遇得以實現。還原真相是對歷史學家最高的要求,這就是為甚麼我在書稿開頭引用了孔子離世幾百年後羅馬作家西塞羅(Marcus Tullius Cicéron)的箴言:「歷史不會撒謊,或者對真相保持沉默」[2]。

魯 林(Alain Roux)

2017 年 3 月 10 日於巴黎

致　謝

　　多年來，我一直參與法國社會科學高等研究院（EHESS）現當代中國社會科學研究小組的活動。這些年中，這個小組的名稱已經發生了變化，但是，它組織的研究班、研討會、國外調研、成員之間偶爾的探討，為我對新中國社會進行的研究提供了長期的、不可或缺的幫助。沒有這些研究，這本書就不可能面世。在此我想感謝所有研究人員和從事研究的教學人員，尤其要特別感謝巴黎第七大學──狄德羅大學（Université Paris Diderot）的副教授王曉苓，她翻譯了一些文件，並幫助我理解了毛澤東的幾首詩詞。還有法國國家科學研究院圖書館工作人員莫尼克‧阿布德（Monique Abud）和工程師王聚（音），他們為我搜集資料提供了幫助。這本書的面世在很大程度上歸功於他們。如果書中存在不足和錯誤，則由我承擔責任。

　　　　　　　　　　　　　　　　　　　　　　　　　魯　林

前　言

「歷史不會撒謊，或者對真相保持沉默。」

—— 西塞羅，《論雄辯家》(*De oratore*)[1]

　　毛澤東如同神祇一般，是一位可靠的嚮導、全體人民偉大的導師。對於一些人來說，斯大林借助秘密警察的恐怖統治是偽社會主義，而毛澤東體現了正宗的社會主義。如今，這「另一種社會主義」[2]的可怕代價已經為人所知，它的特點是數以百萬計的勞改犯、槍決犯和餓死的農民。現在毛澤東在很多人眼中是一個怪物，20世紀諸多無情的暴君之一。除了安第斯山區和喜馬拉雅山區這樣偏遠的地方，他在國際上的形象受到不可逆轉的損害。但在某些地方，他成為一個脫離真實歷史的神話，被人們寄託了對社會正義的期望。

　　雖然在中國許多人有理由不喜歡他，[3]但大部分人仍然尊重他，他的形象成為景觀的一部分，受人瞻仰：他經過防腐處理的遺體，仍然在天安門廣場南端的紀念堂內供人瞻仰；他的巨幅畫像掛在紅色城牆的南門上方，似乎注視着這個幅員遼闊的國家；他的形象被

印在紙幣上，被農民供在祖先的神壇上，放在財神和福神的旁邊，或者做成護身符。毛澤東思想和馬克思列寧主義仍然是共產黨建立政權的原則，出現在所有官方發言中。毛澤東自己是關於矛盾的理論家，他的形象也具有矛盾性，這一直困擾着他的傳記作者：撒旦不可能在他肆虐的國度裏受到如此多民眾的尊重。希特勒是一個罪人，除了身邊的幾個白痴，他被所有的德國人詛咒。對於斯大林，人們的態度已經更加複雜了。但對於毛澤東的形象而言，則是徹頭徹尾的混亂。我的一段親身經歷説明了這個問題。在最近召開的一次研討會上，[4]中國大陸主要的官方傳記作者逢先知和金冲及[5]也受邀參加。逢先知曾任中共中央辦公廳秘書，兼管毛澤東的圖書，「文革」初期因為似是而非的理由被逮捕，並在非常惡劣的條件下被拘禁了五年，他完全有理由埋怨全能的主席拋棄了他。因此我並不驚訝在兩天的討論中，他對許多不利於毛的評價無動於衷。但有一次某個發言的投影演示中出現了諷刺圖畫，他的反應非常激烈：這些圖畫觸動了非理性的情結，彷彿是對神明的褻瀆。[6]

其實對於絕大多數的中國人而言，毛澤東不再是一個人 —— 他是該國歷史上區分貧弱中國和勝利中國的紀念碑，一個永不褪色的象徵。20世紀初中國的偉大學者，後來成為革命者的李大釗，是毛澤東的思想導師之一，他説中國落後於人類進步的車隊。從自毛澤東和中國共產黨奪取政權以來，中國已經加入了車隊，現在甚至處於領先地位。不管毛澤東在這次趕超中真正起到甚麼作用，他都是重要角色，而中國人感謝他，不論他是對或錯。人們在毛澤東身上找到了一個曾經備受侮辱的國家的驕傲。

作為歷史學家，為毛澤東寫一本傳記是一項艱巨的任務，但是

開展這樣一個項目一直是必要的。最終推動我接受的原因，是這個任務在過去的20年裏變得可行。「偉大舵手」的大部分文章或講話開始可以查閱，儘管一些資料的質量還有待提高，《毛澤東年譜》也還有一些盲點存在。

我解釋一下不得不克服的兩個障礙來證明我的難處。

（1）混雜的歷史。首先是傳記體裁本身所固有的問題。20年前歷史傳記成為蓬勃發展的體裁，但1988年《經濟、社會、文明》年鑒第2期的社論啟發大家思考這種體裁的欺騙性和陷阱。各位歷史學家在這篇社論中強調，相信或多或少杜撰的軼事會產生虛幻的「真實效果」，而某些具有完美一致性的「烏托邦式傳記」，為歷史學家提供了幾乎是神聖的清晰度。基於這個原因，歷史傳記在使用資料時對來源要求特別嚴格，必須將這個人物放在他生活的複雜背景下，放在他的社會關係網的中心，無誤地還原他受到的政治、經濟、知識和文化的影響。因此，在這部毛澤東傳記中，我試圖將這個獨一無二的人物放在他生活的時間和空間裏。歷史傳記確實是一種「累積」，要避免落入小說套路。小說是傳記最相似的競爭對手。同時要避免像蘇維托尼烏斯（Gaius Suetonius Tranquillus，羅馬帝國早期的著名傳記體歷史作家）那樣把傳記寫成一個又一個暴君的生平記事，或像普魯塔克（Plutarchus）那樣寫成道德說教。但是這是任何傳記文章內在的矛盾 —— 雖然作者的方法客觀，但他的情感必定被研究的這個人物同化，這是極其可怕的。這就需要借助常用的「歷史專業」[7]以外的工具。如何通過某篇文獻或某種類型的調查來解讀某位偉人為何做了某個決定？這樣或那樣的特定事件如何影響了他的看法，如何干擾了他的記憶和想法，進而影響了他的行為？

　　此時，歷史學家不再是學者。如果他想讓他的主角有一定的深度，而不是一幅紙板圖，就得變成小說家。一些傳記作家，尤其是北美的傳記作家濫用重建或虛構的對話，就是這種需要的體現。我拒絕使用這種方法。但是，我們必須承認有時小說家比歷史學家做得更好，他們能再現世界上最偉大的人頭腦中出現的風暴。例如，伊斯梅爾 · 卡達萊（Ismail Kadaré）在小說《音樂會》（Le concert）[8] 中，描寫 1971 年 10 月毛澤東在北京會見理查德 · 尼克松（Richard Nixon）之前，曾隱居在一個山洞裏。小說中的毛澤東在腦海中回想起藏族僧人密勒日巴的《死亡之書》中的片段，他在大地中感到安全，思緒飛越了世間的紛亂，聽不見任何喧囂。這些完全是虛構的：延安時代結束後，毛澤東沒有再住過山洞。1966 年 6 月 17 日至 28 日，他在韶山時居住的「滴水洞」[9] 其實是當時的政治新星陶鑄為了滿足「偉大導師」的心血來潮而建造的別墅。不過，這種小說有一定的道理，因為它讓我們窺探到毛澤東未知的內心、非理性的衝動、接觸大地的力量和縈繞在腦海中的童年時從母親那兒接收到的宗教原始圖像。因此這也是一種真相，是傳記歷史學家永遠無法在資料中找到的真相。不同於普通的概念工具，一個人在個性形成過程中的這種非理性的、情感的、無意識的部分，往往可以在藝術創作中找到。幸好毛澤東寫了一些美麗的詩篇，我在這本書中用了幾首，它們起到了類似的作用。[10]

　　在歷史敘事中夾雜虛構的成分有時的確是富有成效的，但卻帶來巨大的風險：小說會扭曲歷史。更糟糕的是，有人會把小說當作歷史。1910 年，一名所謂的英國翻譯家出版了一位名叫景山的清朝高官的日記，它講述了義和團運動時期慈禧太后的宮廷陰謀。這本

書一直被推薦給想了解中國政治的人，直到1936年才被揭穿為欺世盜名之作，1940年得到確認。[11]

（2）正史和外史。這是中國所特有的現象。中國傳統文化鼓勵這種現實與虛構的混淆，這是歷史學家必須跨越的第二重障礙。事實上，中國歷史分為正史和外史。正史由史學家編纂，可資借鑒，顯示上一個王朝已經失去了天命，被合法取代；外史[12]（輕率的歷史）由私人編纂，是非官方的傳聞和軼事，但也可能補充官方歷史抹去的重要歷史事實。外史可能轉變為純屬虛構的故事，但這些混亂、無法覈實、捏造或隱蔽的事件中，往往可以還原出歷史的真相。這些「私家編年史」也被稱為野史、「不正規的歷史」或稗官史，不是出自史學家之手，而是由小吏編寫。明代時稗官為皇帝搜集街談巷議，類似現在的民意調查。這些特點在一些專業的歷史學家編撰的「紀實文學」中也能找到，它們包含了有據可查和沒有經過驗證的事件，[13]應用到傳記中就變成外傳。不用說，真正的歷史傳記難以在鍾情醜聞和八卦文學的「通俗」出版物中找到自己的位置，特別是像毛澤東這樣人物的傳記。然而，我不得不偶爾借用此法，參考之前優秀的英國歷史學家的作品，尤其是因為有關毛澤東臨終時的官方資料遠遠不夠，且受到嚴格控制。有時候，一些真正的歷史學家出於審慎而不標明出處，以免別人找到他們的漏洞。

關於毛澤東的正史

關於毛澤東，最早的傳記是一個共產主義版本的正史。1936年7月美國記者埃德加‧斯諾（Edgar Snow）寫了關於紅色中國的報告

《紅星照耀中國》(即《西行漫記》，*Red Star over China*)[14]，1938年7月由紐約蘭登書屋出版，書中第112至177頁是毛澤東的傳記。毫無疑問，這部著名的傳記建立在真實穩固的基礎上，對於歷史學家而言是非常有價值的資料。隨着這次採訪，毛澤東也開始建立這一生的最終目標。他開始重建他的過去，親自仔細檢查和批准了關於長征的標準敘事。1942年到1945年間，他獲得了黨的完全領導權，期間出現的內部鬥爭也開始有了官方的介紹。1945年4月20日，中國共產黨六屆七中全會採納了《關於若干歷史問題的決議》，斯諾對於這篇文章的形成也有貢獻。1981年6月27日至29日，中國共產黨十一屆六中全會投票通過《關於建國以來黨的若干歷史問題的決議》，在36年後延續了中國共產黨關於歷史問題的第一項決議。它對於毛澤東的歷史作用給出了官方的評估，鄧小平用毛澤東評價斯大林的方法來評價毛澤東：七分功，三分過。和1945年的情況一樣，這項決議在領導層內經過了長期和複雜的討論。它對於中國內地的歷史學家具有法律效力，屬於正史。埃德加‧斯諾是第一個關於毛澤東的正史作者。也正是得益於斯諾，毛澤東在中國之外為人所知。1936年12月12日至25日發生的西安事變中(蔣介石被他的兩個將軍發動兵變綁架)，共產黨所扮演的角色讓他們的主要領袖引起了時人的注意：昨天還是偏遠地區「亡命之徒」的頭頭，今天他的手中握着中國的主宰者蔣介石的命運！毛澤東帶着一支衣衫襤褸的軍隊撤退到坐落在荒涼的陝北平原的延安，讓北美讀者想起喬治‧華盛頓帶着忍受饑餓但堅持戰鬥到底的軍隊在1777年的冬天撤退到瓦萊弗戈的過程。毛澤東在西安事變中表現出完美的溝通藝術。1938年，在

中國的大城市中開始流傳《紅星照耀中國》的中文譯本，同時流傳的還有毛澤東在1935年秋寫的史詩《長征》。[15]

　　毛澤東的紅色傳奇誕生了，很多作品取材於此並傳播他的傳奇。中國不斷增長的重要性，對世界政治的干預（1950至1953年朝鮮戰爭、1954年日內瓦會議、1955年在萬隆舉行的亞非會議……）和重建的速度，引起了觀察家和歷史學家的關注。20世紀50年代以來，美國出版了許多專著（但不是毛澤東的傳記），恰當地分析了毛澤東真正的政治角色。雖然部分細節要修改，當中有些仍然有價值，比如1951年本傑明·史華慈（Benjamin Schwartz）的《中國共產主義和毛澤東的崛起》（*Chinese Communism and the Rise of Mao*）。關於毛澤東早期生活的傳記很快就出現了：它們關注其進入政壇之前的生活，那是他人生中最不「敏感」的時期。20世紀50年代出版了三本傳記，奇怪的是涉及了上文提到的三種歷史流派：蕭三於1949年出版的《毛澤東同志的青少年時代》可以歸為正史，不是很有趣。他的哥哥（和政敵）蕭瑜於1959年出版了《我和毛澤東行乞記》（*Mao Tse-tung and I Were Beggars*）[16]，記述了其學生時代和青年毛澤東進行的自由交談。1917年夏天他們在湖南流浪，風餐露宿或在長沙第一師範同學的父母家留宿。這是一本典型的外傳，因為這是數十年後的回憶。雖然文字引人入勝，但使用過時的證據時必須謹慎。毛澤東的秘書李銳的書《毛澤東同志的初期革命活動》於1957年在北京出版，1977年翻譯成英文，如果我們不糾纏於某些向官方歷史作出讓步的既定說法，則這本歷史專著是更接近真實的。王楓初（Nora Wang）的《毛澤東的童年和青少年》（*Mao Zedong: Enfance et adolescence*）

1999年出版，參考了其他作品，還利用了研究人員最近能查考的資料集，幾乎為毛澤東的第一段人生經歷畫了一個句號，我稍後會提到。值得一提的是，喬治‧曼提斯 (Giorgio Mantici) 自1981年起在羅馬陸續出版了毛澤東1919年在《湘江評論》上發表的文章。研究人員得到的文本越來越多，他的紅色傳說就越來越接近歷史事實。

關於毛澤東的文章

在很長一段時間內，毛澤東於1949年以前的文章只有官方的版本[17]：40年代在延安寫的文章和後來的四卷毛選 (譯註：應為六卷毛選)。50年代，出於政治需要，此版本在蘇聯專家的幫助下做了修訂，改成馬克思列寧主義式的話語。1970年到1972年，竹內實 (Takeuchi Minoru) 在東京出版了10卷精心挑選的《毛澤東集》，包括這些文章的原始版本和許多未發行的文章。

1963年至1964年，斯圖爾特‧施拉姆 (Stuart Schram) 在介紹毛澤東及其思想的過程中發揮了關鍵作用。他的作品已成為經典，尤其是1963年出版的《毛澤東》(*Mao Tse-toung*) (譯註：應為1966年出版)。在這個時期，他也介紹了毛澤東寫的《體育之研究》(*L'etude sur l'éducation physique*)，於1962年出版。1963年出版了《中國「不斷革命」論文獻》(*La révolution permanente en Chine*)。《毛澤東的政治思想》(*The Political Thought of Mao Tse-tung*) 和《毛澤東》分別在1963年和1966年發表。斯圖爾特‧施拉姆除了發表大量的文章，還寫了《劍橋中國史》(*Cambridge History of China*) 第13卷中的一章，出版於1986年，題為〈1949年前的毛澤東思想〉("Mao Tse-tung's Thought

to 1949"），還翻譯了一本百花運動以來毛澤東未發表的文章集
《未經修飾的毛澤東：談話和書信集 (1956-1971)》(*Mao Tse-tung
Unrehearsed*)，這本書 1974 年翻譯成法文，題目為《毛澤東對人民説
的話》(*Mao parle au peuple*)。自 1992 年開始，斯圖爾特・施拉姆在
哈佛大學有條不紊地進行一項艱巨的任務，和中國社科院合作出版
毛澤東 1949 年以前文章的英文版集子。在《通向權力之路》(*Mao's
Road to Power*) 中我們已經可以讀到 10 卷中的 7 卷，涵蓋了 1912 年至
1941 年整個時期，每卷 700 至 900 頁。第 8 卷為 1942 年至 1945 年，已
經在印刷，對博伊德・康普頓 (Boyd Compton) 不完整的著作《毛澤
東的中國：黨的改革文件 (1942-1944)》(1951)(*Mao's China: Party
Reform Documents, 1942-1944*) 是一個非常有用的補充。由於斯圖爾
特・施拉姆和他的合作者們做了很多註解和修訂，這 10 卷本成為了
一部具有科學價值的毛澤東傳記。高英茂 (Michael Kau) 和梁劍輝
(John K. Leung) 等也開始了類似的工作，涵蓋時間為 1949 年至 1976
年，這是普羅維登斯的布朗大學 (羅得島州) 政治科學系一個項目的
一部分。他們迄今只出版了兩卷，標題為《毛澤東的著作》(*The
Writings of Mao Zedong*)：第一卷出版於 1986 年，是關於 1949 年至
1955 年這段時期；第二卷出版於 1992 年，是關於 1956 年至 1957 年這
段時期。1960 年，法國的梧桐影木出版社 (Le sycomore) 發行了由
讓・謝諾 (Jean Chesneaux) 作序的毛澤東著作，共有兩卷，題為《未
發表的大躍進：1958》(*Le Grand Bond en avant: Inédits 1958-1959*) 和
《未發表的黑色三年：1959-1962》(*Les Trois Années noires: Inédits
1959-1962*)，大部分內容是之前未知的，由「文革」時期的紅衞兵披
露。這樣的來源使得這兩卷書的學術質量較差。胡績溪 (Hu Chi-hsi)

於1975年發表了《毛澤東和蘇聯模式的社會主義建設或者中國的道路：未發表的文章》(*Mao Tsé-toung et la construction du socialisme modèle soviétique ou voie chinoise textes inédits*)。這是毛澤東1958年和1959年在斯大林的《蘇聯社會主義經濟問題》一書和1960年在蘇聯《政治經濟學教科書》上的評註。1976年，雄鹿出版社(Le cerf)出版了一本文集，題為《從土地改革到人民公社》(*De la réforme agraire aux communes populaires*)。1989年，羅德里克・麥克法夸爾(Roderick MacFarquhar)、齊慕實(Timothy Cheek)和吳文津(Eugene Wu)出版了《毛主席的秘密講話：從百花齊放到大躍進》(*The Secret Speeches of Chairman Mao: From the Hundred Flowers to the Great Leap Forward*)。1996年沈邁克(Michael Schoenhals)出版了《中國文化大革命，1966–1969：不是請客吃飯》(*China's Cultural Revolution, 1966–1969: Not a Dinner Party*)，此書包含了毛澤東在「文化大革命」期間寫的重要文章。毛澤東在生命最後十幾年中的指示，可以從宋永毅編的《中國文化大革命文庫》(光碟)中找到，2002年由香港中文大學出版社出版。2003年在哈佛大學舉辦的紀念歷史學家斯圖爾特・施拉姆的研討會上，一位中國學者說中國的歷史學家掌握的英文資料將超過中文資料。

在中國，有人曾經打算出版毛澤東的全集，這個想法在1981年到1989年有了初步的進展。1982年出版了《毛澤東農村調查文集》，1984年出版了《毛澤東書信選》。在特殊的政治環境下，整個項目在1989年下半年被放棄。然而，它促進了1989年前後許多精心準備的文本的出版。1987年至1989出版了13卷《毛澤東自1949年以來的手稿》，1993年出版了6卷《毛澤東軍事文集》，1993年至1999年出版了8卷《毛澤東文集》。在過去的15年裏出版了諸多年譜和傳記，參考

了現在還未出版的手稿，如1993年顧龍生的《毛澤東經濟年譜》。
1990年，中共中央文獻研究室、中共湖南省委《毛澤東早期文稿》編
輯組編輯，由湖南出版社出版了《毛澤東早期文稿》一書。1994年，
中央文獻出版社出版了《毛澤東外交文選》。更不用説那些自稱是「全
集」的詩歌集，其中包括1958年西格斯出版社在「當今詩人」這一系
列中，翻譯出版的18首毛澤東詩詞。因此，研究者開始不再那麼依
賴紅衛兵胡亂標註日期或杜撰的資料，包括美國弗吉尼亞州中國研
究資料中心出版的〈毛澤東思想萬歲〉（"Vive la pensée Mao Zedong"）
和15卷毛澤東非官方作品，以及其他類似的、沒有科學嚴謹性的出
版物。雖然2006年瑪麗安‧巴斯蒂‧布魯蓋爾（Marianne Bastid-
Bruguière）在道德和政治科學學院的演講中，過於悲觀地認為我們只
掌握了毛澤東著作的三分之一，但對於傳記來說，如果作者是歷史
學家的話，已經有足夠的穀物磨出好的麵粉。

被解放了的傳記

傳記作家們描寫「偉大舵手」時，不再受筆下的崇敬之情所桎
梏，有兩本書起到了決定性的作用。這種對毛澤東的褻瀆，在很大
程度上也由於中國政治生活的演化：如果説中國之外的地方對「大躍
進」仍抱有幻想，那麼「文化大革命」在多數歷史學家和政治學家眼
中是一場災難，這最終使毛澤東的形象褪去了光環。

第一本書是西蒙‧萊斯（Simon Leys）（本名皮埃爾‧里克曼斯
Pierre Ryckmans）《毛主席的新衣》（*Les habits neufs du président
Mao*），於1971年出版。這本書資料翔實，對當時依然受到極力恭維

的偶像表現出極大的不尊重，體現了一種新的精神狀態。在隨後的十幾年裏，畢仰高（Lucien Bianco）在1985年出版的《中國工人運動傳記辭典》（*Le dictionnaire biographique du mouvement ouvrier chinois*）中對毛澤東進行了貼切的評價。1976年9月10日他在《世界報》上發表了一篇文章。這篇文章後來成為《中國革命的起源，1915–1949》（*Origines de la révolution chinoise, 1915–1949*）一書於1987年第一次再版時的結語，勾勒出一個革命者成為專制君主的歷程（「為了毛澤東的榮耀，他原本最好像列寧一樣，在革命勝利後幾年就死去」）。我們在施維葉（Yves Chevrier）1993年出版的小冊子《毛與中國革命》（*Mao et la révolution chinoise*）和克勞德‧修德羅（Claude Hudelot）2002年出版的《毛澤東的人生和傳奇》（*Mao: La vie, la légende*）中找到了同樣的評價。大約在同一時間，在英語國家中，各位毛澤東的傳記作家做了真正的歷史學家的工作。例如，1965年陳志讓（Jerome Chen）的《毛澤東與中國革命》（*Mao and the Chinese Revolution*）和愛德華‧賴斯（Edward Rice）1972年出版的《毛澤東之路》（*Mao's Way*），後者很快就過時了，我更青睞前一本書。其他的書籍有理查德‧所羅門（Richard Solomon）《毛澤東的革命和中國的政治文化》（*Mao's Revolution and the Chinese Political Culture*）、白魯恂（Lucian Pye）《作為領袖的毛澤東》（*Mao Tse-tung: The Man in the Leader*）、魏斐德（Frederic Wakeman）《歷史與意志：毛澤東思想的哲學透視》（*History and Will: Philosophical Perspectives of Mao Tse-tung's Thought*）、雷蒙德‧懷利（Raymond Wylie）《毛主義的崛起：毛澤東、陳伯達及其中國理論的探索（1935–1945）》（*The Emergence of Maoism: Mao Tse-tung, Ch'en Pota and the Search for Chinese Theory 1935–1945*）。最近有2007年出版的尼

克・奈特（Nick Knight）《再思毛澤東：毛澤東思想的探索》（*Rethinking Mao: Explorations in Mao Zedong's Thought*）和莫里斯・邁斯納（Maurice Meisner）《毛澤東：一個政治家和知識分子的肖像》（*Mao Zedong: A Political and Intellectual Portrait*）這些作品的標題顯示出它們從一個特定的角度評論毛澤東，並不是傳統意義上的傳記，豐富了我們關於毛澤東政治和哲學思想的知識。雅克・安德里厄（Jacques Andrieu）2002 年出版的那本有爭議的小冊子《毛澤東的心理》（*Psychologie de Mao Tsé-toung*），更是屬於這種情況。有些學者的研究局限於毛澤東在各種事件中的作用：胡繢溪於 1982 年出版的《紅軍與毛澤東的崛起》（*L'Armée rouge et l'ascension de Mao*）關注江西的蘇維埃，羅蘭・盧（Roland Lew）1981 年出版的《1949 毛澤東掌權》（*1949, Mao prend le pouvoir*）關注解放戰爭的決定性階段。許多美國歷史學家尤其如此，如 1966 年約翰・E・魯（John E. Rue）《在野的毛澤東：1927–1935》（*Mao Tse-tung in Opposition: 1927–1935*）。許多其他作者進行的具體研究，更多時候關注在共產黨控制下的一個特定區域的歷史。我們可以從中找到其他地方沒有的毛澤東的指示，以及他與共產黨其他領袖之間的通信。這些書都不是嚴格的傳記，但這些煩瑣的資料搜集有助於歷史資本的原始積累，能讓毛澤東走下主席台的神壇。漸漸地，毛澤東成為一個政治家，他的命運不同於常人，但他和其他許多人一樣，曾經運用計謀、懷疑、憎恨、背叛、憧憬、徬徨、富有魅力，有時非常粗暴，當他要將自己的意志強加於人或擊敗他的對手時，表現出殘忍的冷漠。研究人員有時着迷，有時驚恐，他們看到這個人多年來懂得從獨特的歷史環境中獲益，他的自我意識既有效果也有害處。他們掌握的豐富信息使過於逸事化的歷史傳記迅

速過時，如迪莉婭・達文（Delia Davin）於1997年出版的《毛澤東》（*Mao Zedong*）和迪克・威爾遜（Dick Wilson）於1989年出版的《毛澤東：1893–1976》（*Mao 1993–1976*）。更加邊緣的作品有1982年亨利・博壽（Henry Bauchau）和勞拉・博壽（Laure Bauchau）的作品，以及1975年阿蘭・布克（Alain Bouc）的《毛澤東》（*Mao Tse-toung*）和韓素音的幾本書。這些書是「毛澤東神話」最後的表現，這是它們唯一的意義。[18] 終於到了新一代毛澤東傳記作者的時代。

新一代傳記作者

他們出現在20世紀90年代，受益於一本書，這一次是一本外傳。1994年李志綏的《毛澤東私人醫生回憶錄》（*La vie privée du président Mao*）在巴黎出版，同年在台灣出版中文版，隨後在紐約出版英文版。毫無疑問，這位1954年至1972年擔任毛澤東私人醫生的人，誇大了自己與主席的親密程度。他在「文革」初期出於謹慎毀掉了他所有的筆記，而不得不依靠記憶來寫這本厚厚的回憶錄，我們可以懷疑他詳細敘述的與毛澤東談話內容的真實性。他於1988年在美國定居，直到1996年去世。他很顯然受到其合作者安妮・瑟斯頓（Anne Thurston）和她認識的美國漢學家的極大影響。因此，在他的回憶錄中，有一部分需要歷史學家謹慎對待。而且我們在這位據他說受到汪東興保護的醫生筆下，得到更多的是確認已知的歷史事實，而不是新揭示的真相。書中還能找到一些美國專家犯過的錯誤。[19] 但關鍵不在這裏：這本書提供了一份見證，毛澤東入住中南海那間乾隆年間建造的寬敞書屋之後，籠罩着神聖的恐怖氣氛，他

的表裏不一和記仇，以及1958年後的性狂熱和1972年健康狀況的迅速惡化。這部引起非議或令人震驚的編年史，無疑為偉大的歷史作出了貢獻。弗雷德里克·泰偉斯（Frederick Teiwes）曾解釋過1954年至1955年饒漱石和高崗[20]悲劇性的下台，主要原因是毛澤東身邊圍繞着帝國朝廷的氛圍，毛澤東已經成為濫用藥物的「亞述巴尼拔」（亞述國王），將他的心血來潮強加於卑屈的奉迎者。高崗透過一些跡象錯誤地認為毛澤東想擺脫劉少奇，然而致命的問題是：時機還沒有到。於是高崗不得不自殺。我們的迪亞法留斯（莫里哀的喜劇《無病呻吟》中的醫生）身上一定有塔西陀（Gaius Cornelius Tacitus）和蘇維托尼烏斯（兩位都是羅馬的歷史作家）的才華，因此，他描述了1966年7月26日毛澤東藏在人民大會堂的幕簾後面，聽學生們批鬥劉少奇和鄧小平的場景。幕布突然掀開，毛澤東出現了，人群起立鼓掌，他大手一揮，在沉默中穿過舞台消失了，周恩來拋下正受侮辱的同事跟在他後面。[21]

在某種程度上，李志綏的書對傳記作者們產生了類似的效果：他把毛澤東交給了他們。尤其是像我之前所説，現在學者們有豐富的文獻可以查考。譚若思（Ross Terrill）1999年出版的《毛澤東傳》（*Mao: A Biography*）資料翔實，卻充斥着復原的對話。相反，史景遷（Jonathan Spence）1999年在美國出版的《毛澤東》（*Mao Zedong*）嚴謹、出色、有說服力，卻過於簡潔。該書於2001年翻譯成法文。菲利普·肖特（Philip Short）1999年在倫敦出版的《毛澤東》（*Mao: A Life*）2005年翻譯成法文，我認為它是迄今為止最好的毛澤東傳記。肖特是英國廣播公司一名優秀的記者，先後派駐香港和北京，這本書提供了一個平衡和嚴謹的視角，儘管也包含了一些錯誤。[22]當

然，你可以認為作者沒有為毛澤東的著作提供足夠的篇幅，也沒有太多涉及「偉大舵手」的政治遠見和他旨在改造的社會之間的關係。但是肖特比之前的作者更平衡地看待寫作的對象：他沒有掩飾毛澤東所犯的錯誤，但也沒有忘記他所取得的成就和優點。我喜歡第八章〈富田：失去清白〉（"Futian: Loss of Innocence"）這個標題，這一章顯示毛澤東為了使人敬服，很早就表現出極其粗暴，有系統地使用嚴刑，血腥清洗了他軍隊的十分之一。同時肖特將他放在巨大危機的背景下，表明這並不是他的本意。這一清晰的分析得到了在中國同時進行的研究的證實。南京大學教授、歷史學家高華通過分析一部分全新的資料，在《紅太陽是怎樣升起的》一書中得到了類似的結論。該書於2000年在香港出版。[23] 中西方的眾多歷史學家對長期掩蓋的敏感話題進行了共同調研，似乎也印證了毛澤東的傳記作者現在可以是史學家，而不再是理論家或史官。

其他的傳記雖然出版時間比較近，但似乎沒有肖特或史景遷的書那麼有意義。李蒂甘（Lee Feigon）在2005年寫了《重新認識毛澤東》（*Mao: A Reinterpretation*）。他在書中將毛澤東寫成斯大林的心腹和現行政策的發起人，這引起了所有評論家的質疑。長期以來，大家一直認為斯大林在1938年時選擇了王明，但事實是他選擇了毛澤東（克里姆林宮的主人不得不自問：「王明，他有多少個師？」）。我認為李蒂甘的錯誤似乎在於，沒有看到毛澤東在他不得不做出重大選擇時，也在同一段時間內捍衛了相反的看法。這種含糊不清的思想唯有毛澤東才能做到，而且與他的精神形式相應。另一方面，思想的模糊讓他萬無一失。不過從1953年開始，毛澤東加快推行他的總路線，他在最後的分析中做了錯誤的選擇。誠然，他在取得政權時

發展的「新民主」，可以被認為是1978年12月由鄧小平發起和深化的改革開放政策的起源。但是，如果說毛澤東是創始者，那麼他也是早期固執的破壞者。從1953年11月開始，他下令國家壟斷糧食貿易，1955年下半年實行土地集體化，並分別在1957年和1959年的夏天兩次發起「反右」運動，波及幾十萬知識分子。他對1959年至1961年的大饑荒負有主要責任。李蒂甘刻畫毛澤東的視角單一，沒有說服力。邁克爾・林奇（Michael Lynch）的傳記題目很簡單，即《毛澤東》（Mao），該書2004年在倫敦出版，證明了研究當代中國時中國歷史學家的作用是必不可少的，僅滿足於粗通中文和大量閱讀英語資料就能展開研究的時代已經過去了。不幸的是，邁克爾・林奇的中文資料僅僅來自斯圖爾特・施拉姆的翻譯。過去這樣做足夠了，現在就行不通了。和之前的許多優秀西方歷史學家一樣，林奇寫道：毛澤東批評鄧小平在1956年9月的八大期間將中國共產黨黨章中凡是參考了「毛澤東思想」的部分都刪掉了。林奇認為毛澤東想讓鄧小平在文革期間為此付出代價。中國歷史學家逄先知是與金沖及一起負責中共中央文獻研究室的專家。2007年6月，他在法國東方文化研究中心舉辦的研討會「歷史研究對象毛澤東」上，介紹了中共中央宣傳部1954年12月19日的一份文件。文件中指出：「毛澤東同志指示不再使用會引起混亂的毛澤東思想這個術語」，取而代之的是「馬克思列寧主義普遍真理在中國的應用」，甚至乾脆只提「馬克思列寧主義」。顯然，毛澤東沒有等到蘇共二十大才表現他的謹慎。

　　中國的歷史學家不能再被忽略，雖然他們受到種種限制：他們受到歷史的要求和特定時期的限制，在正史和外史之間左右為難。外史經常產生淫穢文學，充斥着或多或少未經證實的逸事，對歷史

學家而言沒什麼意義，通常是毛澤東的警衛、親戚或假親戚[24]、情人[25]寫的。不過在這堆粗製濫造的書中，至少有一本是精品：1997年在香港出版的四卷傳記，由一個叫辛子陵的人所寫。這本《毛澤東全傳》是第一本用中文寫作而沒有止步於1949年的傳記，包括了1949年至1976年的歷史。作者似乎在解放軍中有可靠的信息提供者。但不幸的是，除了極少數例外，他沒有列出資料來源，專業歷史學家無法使用他的資料，即使他們認為某個特定的事件可能比官方版本更可靠。在該書第四卷第162至163頁，辛子陵介紹了1959年4月至5月在上海召開的政治局擴大會議，這次會議是在7月至8月盧山會議之前召開的。辛子陵引用了彭德懷的發言。彭德懷認為「大躍進」的政策是完全錯誤的，並補充説：「説是不夠的，必須採取措施來補救……否則，人們將會失去共產主義信仰。」這樣的發言比1959年7月13日他寫給毛澤東的那封著名的信更嚴厲，能更好地解釋毛的激烈反應和那封充滿尊敬之情的信似乎不相稱的原因。但可惜的是，作者沒有透露來源。1996年金沖及在北京出版兩冊《毛澤東傳 (1893–1949)》，有時引用了一些未發表的文章，有時插入某些重要文件的複印件。然而，這個故事到1949年結束，沒有給讀者帶來新的東西。它像是一篇巧妙的辯護詞，為毛澤東在1930年12月富田事件中的行為提供情有可原的背景，或為1942年至1944年延安整風運動期間發生的所作所為開脱。2004年金沖及和逄先知一起出版了另一部《毛澤東傳 (1949–1976)》，兩卷本共計1,798頁，時間跨度為1949年至1976年。書中對資料經常是全文引用，有些新的照片。但它依然像毛澤東時代紅色女性的香水：我們看到書中常有奇

怪的沉默，存在各種缺失和同樣的辯護傾向。

得益於新文章的出現，弗雷德里克・泰偉斯和孫萬國（Warren Sun）搜集到了一些嚴肅的作品，2007年出版了《毛澤東時代的終結：「文化大革命」後期的中國政治，1972–1976》（*The End of the Maoist Era: Chinese Politics during the Twilight of the Cultural Revolution, 1972–1976*）對毛澤東的晚年做了總結。這兩位一絲不苟的作者毫不遲疑地使用了一本紀實文學，高文謙的《晚年周恩來》，2003年在香港和紐約出版，2007年翻譯成英文，標題為《周恩來，最後一位完美的革命者》（*Zhou Enlai: The Last Perfect Revolutionary*），由公共事務出版社（Public Affairs）出版。泰偉斯勾勒了一位被一種可怕的疾病（盧伽雷氏症[26]）折磨，但直到1976年6月還完全清醒的中國領導人形象，他長期處於麻木遲鈍的狀態，但在中國的政治生活中仍佔據主導地位。無論它們有什麼樣的缺點，這些傳記都屬於歷史學的範疇。因此班國瑞（Gregor Benton）於2007年出版了四卷本的《毛澤東與中國革命》（*Mao Zedong and the Chinese Revolution*），大膽搜集了之前幾乎不可能得到的文章和資料，研究多年來毛澤東政治思想的演變，與此同時，對此感興趣的學者們的做法也都如出一轍。[27]

無謂的爭議

我沒有提自埃德加・斯諾的《紅星照耀中國》之後發行最多的那本毛澤東傳記，它也是唯一一本在電視中被長時間介紹的毛澤東傳記。電視催眠我們這個時代的人，並決定了一本書的命運。這是張

戎（Jung Chang）和喬・哈利戴（Jon Halliday）的《毛澤東：鮮為人知
的故事》（*Mao, l'histoire inconnue*），於2005年在倫敦的喬納森・凱普
（Jonathan Cape）出版社出版，2006年伽利瑪出版社（Gallimard）推出
系列傳記，其中包括這本書的法語版。

　　我承認我很尷尬。看到英國的專業媒體[28]對這本書的報道時，
我發現所有的書評者和我有相似的苦惱，除了一兩個例外和一些記
者。大家都記得張戎之前的暢銷書《鴻：三代中國女人的故事》（*Wild
Swans: Three Daughters of China*），她的祖母、母親和她自己的故事將
我們帶入中國一個世紀以來的各種悲慘事件。沒有人能夠忘記「大
躍進」時四川數十萬農民患了水腫饑餓死亡的可怕場景，一些不人道
的幹部逼迫奄奄一息的可憐人交出所謂私藏的糧食。所有人也都承
認喬・哈利戴在如今已經消失的東歐社會主義國家歷史研究方面具
有傑出的才能，他幾乎能閱讀所有的東歐語言：他為中蘇關係的研
究提供了不可忽視的新內容。另外，大家都同意歷史學家能在這部
844頁（法文版844頁，原版814頁）的著作中找到「金礦」，我們能在
書中找到一些全新的信息：中國、朝鮮和蘇聯領導人就中國1950年
加入朝鮮戰爭的談話（原版第371至395頁）、1950年12月斯大林和
毛澤東在莫斯科的會面（第360至370頁）、中國的原子彈研究（第
500至506頁），或主席奢侈的生活方式（第336至347頁）。此書使用
的批評方式令人印象深刻：85頁筆記、363頁訪談、26頁中文傳記
和23頁西方語言（包括阿爾巴尼亞語和匈牙利語！）的參考書籍。但
是，如果我們更仔細分析，就會發現這是一個令人困惑的組合，有
主要來源於蘇聯的獨家檔案、可信的信息披露、嚴謹的實地調查，
但也有八卦、扭曲的記錄、無法證實的小道消息和煽動性的翻譯。

　　我們很快發現這是所有關於中國的「外傳」所具有的特點。例如，作者在第562頁引用了據說是林彪見異思遷的妻子葉群和她當時的情人黃永勝之間充滿愛意柔情的對話記錄，它來源於1993年一個叫肖思科的人寫的揭發「四人幫」的一本小冊子，他們沒有驗證這個令人懷疑的來源。這種明顯缺乏嚴肅性的材料比比皆是。正如黎安友（Andrew Nathan）在《倫敦書評》（*London Review of Books*）中寫的：「張戎和喬·哈利戴被所有閃光的東西吸引，沒有區分玉石和塑料仿製品。」十分嚴謹的墨爾本報紙《年代》（*The Age*）[29]也與張戎和喬·哈利戴一樣，針對1935年5月29日長征期間瀘定橋事件進行了調查。張戎聲稱已找到該事件唯一健在的證人，一位93歲的老太太。她告訴張戎當時這個地方沒有任何戰鬥。三年後《年代》的記者再次採訪她時，這位非常容易受影響的證人詳細描述了同一場戰鬥！但我們知道這是毛澤東告訴埃德加·斯諾的長征中最有名的戰鬥：老吊橋的木板已被燒毀，23名共產主義戰士在槍林彈雨下拉着鐵索過了橋，用手榴彈攻克了國民黨駐軍的堡壘。19世紀太平軍在同一個地點全軍覆沒，而紅軍在包圍圈的威脅下突破重圍得救了。張戎和喬·哈利戴認為能夠通過一個年老婦人的證詞，認定從來沒有瀘定橋戰鬥。他們認為不需要戰鬥就能通過這座歷史悠久的古橋，因為蔣介石為了救自己1925年以來被斯大林挾持在蘇聯的愛子蔣經國，想推動長征獲得成功。牛津大學的教授曾銳生（Steve Tsang）進行了兩次調查研究，翻查了國民黨檔案後，在《年代》上發表文章，認為確實有瀘定橋戰鬥，即使這個故事的共產主義版本被嚴重英雄化了：蔣介石下令當地軍閥守住瀘定橋，直至10萬名國民黨追兵趕到。但這個軍閥不願意受蔣介石控制，將守衛這座具有巨大戰

略意義的橋樑的任務交給一支「兩根桿」分隊（槍桿和煙桿）。他們胡亂抵抗一陣就逃走了。至於蔣介石對兒子的愛是否能使他寬容共產黨人這個問題，毛澤東傳記作者迪莉亞・達文在《泰晤士報・文學副刊》上提到，這樣的愛沒有阻止蔣介石於1927年4月在上海對共產黨人進行屠殺，自1925年以來，他心愛的兒子已經在莫斯科當人質了。

事實上，一切都用來加強張戎和喬・哈利戴在《毛澤東：鮮為人知的故事》第47頁的論點：毛澤東是一個比希特勒或斯大林更兇惡的「魔鬼」，想要不惜一切代價使中國成為超級軍事大國，滿足他的虐待狂和淫亂的欲望。他自青年時代就過分自我，在湖南第一師範期間充滿激情地閱讀和批註了新康德主義哲學家泡爾生（Friedrich Paulsen）寫的《倫理學原理》（Éthique）一書的翻譯版。因此，這兩位作者在第13頁引用了毛澤東的一句格言，他們認為這句話承載了最黑暗的罪行，即「吾人惟有對於自己之義務，無對於他人之義務也」。然而，為什麼他們沒有注意到在同一本筆記本上的另一句話？——「設見人之危難而不救，雖亦可以委為無罪，而吾心究果以此見難不救為當然乎？不以為當然，則是吾有救之之義務也。救人危難之事，即所以慰安吾心，而充分發展吾人精神之能力也。」他們怎麼沒有注意到年輕的毛澤東只是複述了1919年五四運動以來當時青年學生中流行的想法？這些憤怒的年輕人頌揚個人、個人的權利、自由婚姻，不尊敬父母和傳統，抨擊儒家思想的枷鎖，認為沒有什麼可怕的。我們也知道1919年一位年輕姑娘不願意接受包辦婚姻，在婚禮的花轎上自殺。當時的毛澤東引導了一場轟轟烈烈的婦女解放運動。這兩位作者更傾向於將他變成一個喜歡奢華和享樂，

沒有任何管理才能（第15頁），沒有深厚的信仰，依靠蘇聯提供給年輕中國共產黨的金盧布生活的人（第32頁）。同樣，毛澤東在1926年冬天以共產黨和國民黨的雙重身份負責湖南省的農民運動，並於1927年2月寫出了他著名的報告，這樣的經歷在張戎看來反映出毛澤東看到起義農民屠殺村霸時施虐的快感！1927年秋收起義，毛澤東被敵人的巡邏隊截住，不能到達起義者們逃散之後指定給他的指揮崗位，在作者的眼中成了一起綁架事件（「劫持了一支紅色力量」）；毛澤東接手一支小部隊，被寫為成為當地一個強盜（第51至65頁）；1930年12月富田事件[30]被描述成一場血腥清洗（第92至104頁），事實上也是如此。但張戎顯然沒有讀過我上文提到的高華的書，[31]雖然她在書中的註解提到了這本書——如果她讀了高華的書，她也許會知道毛澤東不是事件的發起者，是當地李立三的支持者挑起了針對他的攻擊。這不是原諒他所使用的殘暴手段的藉口，但也無法看出一個年輕的魔鬼醞釀了一個惡毒的計劃。此外，張戎完全忽略了斯蒂芬·埃夫里爾（Stephen Averill）在這個問題上所做的出色研究，他再現了當地的背景、當地共產黨人和來自湖南的共產黨人的複雜衝突。[32]一切因素都起着作用。

同時，這兩位作者將歷史學家熟知的事件作為新鮮事來介紹，例如1938年斯大林對毛澤東晉升的支持、各地軍閥（而不是蔣介石）在長征勝利中起到的作用。一些軍閥為了不受蔣介石派出的追捕「赤匪」的中央軍的控制，讓共產黨順利地經過他們的地盤，在長征勝利中起到了一定的作用。張戎和喬·哈利戴揭示的內容沒有任何根據。相反，國民黨在台北公開的檔案中沒有任何資料證實蔣介石曾經幫助共產黨長征。長征中沒有戰鬥是荒謬的說法，雖然有些事件

在共產主義傳統敘事中成了史詩誇張的主題。作者們認為解放戰爭的最後階段，共產黨的勝利完全歸功於放置在國民黨軍隊高層的「地下黨員」的行動，蔣介石在接連戰敗時仍然信任他們，這無異於把蔣介石看成一個徹頭徹尾的傻瓜。軍事歷史學家都知道在參謀部中有「地下黨員」，但沒有任何證據表明作者提到的三個人是地下黨員。同樣也沒有任何證據能肯定中國於1962年在蘇聯的暗中支持下進攻了印度，事實恰恰相反。這就導致了對正史的顛覆，毛澤東從神變成「魔鬼」，不過仍然是「超人」。其他中國領導人，也許除了劉少奇和彭德懷，多是可憐的木偶。確實，批評張戎和喬‧哈利戴這本書的歷史學家中，有些人也認為毛澤東是一個「魔鬼」，這對打破在中國長期存在的「毛澤東神話」有益，因此他們認為這本書是達到這個目的的工具。但他們難道沒有意識到將歷史工具化的風險嗎？而同時毛澤東的傳記家們開始超越長期盛行的目的論視角，用虛假的問題充塞最終向研究者們敞開的領地，這難道不是一種退化嗎？

通過大量的信息、思考和最終能夠查考的資料，我嘗試以最審慎的態度跨越布滿地雷的領土，按照時間順序描述。這種做法有點像中國傳統的「年譜」。我嘗試通過精確穿插各種事件，克服結構不夠緊密和邏輯過於分散的主要缺點。

更確切地說，1942年至1945年的延安整風運動時期，作為主要的銜接，是我這本書的中心。就在此時，毛澤東成為中國共產黨的第一號人物，明晰了他的思想方針。他依照這種模式在建設他夢想的新中國時遇到了困難。

1966年7月8日，毛澤東寫了一封信給江青，在信中告訴江青

要發起「文化大革命」。他對於自己作為發起者掀起的大動盪的前景非常興奮，毛澤東告訴她自己性格中有奇怪的二重性：「在我身上有些虎氣，是為主，也有些猴氣，是為次」。我們知道正如毛澤東同一封信中所說，老虎是「山中之王」。因此，毛澤東擁有絕對的權力、專制、粗暴。我們對猴子的了解較少，牠是更加複雜的生物。牠的一些功能來自印度史詩《羅摩衍那》(*Ramayana*)的神猴哈努曼，哈努曼曾經解救大神毗濕奴的化身、阿逾陀國王子羅摩。猴子在中國戲曲中神通廣大，深受人民喜愛，在神仙宴會上靠着神奇的金箍棒成名，並且長生不死。牠是孫悟空，公元627至645年護送玄奘[33]往西方朝聖，是16世紀中國流傳最廣泛的小說之一吳承恩的《西遊記》[34]中的主角。牠聰明，擅長變化之道，排除了取經路途中的重重險阻。為睿智和真理服務的正是不擇手段的聰明。

　　猴氣？虎氣？毛澤東是中國的一種命運。

長沙（1925年秋）

獨立寒秋，湘江北去，橘子洲頭。[1]

看萬山紅遍，層林盡染；

漫江碧透，百舸爭流。

鷹擊長空，魚翔淺底，萬類霜天競自由。

悵寥廓，問蒼茫大地，誰主沉浮？

攜來百侶曾遊，憶往昔崢嶸歲月稠。

恰同學少年，風華正茂；

書生意氣，揮斥方遒。

指點江山，激揚文字，糞土當年萬戶侯。

曾記否，到中流擊水，浪遏飛舟？[2]

〈沁園春·長沙〉

（1925年秋）[3]

　　1921年6月29日18時，一艘小型蒸汽輪船離開湖南長沙的碼頭往北駛去。季風帶來的降雨籠罩着這片灰濛濛的大地。船上有一個五十多歲的中國人，留着小鬍子，穿着和神態都像個學者，從西邊的門走來。他有一個年輕的同伴，那人走路時穩健的步子像一個農民，身高近一米八，比人群中的其他乘客都高了一頭。他似乎不知道該用他白皙修長的手做些甚麼。這雙手和他的粗布衣服以及打着補丁的布鞋相比，令人驚訝。這兩名男子，何叔衡和毛澤東，是參加中國共產黨成立大會的湖南代表。他們離開時，沒有人在碼頭上為他們送行。毛澤東（他的朋友們更熟悉他的字：潤之）上船後就和何叔衡分開了，他在船艙裏遇到一位穿着西服，愛做友善手勢的年輕人。於是，兩個年輕人開始了長時間的政治辯論。在這個淫雨霏霏的季節，洞庭湖看起來像茫茫無際的大海。船開始駛入浩瀚的洞庭湖，毛澤東回到甲板上，口袋裏裝有一本名為《資本主義簡介》的小冊子。衣冠楚楚的青年男子再次碰到他的朋友，取笑他閱讀的書籍，於是爭論又開始了。這位年輕人名叫蕭瑜（字子昇），第二天他在武漢上岸。

　　當時的毛澤東可能不知道這促成了他的命運。[4]少年時他就是個叛逆的孩子，拒絕和先祖們一樣當一輩子農民，後來去了一所小學任教。從1919年夏天開始，他作為接受了新的「啟蒙思想」的小學教員在報紙上發表文章，投身於當地的政治活動。借助這次旅程，他邁開了畢生從事的革命事業的第一步。至少，我們所知道的情況是這樣的。這幾乎神聖的關於未來的認知，經常使得歷史學家在研究偉人的一生時，屈從於目的論的看法。事實上，從1910年（那一年，他離開家）到1927年12月（彼時他帶領數百個起義失敗者流落山

林），毛澤東一直在尋找自己的路，屢遭挫折：先後對他的父親和最初的老師感到失望，當他認為自己在北京終於找到值得探索的夢想時，卻發現他作為知識分子永遠不會得到大家的接納。在工農運動風生水起的時候，他退而組織地方運動，卻受困於這樣的改變太過渺小。作為無產階級運動的戰士，他發現自己希望組織的革命階級幾乎算不上一個階級，甚至還不如在國民黨左翼的感覺更舒適。作為國民黨和共產黨的幹部，他看到悲苦的農民階級的願望和政客們以農民的名義提出的政治綱領之間，有一道日益擴大的鴻溝。

第一章

不可能的上升之路（1910–1919）[1]

1893年12月26日，毛澤東出生在韶山沖，[2] 它隸屬於湖南省湘潭縣，[3] 距離省會長沙有兩天的行程，雖然直線距離只有50公里。在老家農地與湘潭和湘鄉（湘潭以南15公里）這兩座小城市輾轉度過一年過渡期，1911年春天，18歲的他才最終離開這個大村莊，經過兩天的步行，然後乘船抵達省會。

毛澤東在童年和青少年時期過着一個農民子女的生活：從6歲到17歲的11年間，他幫助父親種地。孩提時代，他的工作主要是飼養家裏的水牛。少年時，他很快學會用一根扁擔挑糞桶。結束一天的鋤草、採摘豆類和照顧生豬的勞作後，他總是腰酸背痛。硬秸稈做的斗笠難以抵擋烈日的曝曬，他必須連續數個小時踩水車把河水運上來，保持稻田中合適的水量：水太多，稻子會被淹沒；水不夠，會被曬傷。年輕的毛澤東和其他耕種着湖南20萬平方公里農田的2,200萬到2,300萬農民一樣，從事着單調的勞作，為初春霜凍或夏季風暴[4]引起的洪水而憂心忡忡，擔心收成受到影響。

叛逆的兒子

他是一個富裕農民家庭的長子。他的父親毛順生（1870–1920）出身貧困，身材高大。因為債務纏身，毛順生參加過李鴻章的淮軍。淮軍出於湘軍，1864年曾國藩帶領着湘軍鎮壓了太平天國起義。曾國藩是青年毛澤東崇拜的英雄之一：可能毛澤東的父親曾經跟他提起過這個人物。帶着一點點返鄉的遣散費，毛順生做過買賣，設法買了一公頃的耕地，成為「中農」。據他的兒子所說，這個大膽的人從事糧食的運輸和貿易，購買破產農民抵押的農田。到1907年，他有了一片面積兩公頃、每年生產水稻5,750公斤的田地。家裏有七到八口人，包括一名長工和一名冬天在磨坊幫忙的短工，自家需要消耗稻米2,250公斤。[5]毛順生將剩下的3,500公斤用於出售。他兒子還說，他因此晉升為一個「富農」。家裏的房子很大，蓋着紅瓦，不像旁邊的鄒家是茅草房。毛家有一個牲畜棚，至少有一頭水牛、一個穀倉、一個豬圈、一個小磨坊和2,000至3,000元的資金。年輕的毛澤東多次替父親收債。1907年在湘潭騷亂期間，父親駕着一車稻米想賣個好價錢，結果出了縣城就被騷亂分子扣押，糧食被瓜分了。

年輕的毛澤東沒有經歷過他許多同胞所經歷的物質困乏，但是他生活在一個文化貧困的環境中。父親幾乎是文盲，只在村裏的私塾讀過兩年書，連算盤都打不好。基於這唯一的考慮，他讓他的長子念書，想有一個會讀會算的幫手，具備他所缺乏的做買賣的初級技能，而且基本的傳統文化教育有助於他跟縣衙裏的老爺進行溝通。

從我們僅有的幾張家庭相片上可以看到深色結實的家具、粗壯

的橫樑和紮實的地板，沒有發現達官貴人家裏刻在進口座鐘的兩側作為裝飾的儒家格言。唯一的亮色是紅辣椒，這些辣椒夏天在柵欄上曬乾，從秋天開始便一直掛在房樑下。一個角落裏有一尊佛祖的銅像，毛夫人在銅像前日夜點着香燭。毛澤東的父親是眾所周知不信神佛的，一次在鄉間偶遇一隻老虎，受到驚嚇後，他也開始上香。我們永遠無法得知主人房的煤油燈是否為唯一的現代元素。毛澤東在屋子上層的一個小房間裏借着燭光讀書。五歲以前，毛澤東在湘鄉縣唐家圫的外祖父母家生活，他喜愛那裏的熱情和友善，五歲末才住到父母家中。他從六歲開始在屋後的池塘裏游泳。我們知道他在一生中多麼鍾情游泳，哪怕是在危險的大海裏或河流漲水時也要下水。

「倖存下來的長子」

因為高大健壯，這個孩子很早就幫家裏幹農活了。但他覺得家庭環境難以忍受，因為他的父親很專制，也許還因為在他出生三年後，他的弟弟降生了，而他似乎難以接受這樣的存在。在他之前有兩個男孩和兩個女孩夭折，因此毛澤東是「倖存下來的長子」（史景遷）。他出生的時候，母親文七妹（1867–1919）已經快27歲了，常擔心無法為丈夫傳宗接代，所以毛澤東的出生對她來說就像是上天的禮物。根據當地的習俗，她帶着兒子去附近的小山上，在一塊兩米高的石頭面前俯身叩拜，據說那裏能湧出神奇的力量，這樣這塊石頭就能收她的兒子作養子。這種和石頭之間的結緣能保佑他趨吉避凶，並且匯集兩個早夭的哥哥身上的力量。所以毛澤東有一個綽號

叫「石三伢子」，石頭的第三個兒子。這個盼望已久才得到的兒子很早就意識到自己的地位了。

事實上，毛澤東很快就和他的父親對着幹了，棍棒教育的場面頗為壯觀。[6]他得到母親謹慎的支持。他的母親雖大字不識一個，卻是一位虔誠的佛教徒，18歲時嫁給毛澤東的父親，那時丈夫15歲。她裹着小腳，樂善好施，常常領着毛澤東到她家附近鳳凰山上的一個廟宇裏去，毛澤東在她身邊跟着祈禱，因為他愛他的母親。1919年10月5日，肺結核將她帶走了。[7]毛澤東獻給她一篇〈祭母文〉：「吾母高風，首推博愛……頭腦精密，劈理分情」，她熱心佛教，「合其人格，如在上焉。恨偏所在，三綱之末」。相反，毛澤東痛恨他的父親。[8]他經常遇到兩個「政黨」之間的衝突，一方面是他父親領導的「執政黨」，另一方面是由他自己組成的「人民政黨」，還包括兩個弟弟和母親，但母親一直在尋求和解，並譴責暴力。

毛澤東和他父親之間的衝突原因總是相同的：父親希望兒子到村裏的私塾學會農業管理和銷售農產品所必需的基礎知識，同時接受儒家的教育（忠孝禮義）並打下傳統道德的基礎（「三綱」[9]）。但是，毛澤東想要去學習了解世界，擺脫這個試圖鎖住他的農村世界。15歲時（1908），家裏安排他與鄰村比他年長的羅姑娘成親，他自然拒絕這樁包辦婚姻。根據某些資料，婚禮似乎舉行過，毛澤東可能屈服於這些儀式，在他未來的岳父母面前磕過頭，但沒有任何得到證實的子嗣。他拒絕和自己年長的新娘生活在一起。這個妻子在1910年之後過世。正是這個時期，毛澤東和一個同齡的農村姑娘有了第一次性經歷。[10]所以年輕的毛澤東拒絕他的妻子不是因為青年人對性的恐懼，也許他將這看作對產生這種包辦婚姻的農村環境的抵抗。

拒絕成為農民

當他在我們面前像個小學生一樣反叛和失控時，為甚麼不相信他呢？從1902年到1906年，他被交給奉行傳統教育的夫子，這是一位科舉考試的失敗者，他的才能僅限於背誦和抄寫從儒家經典裏抽取出來的文章，這些文章使用一種晦澀難懂的語言。[11] 毛澤東拒絕尊重這位夫子，他不能忍受夫子隨意用竹板或教鞭懲戒他。一天，坐着的夫子讓這個男孩到他面前站着背一篇文章，毛澤東帶着自己的凳子，挑釁地坐在老師面前。因為害怕被鞭打，也擔心父親的懲罰，10歲的毛澤東離家出走，在山上轉了三天，徒勞地想走到湘潭，走到城裏，那裏意味着解放。

不過，恰恰相反，對私塾的敵意並不是對教育的否定：毛澤東閱讀一切到手的書籍。兩本雅俗共賞的小說給他留下了特別深刻的印象，他甚至能背誦其中的一些內容，與村裏的老人或親戚交談時能引用某些故事。這兩部小說流傳到了文化貧瘠的韶山，小說裏的英雄豐富了他的想像：《水滸傳》[12] 中的一百零八將都是不公正司法的受害者，在首領宋江的帶領下佔領了山東梁山泊，與當權者作鬥爭；《三國演義》[13] 講述了諸葛亮、劉備、曹操和其他英雄人物神話般的壯舉。1910年，毛澤東在目瞪口呆的老師們面前仍然堅持認為這些都是歷史事件。

毛澤東與父親進行了溝通，贏得一些空閒時間來閱讀激動人心的作品：挑完水，除完草或整完地後，他利用傍晚的閒暇在田埂邊或墓碑旁如饑似渴地讀書。1907年，毛澤東的父親將他從私塾領回來，從此家裏多了一個不用付酬勞的長工。但是他不願意成為農

民。他想要去城市，他現在知道路怎麼走了。他去了離居民聚居處不遠的銀田寺好幾次。那是驛馬信差經過的地方，偶爾會帶來有關於長沙、武漢甚至北京的信息。

倔強的毛頭小子

1910年毛澤東開始在「新式學校」求學，他先後在不少學校就讀，是一個難以歸入某個年級的學生，聰明但是缺乏相應基礎，文科出類拔萃但是外語和科學很差，勤奮但是散漫。這種狀態持續到1918年，當時25歲的他終於拿到了遲來的小學教員的文憑。對知識盲目的渴求永遠無法饜足，還有明顯的戀母情結都從深層次解釋了他為甚麼要跳出「農門」。年輕的毛澤東將這種情況歸結為源自一次閱讀：他的表哥也許被這個聰明又好奇的年輕人天真的政治觀打動，借給他一本鄭觀應的小冊子《盛世危言》。此書的作者是一個買辦，也就是說，一個為外國公司工作的商人。他預計如果中國沒有現代化鐵路、蒸汽工廠、電報系統、良好的道路、商業銀行、技工學校、公共圖書館，如果它不引入英國議會君主制，中國的命運將會很悲慘。不久，毛澤東發現了一份匿名的傳單，這份傳單的開頭將他感動得熱淚盈眶：「唉，中國將被奴役！」從經過銀田寺的驛馬和流動商販口中，他開始隱約知道20年來影響這個國家的種種風暴。

北京是那麼遠

於是，他聽說了1898年變法的失敗。光緒皇帝命康有為主持新

政，百日後以垂簾聽政的慈禧太后為首的保守勢力重新掌權。康有為的幾位顧問不想逃走而被斬首，其中譚嗣同也是湖南人。這個世紀末的另外一件大事也傳遍了湘江流域，中國北方出現一些仇視外國人和基督教的秘密社團，其中義和團運動在北方曇花一現後被八國聯軍擊敗（1900-1901）。英國、法國、俄國、日本、美國、奧地利、匈牙利、意大利和葡萄牙在不到50年的時間裏第二次佔領北京，強迫清政府簽訂喪權辱國的條約，提醒中國不再是一個強國，但是各帝國主義之間的競爭使得它幸免於被肢解的命運。因此，陷入絕境的統治階級再次進行改革。1909年，2% 至 3% 的男性 —— 傳統貴族和新興富人 —— 進行了議員選舉。1909年10月，各省諮議局聚集北京要求國民議會實現有限選舉。同時，由流亡的孫中山建立、湖南人黃興發展壯大的同盟會與過去反對清朝統治的秘密社團取得聯繫，準備滲透到大清帝國的軍隊中，通過起義推翻這個異族血統的無能王朝。

所有這一切，毛澤東隱約知道一些，但非常模糊，畢竟北京那麼遠。因此，大概直到1910年他才知道光緒皇帝和慈禧皇太后兩年前已經幾乎同時死去。不過，他肯定知道1906年湖南西部和江西的萍鄉、瀏陽、醴陵地區的暴動，首領馬福益被逮捕後處死，礦工和瓷器工人在哥老會的組織下發起了暴動。

1906年的冬季，韶山哥老會在彭石匠帶領下，通過暴動來抗爭一個不公正的判決。這個判決袒護一個和當地官員有關係的顯貴，哥老會的幾個成員敗訴。韶山哥老會甚至一度佔領了劉山附近的一些丘陵，直到被鄉里地主的護院抓住。彭石匠被指控殺死了一個孩子來祭旗，被關在村口的豬籠裏示眾。毛澤東把這些事件看作梁山

泊好漢揭竿而起的後續，他對這些亡命之徒的同情導致了母親的反對，同時堅定了父親的看法，他的長子是一個遊手好閒的敗家子。關鍵的1910年，在毛澤東一生的革命活動中留下的影響是不確切的，但可以看出一個大概。[14]

決定性的1910年

毛澤東首先是一個叛逆的兒子，反抗父親的意見。1910年的春天，他一頭挑着一些換洗的衣物，另一頭挑着最愛的兩部小說，徒步約20公里到達湘潭附近的一個城鎮。

毛澤東向家人借了幾十元，加上時常幫兩個老師的忙得到過一些報酬。這兩位老師，一位是老學究，一位是失業的法律系大學生。一位給他介紹了傳統經典，另一位讓他讀到了新聞得以了解世界上發生的大事件。自此他認識了數以千計的漢字，腦海中雜亂積累了一些名字、逸事和名言。也許這短暫的經歷說服他重新開始學業。不過，這是幾個月後的事情了，他已經答應在父親認識的一家米行裏做學徒。

不久，父親突然寄給他一筆錢讓他回家。夏天回到韶山時，他對憤怒的父親宣布說，他想進「洋學堂」學習，那是國家被迫開放之後出現的教授新學科的學校。他聽說最近在附近另一個小鎮湘鄉開辦了這樣一所學校：東山高小。湘鄉是他母親的出生地。毛澤東從一個遠房親戚——一位有新思想的教員王季範那裏借了12塊錢交給父親，作為僱用代替他的長工的費用。他在家裏籌集了1,400個銅錢的註冊費和一個學期的住宿費。最終他獲得了父親的批准。因為親

戚們跟他父親解釋：受更多的教育能讓他兒子為他掙更多的錢。初秋的時候，他挑着扁擔，穿着草鞋重新上路了。

毛澤東與現代化學校的第一次接觸令他相當失望。他被門衞看作乞丐或小偷，沒有受到友善的接待，而且他來自別的縣城，文化基礎相當薄弱，只能做試讀生。他寫得一手文言文的好文章，總是對經典，尤其是歷史經典感興趣。他滿懷激情地發現了自然科學、地理和世界歷史，並如饑似渴地讀完了當時流行的書籍之一《世界英雄豪傑傳》。他熱烈崇拜華盛頓、葉卡捷琳娜、格萊斯頓、彼得大帝、拿破崙、林肯、孟德斯鳩和盧梭。一位曾在日本留學的老師剪了辮子，戴着假髮表明自己對清朝的敵意。這位老師和他談論日本，教給他一些讚歌，並頌揚這個戰勝了沙俄的亞洲國家。他的表哥讓他了解了康有為、梁啟超的著作，康梁兩人都贊成按照日本在明治時代的模式，建立一個經過改革的君主立憲制度。

毛澤東對這兩個人充滿了真正的崇拜，熟記他們發表在《新民叢報》上的文章。梁啟超是這份報紙的主編，他對西方的介紹雖然相當籠統，但是非常出色，既包括從蘇格拉底到康德的哲學思想，也沒有忘記亞歷山大大帝、瑞典的古斯塔夫二世和拿破崙這些幸運而固執的戰爭領袖的思想和事跡。雖然此時毛澤東和蕭氏兄弟[15]蕭瑜、蕭三交好，但是被其他同學歧視。這些富裕的名流之子穿着考究，大部分都是小東家，除了對他的強壯和高大有些敬畏外，他們看不起這個粗鄙的農民。毛澤東的褪色衣服打着補丁，說話的時候帶着鄉音，把湖南（Hunan）說成Funan，「n」發成「l」，「che」發成「tse」，「ji」發成「ghii」，再加上湘潭地區獨有的方言特點，有些話即使在湘鄉也不好懂。

他只做基本的個人衛生，很少洗澡，而且一生都是如此。在學生時代，同學們討厭他身上的味道，尤其是在炎熱的夏天。他不刷牙，還開玩笑說，老虎不刷牙牙齒照樣那麼鋒利。每天早晨，他只用冷茶水漱口。飲食習慣上好吃紅辣椒和紅燒肉。[16] 很快，毛澤東對老師們明顯的不尊重使他們不快。他喜歡閱讀書籍，但不遵守學校的紀律，這或許可以解釋為甚麼五個月後他就離開了東山，雖然他第二個學期已經被錄取了。這一次，他在蕭瑜的陪同下搭乘一艘小輪船來到長沙。如果後者的回憶可信的話，[17] 路上花了兩天時間。他大概聽了那位戴着假髮欣賞日本的老師的建議，去省城一所專門接收湘鄉弟子的高中就讀。他參加了入學考試，輕而易舉地名列前茅。此時是1911年春天，這座城市正謠言四起。

從軍

當時的長沙[18]有30萬居民，自從開埠以來，有近4,000個洋人，包括日本人、英國人和美國人。他們中有商人、傳教士、醫生、教師和領事官員。1910年的4月，長沙爆發了搶米風潮，當地都督下令在衙門前用機槍掃射造成14人死亡，引發了一場排外運動：數十間洋人的房屋、宗教機構和商舖被毀。長沙坐落在湘江右岸，湘江左岸是嶽麓山，山上有一座著名的嶽麓書院。此時的長沙並沒有受到多少現代化的影響：北京—武漢鐵路在1918年9月才修到這裏，[19]只有幾條石板街，夫子為避免道路泥濘乘轎子出行。電力是在1909年才被引入的，每天晚上10點就會斷電。只有位於中央大街的湖南省立第一師範學校(簡稱第一師範)才是外國風格的建

築，裝飾有意大利式樣的拱廊。衙門設有一個旅，是袁世凱在帝國垂死的最後幾年中組織的新軍。「長沙耶魯大學」和「湖南—耶魯醫學院」則主要為幾百個富家子弟提供質量尚可的英語教育。在新的商務部，傳統鄉紳名士和少數新興企業家一起分享新的權力。這些企業家投資了現代碾米廠、發電廠和位於湘江上游的加工銻、鉛和鋅的工廠。世紀之初，離鄉背井的農民形成了一個不穩定的群體：無產階級（遊民）在上一年的搶米風波中發揮了重要作用。文化活動往往是由同盟會或半秘密的反清聯盟組織，駐地部隊裏也有幾位軍官經常匿名參加這些活動。

《湘江日報》助推着這種狂熱的氣氛，讓年輕時期的毛澤東非常激動。他和大多數同學一樣為1911年4月廣州起義失敗後殉難的七十二烈士義憤填膺，他在學校的牆上貼了一張布告，提出建立一個以孫中山為首的共和國，康有為任總理，梁啟超任外交部長。他的政治修養仍然有許多欠缺。他剪斷了自己的辮子，和其他一些學生一起為不堅定的同學剪了辮子。1911年10月10日的武昌起義爆發後——長沙在13日白天得到消息，他與幾個同學打算去湖北參加革命軍，並考慮到了實際層面的問題，想找到橡膠鞋來抵禦湖北的濕氣。這幾個志願者剛要動身便得知在長沙爆發了起義。10月21日毛澤東被關在城門外，在嶽麓山斜坡上的愛晚亭眺望衙門附近的戰鬥。當他看到衙門周圍升起寫着「漢」字的白旗，代替了代表清朝的紅龍鑲黃旗時，毛澤東高興得跳了起來。與哥老會和同盟會有聯繫的兩個起義者焦達峰、陳作新自封為都督和都督助理。10月31日，一場因未領到軍餉而引發的駐軍兵變讓他們丟了性命。省議會主席譚延闓是這兩起謀殺案的幕後人。他是一個比較開明的顯貴，出身

於官宦家庭，想在驅逐滿人的同時維護舊秩序。他成了新的都督。此時，毛澤東加入正規軍一直服役到1912年2月15日辭職那天為止。因為他相信革命已經結束，三天前中國最後一個皇帝溥儀宣布退位。毛澤東只盡駐軍的義務：進行一些基礎訓練，做做煩瑣的內勤工作。7元一個月的軍餉讓他能買到報紙如饑似渴地閱讀。在報紙上，他第一次遇到「社會主義」這個詞。江亢虎[20]在一篇文章中對這個詞進行了非常簡單的學術介紹。

一個自學成才的流浪者

復員後的毛澤東於1912年3月至1913年秋天一直過着飄忽不定的流浪生活，期間在各地穿插求學，這段求學經歷將在他的教育生涯中起到決定性的作用。他沒有固定的收入，對於他的學生身份——我們更傾向於認為是初中生的身份——非常自豪。因此，他必須儘快在一所學校註冊。同時，如果他想從他的父親那裏得到生活費的話，他就需要選擇一所職業學校。因此，毛澤東遍讀各種招生廣告，並先後支付了這些學校的註冊費（通常是1元），但他從沒有去過，其中有一所警察學院、一個培訓製皂的中心、一項擔保能在三年後成為政府工作人員的法律課程……他在一個商業學校中學習了一個月，這為他贏得了父親給他的生活費。但課程是用英語授課的，他聽不明白。毛澤東無法勝任學習任何一門外語，他的一生都是如此。

最後，他以名列前茅的成績考入一所省立中學，從1912年秋季到1913年春天學習了完整的一個學期。這裏的老式教學讓他厭煩，

只有一位老師讓他喜歡。這位老師推薦他閱讀大名鼎鼎的乾隆《御批通鑒》，另外可能在全班同學面前朗讀過毛澤東用文言文寫的一篇文章。因為偶然機會我們收錄了這篇文章[21]：這是一篇短評，毛澤東評論了司馬遷[22]在《史記》中關於商鞅的一段文字。商鞅是最著名的法家代表人物之一，[23]他希望在中國建立一個強大的絕對專制的中央集權國家，而儒家的理念是以道德為基礎來治理國家的。[24]商鞅擔心人民可能會拒絕嚴厲的新法，於是採用了一個策略：他在城市的南門豎了一根10米高的木棍，宣布如果有人將它帶到北門，就賞他10金。結果沒有人響應。他又宣布把賞金提高到50金。然後，有人試着完成了這一「壯舉」，商鞅就賞了他50金，從而獲得了毛澤東稱為「愚民」的人們的信任。不論如何，年輕的法家愛好者離開了讓他窒息的學校。

毛澤東住在由湘鄉同鄉會管理的湘鄉會館，住宿條件艱苦，能吃兩個米餅，有時在街上遇到以前的同學或朋友，晚上還能有花生和瓜子再加上一杯湖南的好茶。白天，毛澤東在省圖書館度過整整一天，最早進去，最後離開。他告訴斯諾，在這段自修期間，他讀了很多書，學習了世界地理和世界歷史。他讀了亞當・斯密（Adam Smith）的《原富論》、達爾文（Charles Darwin）的《物種起源》和約翰・斯・密勒（John Stuart Mill）的一部關於倫理學的書，還讀了盧梭（Jean-Jacques Rousseau）[25]的著作，斯賓塞（Herbert Spencer）[26]的《邏輯》和孟德斯鳩（Montesquieu）寫的一本關於法律的書。在認真學習俄、美、英、法等國的歷史和地理知識的同時，他也穿插閱讀了詩歌、小說和古希臘的故事。他在一生中一直懷念這段10到20個月的時光。那時他是一個自由自在的自學者，沒有任何束縛，完全投身於知識的

世界。他對他的朋友蕭瑜形容自己是「像一頭牛闖進了菜園子，見到遍地青菜，拼命地大嚼大吃，嚼個不停」。但他的錢花得很快。於是，毛澤東找到一則招生廣告，1912年開辦的湖南省立第四師範學校（簡稱第四師範）招收學生，培養小學教員。只需要參加入學考試，學費全免，伙食便宜，畢業後能保證找到工作，最後這一點使得毛澤東可以期望從他的父親那裏得到一些資助。此外，他的表哥王季範也在那裏任教。最後，教員這一職業可以獲得一些文人的名聲，人民教育似乎已經是毛澤東年輕時期最關注的事情之一了。他通過了考試並名列前茅。此時已是1913年秋天。1914年春天，這個師範學校與享有一定聲譽的湖南省立第一師範學校合併。毛澤東在這裏度過了五年時間，在那裏他駁雜的知識和模糊的志向將在傑出的教師、好朋友和特殊事件的影響下逐漸成形。

明理的師範生

師範生夏天穿白色的統一校服，冬天穿黑色的統一校服，有一個「師」字的鴨舌帽，領子上綉着四個字「湖南一師」，是「湖南省立第一師範學校」的簡稱。合併後的學校約有600名學生，30名教師。1903年，有人建議模仿法國和日本的教育制度，向人民傳播必要的知識，進行民主教育，實現民族復興的理想。這所學校是在這種教育體制改革的背景下發展起來的。

學校的學制安排為一年預備班，兩年通識教育和兩年教育學為主的教育。四位老師負責教體操，包括一小時的舞蹈課和軍訓。毛澤東認為教學方案太輕鬆，每週只有35個學時，每天從上午8時到

下午4時有課，有大量的自由時間做作業和培養個人文化修養。事實上，這是教育部部長蔡元培[27]的要求（雖然他的在職時間很短），追求的是「修身」。

「通常，你對自己很滿意」

毛澤東一直是個勤奮但散漫的學生。他對朋友蕭瑜解釋說他有自己的教育計劃，[28]當然普通教學計劃也包括在內。[29]他上課之前讀英語，熄燈後做體操。事實上，他拒絕每天10分鐘由教師帶領做體操，他看不起那些老師，寧願獨自到山上散步，在池塘或湘江裏游泳，長時間躺在陽光下。夏天，他常常睡在院子裏的星空下，裹着一條骯髒的藍色棉氈。個人開支[30]的三分之一用來訂閱報紙（每月1元）。他把報紙剪下來，分好類，用英語做上地理註解。但他仍然學不好外語，數學和科學知識非常薄弱，素描很糟糕，他最擅長做中文文章，一直最負盛名。在他20至22歲之間，我們有三份關於他的描述。第一份是蕭瑜提到毛澤東做自我介紹時對其所做的描述[31]：

> 一個年輕人，身材高大，笨拙，穿着髒衣服，鞋非常需要修補……他有相當胖的臉，鼻子相當高……勻稱的耳朵，嘴巴很小……潔白整齊的牙齒在他笑的時候有一種自信的魅力……他走路相當緩慢，雙腿略微分開，好像鴨子搖搖擺擺的……還有他的書法很糟糕。[32]

第二份是楊昌濟日記中的一段，這個老師曾於1915年4月5日

在他的辦公室接待過毛澤東，[33]對毛澤東知識的構成有決定性的影響。

> 毛生澤東，言其所居之地為湘潭與湘鄉連界之地，僅隔一山，而兩地之語言各異。其地在高山之中，聚族而居，人多務農，易於致富，富則往湘鄉買田。風俗純樸，煙賭甚稀。渠之父先亦務農，現業轉販，其弟亦務農。其外家為湘鄉人，亦農家也。而資質俊秀若此，殊為難得。余因以農家多出異才，引曾滌生，梁任公之例以勉之。毛生曾務農二年，民國反正時又曾當兵半年，亦有趣味之履歷也。

但第三個描述不那麼完美。1915年8月，毛澤東在給蕭瑜的一封信中摘錄了自己的一段日記。[34]因為他覺得自己不夠完美，所以這樣質問自己：「無靜淡之容，有浮囂之氣，姝姝自悅，曾不知恥，雖強其外，實乾其中，名利不毀，耆欲日深，道聽塗說，攪神喪日，而自以為欣。」接下來是一大段牡丹和葫蘆的對比，牡丹長着美麗的綠色花萼和朱砂色的花，但不會結果，不起眼的葫蘆不開花，但能結果實。「日學牡丹之所為，將無實之可望，猥用自詭曰：吾惟匏瓜之是取也，豈不誣哉！」虛榮、需要被欣賞、強烈的欲望……除了這些已經令人擔憂的特點，毛澤東在1916年7月18日給蕭瑜的一封信中加上了「玩世不恭」這一點。他讓蕭瑜看完後把信燒了，免得給他惹麻煩。[35]事實上，湖南的獨裁軍閥湯薌銘幾天前剛從長沙逃走，因為他的暴行，老百姓給他起了個綽號「湯屠夫」。[36]毛澤東替他找了另一個藉口，因為：

湯在此三年，以之嚴刑峻法治，一洗以前鴟張暴戾之氣，而
鎮靜輯睦之。秩序整肅幾復承平之舊。其治軍也，嚴而有
紀，雖袁氏厄之，而能暗計擴張，及於獨立數在萬五千以
外，用能內固省城，外禦岳鄂，旁顧各縣，而屬之鎮守使者
不與焉，非其明幹能至是乎？張樹勛為警察長，長沙一埠道
不拾遺，雞犬無驚，布政之飭冠於各省，詢之武漢來者皆言
不及湖南百一也。

這樣的斷言讓我們重新看到那個崇拜法學家商鞅，具有國家意
識的毛澤東。

一群忠實的朋友

然而最引人注目的是，毛澤東，這個平庸的演說家，衣着隨
便，帶着可笑的農民口音，卻吸引了很多人想盡辦法認識他。也許
關鍵在於：毛澤東在五年內結識了一群忠實的朋友，獲得有影響力
的保護者的支持，這個半自學成才的人最終甘心融入體制。他的粗
魯和對嚴格形式主義的摒棄激起了文人的憤怒，但他的智慧、傾聽
的能力和無法滿足的好奇心又讓人欣賞。他的特別之處引人注意：
他和彭德懷[37]、朱德、彭述之一樣是中國共產黨領袖中少有的農民
出身、沒有精神遺產的人。幾乎所有其他領袖都出身鄉紳，甚至書
香門第和官宦人家。雖然遭遇各種挫折，但是這些人在逆境中繼續
與統治階級分享着同樣的品位和行為。[38]在〈多餘的話〉[39]中，瞿秋
白談到了一個「衣租食稅」的少爺的心態：「家裏往往沒有米煮飯的

時候，我們還用着一個僕婦(積欠了她幾個月的工資，到現在還沒有還清)；我們從沒有親手洗過衣服，燒過一次飯。」相反的是，1918年冬天少年中國學會在北京召開第一次會議期間，毛澤東向參加會議的年輕人提出為他們洗三天衣服換報酬。[40]

1915年似乎是很關鍵的一年，青年毛澤東建立了基本的人際關係網。春天時他經歷了一次危機，他開始冒着被退學的危險逃課，這些課程包括科學、數學、繪圖和體操。但最終楊昌濟對他的「勸學」説服了他繼續求學。這一點在1915年6月25日毛澤東給一個不知名的人的一封信中可以看出：

> 學校試驗今日完，吾於課程荒甚。從前拿錯主意，為學無頭序，而於學堂科學，尤厭其繁碎。今聞於師友，且齒已長，而識稍進。於是決定為學之道，先博而後約，先中而後西，先普通而後專門。質之吾兄，以為何如？前者已矣，今日為始。昔吾好獨立蹊徑，今乃知其非。學校分數獎勵之虛榮，尤所鄙棄。[41]

毛澤東補充説他通過讀曾國藩日記以及康有為和梁啟超的例子得到啟發，還參與了為紀念病逝的同學而寫的一首長詩，以及一位老師編寫的文集，其中提到1915年5月7日袁世凱接受日本提出的「二十一條」[42]，實屬民族的恥辱。毛澤東回到他的地位上，或許在心裏已經有了一些挫折感：在1915年6月25日的那封信中，他提出想申請湖南高等師範學校。那裏最近開設了文學和歷史的課程。他想報名參加，並邀請他神秘的筆友也這樣做，因為「真研古好處也」，教師是首屈一指的，並有自己讀書的時間。毛澤東也許沒有提

交他的申請，也許他的申請被拒絕了，顯然他的水平不夠，他的古典知識雜亂，字跡散漫，不懂任何外語，[43]這些都是進入這所新式高等學府的障礙。11月9日他給黎錦熙的信中，表明他甚至會去上自己最討厭的課。[44]不過，我們也看到他希望有另一種教育能將他引出困住他的「黑暗山谷」。當他在長沙師範學校的同學蔡和森（蔡和森是毛澤東除了蕭瑜之外最好的朋友）被湖南高等師範學校錄取的時候，也許彼時的毛澤東已經在夢想北京，他的筆友黎錦熙剛剛被任命為教授。空閒的時候，他都會在圖書館發奮地讀書、做筆記、寫文章。以前，他意識到自己不想當農民；現在，他覺得他的價值超過了小學教員。

楊昌濟教授

由毛澤東建立的人際關係網中，楊昌濟教授是促成他命運改變的基石。[45]然而，楊教授並沒有甚麼能吸引一個不怎麼文雅的農民。綽號「長沙孔子」的楊教授在第一節修身課上用單調的嗓音照本宣科，讓學生們大失所望，學生們甚至寫了一份請願書，要求撤換他。他出行的時候坐着轎夫抬的轎子，冷漠又疏遠，欣賞他需要花一些時間。然後，大家得知他是曾經在國外長期留學的新文人之一。他效仿英國的教授，每週日邀請毛澤東共進午餐。他的妻子做得一手好飯，大家喝着酒，討論老師博學精彩的話語，有時毛澤東偶爾瞥一眼教授的女兒充滿朝氣的面孔。楊開慧由他的父親教養長大，偶爾會參加討論。這樣的討論更像孔子和他的弟子之間的談話，而不是蘇格拉底的模式，因為和運河邊摧毀信仰的智者不同，

湘江邊的智者分享他的信仰。參加午餐的有毛澤東、蕭瑜、陳昌和熊光祖。[46]

毛澤東給楊昌濟留下了深刻的印象，不久他引薦毛澤東加入當時在中國青年人中發展迅速的一個社團。這是一個研究17世紀明朝愛國者王夫之的研究會。[47]王夫之拒絕歸順滿族征服者，歸隱之後思考歷史的意義。[48]楊昌濟教授的思想對毛澤東產生的影響，可以從毛澤東當時寫的各種文字中找到[49]：1913年秋天，他在第四師範預備班的筆記中，三分之二涉及楊昌濟的課和袁忠謙的中國文學，剩下三分之一是關於詩人韓愈（768–824）的。楊昌濟自稱是泡爾生的弟子，1917年到1918年，毛澤東閱讀了弗里德里希・泡爾生的《倫理學原理》[50]中譯本，並在空白處寫了批註。青年毛澤東曾寫過一篇文章〈體育之研究〉[51]，因為楊昌濟的推薦，1917年4月發表在陳獨秀主編的權威雜誌《新青年》上。

在閱讀這些文獻時，我們發現，這個快要24歲的年輕人已經有了非常鮮明的個性。

他深愛着國家，〈體育之研究〉的開篇在這一點上特別明顯：「國力恭弱，武風不振，民族之體質，日趨輕細，此甚可憂之現象也」。袁忠謙（「袁大鬍子」）廣徵博引的課程和毛澤東長期在圖書館裏的閱讀起了決定性作用：孔子、孟子、王陽明、宋朝的理學或莊子，他從先人身上找到許多現代化的特點。他充滿希望地說，我們國家兩千年積累的智慧，是一種無意識學習的結果。毛澤東還從泡爾生含糊的達爾文主義中，找到其他的理由相信中國未來是有希望的。他認為，一個國家的死亡是其表面的變化，其領土不被破壞，人民也

沒有遭受迫害。國家狀態的變化是復興的種子，是社會進化必需的。[52]中國處於危險之中，但可以被拯救。

與此同時，他也是理想主義者，受到楊昌濟賞識的文章討論的是新理論。[53]他指責所有壓制發展的東西，並頌揚個人主義：沒有比壓制個人更大的犯罪。因此，中國必須消除對三種東西的依賴：教堂、資本主義、君主制。它們和國家形成了目前世界上的四個邪靈……他覺得人們只對自己有義務，對別人沒有任何義務。定義道德的方式不應該與其他人有關。像他這樣的人想充分滿足自己的心，這樣做才能自動選擇最佳的倫理準則。當然，世界上還有其他人和事，但它們的存在只是為了他。這最後一句話應該放在泡爾生思想的背景下來理解。對於後者而言，個人主義和利他主義是同一個東西。我們幫助別人是為了讓別人來幫助我們。毛澤東評論說：既有利於我，也有利於他人的方式，是相互幫助。[54]我認為這種挑釁性話語首先是一種極端自由主義的要求，而在當時受過教育的年輕人中是相當普遍的。張戎和喬・哈利戴認為毛澤東一生中「毛氏自戀」處於中心地位，因為他們運用了目的論的做法。這種以自我為中心的主義很大程度上源自新儒家王陽明「對良知本能的了解」。幫助有需要的人，毛澤東寫道，帶來人道的完美，無畏地面對危險和犧牲自己挽救別人無非責任，他要完成這些行為，這樣他的心靈就能安寧。——這不是自負的瘋子的話，而是一個積極的戰士，英雄般的戰士，站在無知的人民前面，必須使他們清醒。

此時的毛澤東對社會不是很感興趣，但是對偉人感興趣，對「有德行的英雄」寄予希望。1917年8月他在給黎錦熙的信中寫道：

「今之論人者，稱袁世凱、孫文、康有為而三。孫，袁吾不論，獨康似略有本源矣。然細觀之，其本源究不能指其實在何處。……愚於近人，獨服曾文正。」[55]

這種依賴英雄的精英主義讓人回想起1915年陳獨秀〈敬告青年〉一文的結尾。[56]然而，這僅僅是表面上的。毛澤東實際上早已遠離儒家思想，而表現出一定的反智力至上主義傾向：中國的文化過於注重知識……當我們自問教育者的意圖時，會懷疑他們設計如此繁重的課程，是為了耗盡學生，踐踏他們的身體和毀壞他們的生活……沒有身體我們甚麼都不是……身體強壯的時候，我們可以在知識和道德方面獲得長足的進步。[57]——因此，毛澤東在軍人中尋求他的英雄並不奇怪。事實上，這個在文章中署名「二十八畫生」[58]的人在頭腦中正醞釀着一場思想革命。他正逐漸拋棄依賴有德行的領導人的傳統看法。1917年冬天，毛澤東轉向反對儒家道德的個人主義，反抗並開始採取持不同政見的政治立場。正如他在泡爾生的書上寫的註解[59]：我害怕我們中國遭到破壞，但現在我知道它不會發生……不必擔心，唯一的問題是如何面對這些變化。毛澤東每天閱讀報紙，分析中國和世界的形勢，在他周圍聚集起一些也想「挽救中國」的朋友，尋找解決國家危機的出路。因此，1917年3月7日，他和朋友蕭三通過楊昌濟給在日本的著名知識分子宮崎寅藏（1870-1922）寫信。宮崎是孫中山的老朋友，當時經過長沙，在師範學校舉行了一場演講。[60]毛澤東偶爾讀孫中山創辦的《民報》，他到長沙後就和師範學校的一位教師徐特立（1877-1968）建立了友誼。徐特立是一個積極的同盟會員和國民黨員，試圖通過大眾教育挽救中國。對現實失望的毛澤東認為，道德倫理的目的是實踐而不是學習。師

範學校讀書期間，毛澤東迅速投入行動，展現出他獨有的天賦——吸引、聚集、組織、架構，簡言之，他開始成為一個領導者。

抵達師範學校後，毛澤東結識了兩個在學習上比他優秀的同學蕭瑜和蔡和森。[61] 他們把三人的關係比作《三國演義》中桃園結義的三位英雄，稱為三豪傑。楊昌濟在日記中將他們視為三個最優秀的學生，蕭瑜第一，毛澤東第三。[62] 毛澤東在師範學校期間的信超過三分之二是給蕭瑜的。1915年蕭瑜畢業後在汨羅山谷的平江縣任教，距離長沙東北120公里。在書信中我們發現毛澤東飽受湖南風波的折磨。1916年6月，袁世凱去世，各路將領紛紛借機佔領省會。在1916年6月24日的信中，他說：「早起晚宿，三飯相疊」，因為路上不安全，土匪出沒，暑假沒有能夠回家。「獨有軍士相鄰，洸洸之眾，來自嶺嶠，鳥言獸顧，不可近接，亦既知之矣。心目所遇，既多可悲，遽聞箑一聲，刁鬥再發，餘音激壯，若鬥若擊，中夜聽之，不覺泣下。」在1916年7月25日的信中，毛澤東譴責日本讓中國蒙羞：「感以縱橫萬里而屈於三島，民數號四萬萬而對此三千萬者為之奴！」他夢想在將來某一天（「乃十年以後」），中國和美國先後對日本從陸地和海上發起攻擊，採取報復行動並彼此建立有利的商業關係。

肩上背着包袱

毛澤東和蕭瑜經常晚上在鄉間散步，像舊式文人一樣規定主題和韻律作詩。1917年夏天，兩個人背着包袱，像佛教僧侶那樣剃了頭，穿着短褲和草鞋，在六個星期內走了四百多公里，走了湖南的

五個縣。當他們到達沅江時，夏季的大暴雨迫使他們乘船完成旅程。他們被人當作乞丐，靠賣書法賺些錢，分享了最後的2元4角。他們在星空下過了幾個晚上，有時睡在寺廟中，經常受到鄉紳或同學家人的接待。此外，何叔衡的父親還給他們安排了一次真正的宴會。

此次旅行沒有進行農民社會狀況的調查，但已經是一種對現實世界的認識。毛澤東時常與蕭瑜徹夜長談，他嚮往中國昔日的輝煌，想像自己是偉大的傳奇帝王。後來他進行過別的路途較短的旅行，走了50公里拜訪楊昌濟的故鄉，看望已經工作的同學們。他還和另一個朋友蔡和森徒步走過洞庭湖的南岸。蔡和森身體虛弱，患有哮喘，有兩顆突出的牙齒，他的智慧、廣博的文化底蘊和出身給毛澤東留下深刻的印象。蔡和森出生在湘鄉一個沒落的書香門第，是曾國藩的親戚。這位平定太平天國的將軍一直是毛澤東崇拜的英雄。蔡的母親葛健豪為了擺脫貧困成了小學教師，她給失去父親的六個孩子提供了良好的教育。蔡的妹妹蔡暢（1900–1990）由母親送到長沙逃避包辦婚姻，就讀於一所女子學校，徐特立曾在這個學校擔任過一定的職務。蔡和森以出色的成績畢業後卻找不到就業機會，他不願屈尊求職，便隱居在嶽麓山坡上一間四面透風的茅屋裏，忍受着饑餓和寒冷。毛澤東和蕭瑜經常去看望他，三個朋友徹夜長談，休息的時候吟詩作賦。

此外，毛澤東自1915年以來在當地報紙上刊登了一些小廣告，請具有強烈愛國情懷的年輕人聯繫他。雖然沒甚麼效果[63]，但他有條不紊地擴大自己的朋友圈。其中一個叫張昆弟（1894–1932），他在日記中寫道[64]：

今日星期，約與蔡和森、毛潤芝、彭則厚作一二時之旅行。……稍久，彭君一人來，蔡君以值今日移居不果行。……三人遂沿鐵道行，天氣炎熱，幸風大溫稍解。走十餘里休息於鐵路旁茶店，飲茶解渴，稍坐又行。過十餘里，經大託鋪，前行六里息飯店，並在此午飯。飯每大碗五十文，菜每碗二十文，三人共吃飯五大碗，小菜五碗。……未及三里，尋一清且深之港壩，三人同浴……。浴後，行十四里至目的地下，時日將西下矣。遂由山之背緣石砌而上……。山上有寺……寺有和尚三四人。……和尚帶余輩至一客房……。房外有小樓一間，余輩至小樓納涼……毛君云，西人物質文明極盛，遂為衣食住三者所拘，徒供肉欲之發達已耳。若人生僅此衣食住三者而已足，是人生太無價值。又云，吾輩必想一最容易之方法，以解經濟問題，而後求遂吾人理想之世界主義。又云，人之心力與體力合行一事，事未有難成者。余甚然其言。且人心能力說，余久信仰，故余有以譚嗣同《仁學》[65]可煉心力之說。（該則日記的寫作時間為 1917 年 9 月 17 日，補記 9 月 16 日發生之事。）

昨日下午與毛君潤芝游泳。游泳後至麓山[66]蔡和森君居。時將黃昏，遂宿於此。夜談頗久。毛君潤芝云，現在國民性惰，虛偽相崇，奴隸性成，思想狹隘，安得國人有大哲學革命家，大倫理革命家，如俄之托爾斯泰其人，以洗滌國民之舊思想，開發其新思想。余甚然其言。中國人沉鬱固塞，陋不自知，入主出奴，普成習性。安得有俄之托爾斯泰其人者，衝決一切現象之網羅，發展其理想之世界。行之以身，

著之以書，以真理為歸，真理所在，毫不旁顧。前之譚嗣同，今之陳獨秀，其人者，魄力頗雄大，誠非今日俗學所可比擬。又毛君主張將唐宋以後之文集詩集，焚諸一爐。[67]又主張家族革命，師生革命。革命非兵戎相見之謂，乃除舊布新之謂。今日早起，同蔡毛二君由蔡君居側上嶽麓，沿山脊而行，至書院後下山，涼山〈風〉大發，空氣清爽。空氣浴，大風浴，胸襟洞澈，曠然有遠俗之慨。歸時十一句鐘矣。（該則日記的寫作時間為 1917 年 9 月 23 日。）

多種社團活動

很快，毛澤東的活動不僅僅是寫田園詩了。從 1915 年 11 月開始[68]，毛澤東成為「學友會」、「自進會」執行委員會秘書。他組織了一些關於詩歌和哲學的討論。

同時，1917 年 9 月，毛澤東為師範學校附屬小學（我們看出這是法國的模式）二年級建立了一個漢語教學計劃，受到他老師的好評。他還作為學生會主席負責工人的夜校事宜，如發廣告、招生和安排課程。他趁機宣揚用白話文來取代文言文，也在這裏親自教課。102 個工人分為兩個不同層次的班級。他在夜校由他主編的報紙上抱怨那些擔任教師的師範學生一進入學校就高高在上地看人，好像他們是從天上下來的。有一陣子他想辦一個自修學校，把古典教育與現代學校的優勢結合起來，教師們甘願清貧，「學顏子之簞瓢與范公之畫粥」。

1918年4月，從長沙學校畢業或肄業的學生在長沙發起「新民學會」，毛澤東是負責人之一。我們知道這些社團在改革浪潮中的啟蒙作用最後促成了1919年的五四運動，知識分子出現並代替了舊式文人。[69]為了使這條漫長的路途圓滿，1918年4月14日，毛澤東與包括蔡和森在內的其他13個年輕人一起組建了「新民學會」，成員都是學生或師範學校的畢業生，例如蕭瑜、他的弟弟蕭三、張昆弟、何叔衡。幾乎所有人都是楊昌濟的學生，只有一個是看了毛澤東的廣告加入的，即羅章龍。他於1896年出生在瀏陽市，畢業於瀏陽高中。毛澤東很高興，1918年3月羅章龍赴日讀大學途經長沙（事實上他後來去了北大）的時候，毛澤東在長沙的一個飯館裏組織了一次兄弟般的聚餐，並受莊子的啟發獻給他一首詩。

新民學會很快有了三十幾個新學員，包括數名婦女——葛健豪、蔡暢、向警予[70]和陶毅[71]。每週日下午，這個學會的成員會在第一師範的教室或餐廳裏聚會。在當時的中國，女孩子在學會中是不同尋常的存在。浪漫的愛情和真摯的友誼，談吐自然，無拘無束，為所有人都創造了一種獨一無二的氛圍，大部分成員一直懷念這個學會。聚會時大家評論《新青年》上的文章或討論時政。很快，也許是因為蕭瑜認識張靜江，[72]在他的倡議下，大家準備參加林育英和蔡元培發起的赴法「勤工儉學」。[73]

從1918年6月開始，蔡和森在北京為這次遠途旅行做最初的準備工作。他在首都重新找到8月末剛剛被任命為北大教授的楊昌濟老師。大家決定由1918年6月末剛剛從師範學校畢業的毛澤東到北京聯絡蔡和森，擔任湖南學生的聯絡員。1918年8月15日，毛澤東和二十多個人一起乘船到達岳州或是漢口，[74]之後乘坐火車去北京。

出發之前，他為患了肺結核的母親四處奔忙。他在給七舅和八舅的一封信中説，他想讓母親到長沙住院，「鄉中良醫少，恐久病難治」，不過他又「請人開來一方」，他覺得母親在家能治好她的胃潰瘍[75]。之後他補充説如果到了秋天她的病還沒有好轉，他將讓弟弟澤民把母親接到省會醫院住院。

他在北京的行程像是旅遊。他已經獲得了一個文憑，喜歡他的同學認為他是「有頭腦的人」，不喜歡他的人認為他是「巫師」。[76]在一次調查中，他的同學評他當模範生，因為他有「道德、勇氣、口才和文筆」。他已經在一本著名的雜誌上發表了一篇文章，將在首都受到楊昌濟老師的接待，未來在召喚他。在一封日期為1918年8月11日的信中，他對新民學會的骨幹羅學瓚[77]保證，他「赴法二百元能籌，旅保一百元無着是一問題」。那裏開了赴法前的預備課程。不過信中的一句話透露出他的悲觀：「後路空虛，非計之得」。在赴法前的幾個月，這種斷言讓人奇怪。[78]

北京的失意[79]

如果毛澤東希望在北京找到一個讓人尊敬的，有助於自己成長的職位，他肯定很快就失望了。1918年8月19日，毛澤東經過四天旅途抵達首都，陪同的有蕭瑜、羅章龍、張昆弟和李維漢，[80]蔡和森在北京迎接他。兩人暫時被安置在楊昌濟教授在豆腐池胡同9號的家裏，它位於鼓樓的後面，處於老北京的中心地帶。其他50個湖南人中，準備去法國的新民學會會員或者住在首都，或者分散在河北保定育德高中、保定以南的蠡縣布里村，以及京郊的長辛店。

北京大學圖書館管理員

兩個月來，毛澤東負責照顧四散在各處的暈頭轉向的朋友們，同時醞釀一些半工半讀的計劃試圖獲得旅行的資助，他付出了巨大的精力，卻沒有註冊任何法語課程。[81] 鄧中夏、張國燾和羅章龍等湖南人成功地考進了北京大學。毛澤東不僅不準備去法國，也沒有參加這次考試，這讓楊昌濟很失望。[82] 毛澤東官方傳記的作者金沖及對這種行為有幾種解釋：「首先有一些經濟原因。[83] 不過這也跟毛澤東一直以來注重自學有關。此外，還有教育署的規例，師範學校的畢業生不能立即考大學，必須先做幾年小學教員。[84]」難道毛澤東沒有想到楊昌濟的影響能讓他躍過這些障礙？他與蔡和森、蕭瑜一起拜見過北大校長蔡元培——他的謙遜吸引了毛澤東，並接觸了在2月份剛被任命為北大圖書館館長的李大釗[85]，但毛澤東只謀得一份在北大圖書館擔任管理員的職位，薪金每月8塊錢，比1911年參軍時的軍餉多不了多少。[86] 在他的老師看來，這是一份助學金。

於是毛澤東每天12個小時坐在一個小房間裏，那裏有一張桌子、兩把椅子和面朝閱覽室的一個窗口。每天他要打掃閱覽室，負責15種中文和外語期刊的登記和出借。這是地位低微的小職位，當他用濃重的南方口音想跟人聊天時，沒有人回應他。他拜讀過這些名人的文章，如此近距離的接觸卻讓他感到疏遠，這對來自湘江邊的新秀來說毫無疑問是一種痛苦。看着他們翻閱他不明白的外語報紙——英語、日語、法語……增加了他的苦惱。他也感到自己和同樣來自湖南的大學生之間存在着鴻溝，他認識其中的一些人，羅章龍、張國燾、鄧中夏通過了北大的入學考試，從家裏得到足夠的

錢交註冊費和在首都的生活費。這一次在學術殿堂門前的失敗,成了毛澤東的人生經歷中重要的組成部分。

楊昌濟也為學生們找到一處住所。吉安東夾道7號三眼井胡同,八個人[87]合住四合院中面向內院的一間小屋子,沒有甚麼生活設施,但離北大圖書館所在的紅樓不遠。每天晚上,毛澤東沿着古老的紫禁城周邊狹窄的小胡同散步,被廢除的皇帝溥儀還住在裏面。毛澤東常去天安門南邊的一個小公園,從前外國使者為了能觀見天子在這裏對清朝的高官卑躬屈膝。每天晚上,大學生和首都的名人習慣來這裏的小亭子裏談論時事。他也去附近的有一尊白色寶塔[88]的北海公園,滿懷激情地參觀了許多讓人想起偉大中國的建築。趁着新年假期,毛澤東甚至和蕭瑜、羅章龍一起乘火車去了天津。在渤海海灣,他為大沽口千里冰封的場景而驚嘆。他還參觀了長辛店的鐵路修理車間,作為現代化的象徵,火車頭吸引了他。

但這些並不能緩解住所簡陋的情況,冰雪肆虐的首都讓他體驗到冬季的嚴酷。他和幾個沒有錢的同學住在一個兩居室中,一間用於吃飯和白天起居,另一間晚上睡覺,大家挨在一起睡在一張炕上,蓋着一條沉重的棉被。炕經常是不點火的,因為沒有錢買煤餅。三個人共用一件棉襖,輪流出門。在長沙的5年內只花了160塊錢的毛澤東體會到在北京生活的昂貴。我們可以想像他母親的病耗盡了家財,因此毛澤東在這段艱苦的日子裏沒有得到家裏任何資助。楊昌濟教授因為自己的新職位,不像以前那樣頻繁地邀請以前的學生。年方十八的楊開慧溫柔的目光讓毛澤東墜入愛河。兩個年輕人相愛了,他們經常一起散步,但是毛澤東太窮,結婚的事想都不敢想。

　　當蕭瑜和蔡和森催促他為一起赴法做準備的時候，他為不去給出的解釋也是貧窮。他無法湊齊200塊路費，而一年以前他說能夠湊齊這個數。確實，這筆錢靠他微薄的工資要攢起碼兩年的時間，因此他希望找一個更好的工作。

一段重要的逗留期

　　雖然毛澤東職業生涯的規劃落空了，但是在毛澤東的一生中這段時間與在湖南第一師範的五年時光同樣重要。

　　消極的方面：從此，毛澤東知道他不再是一個得到承認的文人。誠然，他可以作為一個獨立學生旁聽一些課程。但是，當他在講座後提出問題時，年輕的哲學教師胡適[89]要求他報上姓名，因發現毛澤東不是註冊學生而拒絕回答他的問題。

　　積極的方面：毛澤東參加了兩個學術團體。因為有相當數量的知識分子聚集在北京，這樣的學術團體在首都與日俱增。一個是成立於1918年10月14日的新聞學會，由消息靈通的《京報》創辦者邵飄萍[90]在一次講座中號召創建。或許毛澤東在這個失意的冬天開始想以記者為生，因為他知道自己文筆不錯。大約50年後，在「文化大革命」前夕，他這樣吐露心聲：「在十三年學習過程中，我學會的東西對於革命沒有任何作用。我只是找到了一個工具：語言。能夠寫文章，就掌握了一個工具。」[91]另一個是哲學研究會，旨在「研究西哲思想，孕育新知」。毛澤東聆聽過楊昌濟、梁漱溟、胡適和陳公博的報告。那時他打心眼裏佩服陳獨秀，不過他也喜歡朱謙之這個無政府主義學生的來訪。後者出版的《北京大學學生週刊》第12期的

封面上是巴枯寧（Mikhail Bakunin）的肖像，第16期則是克魯泡特金的肖像和「組織自由，結社自由，互相幫助，互相支持」的口號。[92]

　　毛澤東的腦海中充滿了從全世界洶湧而來的新思想漩渦。在言論最自由的大學中，他有一個小房間，可以反覆進行思考。北京仍然是一個處在「中世紀」的城市，骯髒的街道，黑色的城牆，夜裏沒有甚麼照明，沒有甚麼下水道體系，兵營和警察局分區治理，每天早上聽到軍號、喇叭和小號的聲音，穿着外國制服的士兵在使館區升起各色旗幟，除了僕人或苦力，其他中國人被驅散開。毫無疑問，毛澤東讀過李大釗[93]的文章。1918年4月15日，這位年輕的圖書館館長在《新青年》上發表了一篇名為〈今〉的文章。文章受柏格森（Henri Bergson）的生命激情的啟發，提出矛盾促進了歷史的發展，這一觀點吸引了毛澤東。1918年7月，李大釗在《言治季刊》中比較了東西方文明。雖然他沿用《新青年》的主編們對東方文明的批評，即「保守、被動、向天時、自然支配人間、賤女、敵視個人主義」，而西方「立地、支配自然、鼓勵科學、個人的自由和解放」的觀點，但是他用令人驚訝的方式總結出應該為第三個文明的誕生而努力，這個文明將戰勝東方的傳統，加強西方的價值，毛澤東在這一點上深表贊同。同一個月，在同一份雜誌上，李大釗比較了法國和俄國的革命：法國革命是立於國家主義上之革命，兼含社會的革命之意味者也，俄國之革命是立於社會主義上之革命，並着世界的革命之彩色者也，宣告了第三種文明的誕生。俄國構成了東西方之間的一座橋樑。李大釗甚至用悖論的方式補充説明俄國的優勢在於蒙古的西侵割斷了它和歐洲其他地區的聯繫。想必毛澤東欣賞這一點。10月15日，李大釗寫了兩篇關於布爾什維克革命的文章（〈布爾什維主

義的勝利〉和〈庶民的勝利〉），是中國第一人。他對這次革命抱有好感，而以陳獨秀為領袖的《新青年》團隊[94]顯然更接受1917年2月俄國的民主、反專制革命，對十月革命持謹慎態度。不過這些出現了馬克思的名字的文章和馬克思主義沒有任何關係，李大釗還沒有理解這個布爾什維克政黨的哲學思想，就已經參加了它的革命。那時，毛澤東還沒有受到這種幾乎不出名的主義的影響。從1916年開始，李大釗通過閱讀古田光的日語著作逐漸了解這一學說。值得一提的是，即使我們將1918年年底作為李大釗創建一個小型馬克思主義研究學會（馬克思學說研究會）的時間，也沒有任何人說過毛澤東經常參與其中。毛澤東當然對自己能讀到的關於十月革命的東西很感興趣，但是他更感興趣的是自己景仰的文科學長（即文學院院長）陳獨秀猛烈攻擊腐朽的「孔家店」的文章。反對傳統家庭和女子童貞的胡適將易卜生的戲劇《玩偶之家》和其中有爭議的人物娜拉介紹給國人，塑造了一個被美化的自由美國婦女的形象。比起馬克思和列寧，毛澤東聽到更多的是大學生們熱烈討論的愛因斯坦（Albert Einstein）的狹義相對論（1905）和廣義相對論（1916），羅素（Bertrand Russell）的邏輯學（《數學原理》，1910-1913），克魯泡特金和巴枯寧的無政府主義，以及第一位獲得諾貝爾文學獎的亞洲人（1913年）泰戈爾（Rabindranath Tagore）的作品。

屈從於外省人的命運……

此時毛澤東接到家人的來信：母親病重，希望再次見到他。於是他在1919年3月12日借錢買了火車票，坐上了離開北京的火車。

14日到達上海，在法租界碼頭為赴法學生送行，開往馬賽的遠洋輪上有90位年輕的中國人，其中42個是湖南人。新民學會的半數會員被送往國外。

1919年4月6日，毛澤東回到韶山。在一封日期為1919年4月28日[95]的寫給七舅父、七舅母和八舅父、八舅母的信中，他感謝他們照顧他的母親：「甥在京中北京大學擔任職員一席，聞家母病勢危重，不得不趕回服侍……親侍湯藥，未嘗廢離」。毛澤東估計母親的病有了轉機，喉嚨痛已經痊癒，但胃潰瘍仍未痊癒。事實上，他準備在長沙長住。師範學院的一位同學周世釗在修業小學謀得一個職位，毛澤東便住在那裏，每週教16小時的歷史課，一直到同年12月。薪酬是微薄的，但毛澤東有時間從事新民學會的工作，投身社會運動。

毛澤東充滿幻想地北上首都，最後似乎屈從了外省人的命運，不得不放棄這種無法實現的上升之路。但命運之神關照他，一個月後爆發的五四運動[96]給了他機會。

第二章

一個湖南的民主主義者 (1919-1921)

在1921年出版的〈阿Q正傳〉[1]中，魯迅塑造了一個經歷1911年辛亥革命的不知名的苦力形象，他不知道革命為何物就被新的當局斬首示眾，甚至沒有唱一句圍觀的人群想聽的戲。確實，這場革命的順序有些顛倒：以推翻王朝和宣布共和國成立為開端，以15年後的全民動員結束。事實上，要分析這場革命，需要超越這段時期，革命的過程還包括1919年影響深遠的五四運動和1925年的五卅運動。[2]即使這樣，也不能改變它的性質——流產的資產階級革命，缺乏有階級意識的資產階級和全國民眾的支持。

1919年至1921年，毛澤東開始注意到群眾的力量，從最初僅限於參與政治討論變成具體的軍事活動。他的組織能力很快得到認同，同時他發現民主運動在軍閥混戰的中國是受到限制的。

1919年：湖南的五四運動

1911年10月10日，武漢駐軍舉行起義。1912年2月，皇帝溥儀

退位，孫中山建立共和國，不久袁世凱竊取革命果實。反清的秘密社團和孫中山的同盟會[3]組織了一次起義，各省的顯要和當地的軍隊首領接管了政府。1916年袁世凱企圖復辟帝制失敗死去後，軍官們變成「督軍」，中國陷入軍閥割據的狀態。

1918年春天，湖南的張敬堯戰勝了當地的軍事聯盟。強盜出身的保定軍校畢業生張敬堯變成北洋軍將領，為曾短期擔任民國總理的皖系軍閥段祺瑞效命。1918年3月26日，張敬堯佔領長沙。他的一個弟弟是參謀部成員之一，駐紮進入湖南第一師範。湖南遭受這個武夫的殘暴統治達數月之久。長沙的教師和學生從首都得知《凡爾賽和約》的消息後群情激動。此時新鐵路的修建沒有受影響，仍然在進行。

《凡爾賽和約》結束了第一次世界大戰。當人們得知1917年8月14日作為盟軍參加戰爭的中國不但不能從戰敗的德國手中拿回在青島和山東省境內採礦和修鐵路的權利，而且必須把這些讓給日本時，大家指控皖系各個部長勾結賣國。1919年5月7日，新民學會的學生在長沙街道上散布傳單呼籲「救中國，收復山東」。5月8日張敬堯召見了學校官員，下令他們打壓學生的任何示威活動，而警察在火車站查封從北京來的報紙，並到郵政局辦公室攔截從首都來的電報。

5月10日，學生聯合會呼籲抵制日貨，並設置了10人團負責檢查商店。5月15日，毛澤東在北京的朋友、湖南籍的北大學生鄧中夏從首都返回，加強動員並傳播被查禁的消息。毛澤東的威信又增加了一些。5月28日，毛澤東為領導者之一的學生聯合會協調幾天前開始的罷課，組成講演團向商會和新的工人協會進行宣傳。學生聯合會的代表組織湘潭高中的學生罷課。

鎮壓從6月10日開始。儘管有學生抵制，學校仍然舉行了考試。請願者被大棒驅趕。假期臨近，學生不想浪費這一學年，而且打算假期回家。不過10月的時候，他們仍然會聯合起來，百分之四十的組織依舊活躍。

為了在暑假期間保持動員並在9月初恢復行動，毛澤東成了一名記者，實現了他第一次來北京時的夢想。他和朋友以及張敬堯的反對者一起創辦了《湘江評論》，第1期於1919年7月14日發行，[4] 印數2,000份。第1期引起了足夠的反響，為7月28日，7月21日和8月4日的三期籌集了足夠的資金，每期發行5,000份，並在幾個小時內售完。這是個了不起的成功，大部分文章出自毛澤東本人。自此，他養成夜間工作的習慣，像大理石雕塑一樣一動不動工作數小時，早上則急匆匆趕去上班。

湘江畔的雜誌

創刊宣言出自毛澤東之手，從中我們也能了解北京的經歷後他的思想。宣言一開始斷言人類的主要問題是吃飽飯的問題，人們的力量在於「民眾聯合的力量最強」，面對鎮壓和蒙昧主義，需要民主。接下來的詳述中，毛澤東說「民主」這個詞在漢語中有四種說法[5]——奇怪的是遺漏了陳獨秀在《新青年》上使用的（不規範的）音譯「德謨克拉西」。民主反對壓迫者有兩種方法：第一種是承認強權者都是我們的同類，濫用強權，是他們不自覺的誤謬與不幸，要讓他們清醒；第二種是用強權打倒強權，結果仍然得到強權。毛澤東傾向第一個解決方案。他說他希望為了米飯、自由和平等進行不流

血的革命，沒有混亂或炸彈：「洞庭湖的閘門動了，且開了！浩浩蕩蕩的新思潮業已奔騰澎湃於湘江兩岸了！」——向這一階段自由的和平主義者毛澤東致敬！

第1期還包含了有關歐洲和美國的罷工，以及美國八個主要城市爆炸案的各種信息。它介紹了一個美國的改革派工會領袖塞繆爾．龔帕斯（Samuel Gompers）的講話，譴責工業主的專制。佔最大版面的是關於北京的時事，尤其是1919年6月11日陳獨秀被逮捕的事件。[6] 陳獨秀在一本小冊子中揭露政府與日本簽訂秘密條約，譴責「叛徒部長」將山東送給日本。毛澤東說陳獨秀長期以來反對蒙昧主義，為民主（「德先生」）和科學（「賽先生」）而鬥爭，不會遭受羅莎．盧森堡的命運。奇怪的是，在一篇關於「俄過激黨」的文章中，毛澤東對布爾什維克沒甚麼好感，然而，僅僅一年之後，毛澤東就加入其中：

> 阿富汗侵印度，俄過激黨為之主謀，過激黨到了南亞洲。高麗的「呼聲革命」正盛時，亦有〔過〕激黨參與之說，則已〔已〕到了東亞。過激黨這麼利害！各位也要研究研究，到底是個甚麼東西？切不可閉着眼睛，只管瞎說，「等於洪水猛獸」「抵制」「拒絕」等等的空話。一光眼，過激黨布備了全國，相驚而走，已〔已〕沒得走處了！

然後是一系列簡短而辛辣的文章，譴責《凡爾賽和約》，說威爾遜在「盜賊克里蒙梭，勞合．喬治和奧蘭多之間非常孤立」。最後，我們讀到一篇短文〈女子革命軍〉，它將婦女描繪成「本來是罪人，高

髻長裙，是男子加於他們的刑具。還有那臉上的脂粉，就是黥文。
手上的飾物，就是桎梏。穿耳包腳為肉刑。學校家庭為牢獄」。[7]毛
澤東對1,000名婦女參加6月5日北京的遊行表示讚賞，這是獲得新
意識的跡象。

　　第2期詳細介紹了「健學會」的成立和發展，這個研討會正式成
立於1919年6月15日，但毛澤東認為最早的開始可以從1898年3月
到10月期間譚嗣同和朋友們提出的改革算起。毛澤東借此嚴肅評價
了這些早期的努力，雖然從前的他非常欣賞這些努力。他把同時期
梁啟超在上海的努力看作「濫竽教育的，大都市儈一流」的行為。而
蔡元培、江亢虎、吳敬恒、劉師復[8]和陳獨秀的革新主張得到毛澤東
的贊同。不過，這一出眾的政治折中主義受到一篇〈俄國革命在東
西方激起浪潮〉的短文非常微妙的影響。

　　在第2期中，毛澤東也批評了「可憎的凡爾賽條約」，這個「灰黃
色的厚冊」被克萊蒙梭「老頭子」緊緊抱在懷裏，誤以為「就可當做阿
爾卑斯山一樣的穩固」。毛澤東為德國遭受的不公正待遇感到惋惜，
「一千九百一十九年以前！世界最高的強權在德國」。然後開始追溯
自拿破崙以來法德之間的關係，一個國家強加一種屈辱給另一個國
家，幾十年後都會遭到報復：「包管十年二十年後，你們法國人，又
有一番大大的頭痛」。

　　第3期繼續討論《凡爾賽和約》以及法國對德國沒有緣由的恐
懼，同時譴責湖南的警察。長沙街頭老鼠劇增造成衛生隱患，當時
有人在大樹下躲雨，被雷擊中，毛澤東痛惜他們的愚昧和迷信。還
有一篇讚揚個人主義的短文。一篇研究「過激黨」的論文[9]指出過激

黨的拉丁文為 bolshevicki，這個名詞對普通中國人來說是「不可理解的」，「但當我們說社會主義必須採取武力從富人手中奪得土地，就比較好理解了」。

第4期於8月4日出版，包括一篇關於湖南學生聯合會活動的報告。毛澤東追溯了湖南早期學生社團的歷史，包括1898年的商業學校，[10]其中許多人參加了1900年8月的武昌起義。這次冒險以悲劇結束，包括湖南人唐才常在內的一百多人被殺。毛澤東花了大量的篇幅討論譚延闓[11]1903年創辦的明德學堂，這是黃興[12]作為革命者暴露之前教書的地方。毛澤東介紹了1905年科舉考試取消後發展起來的「官僚學校」。一方面儀式和傳統佔據了主導地位，督察戴着孔雀羽毛裝飾的帽子，所有人都有義務每月給皇帝和孔子叩頭兩次，[13]還有宣傳皇帝法令的講座等；另一方面是學生間悄悄傳播着梁啟超的新民叢書和孫中山的《民報》。這些學校的學生穿着白衣在岳麓山上參加了湖南烈士陳天華和姚宏業的葬禮，他們為了抗議日本鎮壓中國學生的革命活動而自殺。他還談到了湖南英雄馬福益和禹之謨，高度讚價了1910年6月初中生的愛國運動會，學生們立正高唱湖南讚歌：岳麓山高聳入雲，洞庭湖煙波浩瀚，沅江邊，灘江畔我們呼吸着芝蘭的芬芳，在這片勇者的土地上，所有人都聽到戰鬥在迴響。

毛澤東最後談到1911年4月時自己的愛國行動，當時他和其他高中生一起紀念黃花崗七十二烈士，並寫了他的第一張海報。他宣布將在第5期上寫一篇關於「湖南學生軍」和1911年秋季大事的文章，不過第5期被軍隊收繳和銷毀了。

〈民眾的大聯合〉

這篇雜文的目標只有一個：廣泛動員民眾反對張敬堯，反對軍國主義。毛澤東的這篇文章分為三個部分，分別發表在《湘江評論》的第2、第3、第4期上，題為〈民眾的大聯合〉。

這篇文章的第一部分回顧了中國極端窘迫的境況。如何應對？通過教育人民和國家的工業化。為此，需要政治變革，人民群眾反對壓迫者和獨裁者的大團結是歷史發展的動因。1789年的法國大革命結束了君主制，同樣，1918年[14]俄國徹底的社會改革也是通過全民動員實現的。毛澤東說「各國如匈，如奧，如捷，如德，亦隨之而起了許多的社會改革」。即使這些勝利尚未圓滿，也「可以普及於世界」。

如何實現這個偉大的聯盟？

有一派很激烈的，就用「即以其人之道還治其人之身」的辦法，同他們拼命的倒擔。這一派的音〔首〕領，是一個生在德國的，叫做馬克斯。一派是較為溫和的，不想急於見效，先從平民的了解入手。人人要有互助的道德和自願工作。貴族資本家，只要他回心向善能夠工作，能夠助人而不害人，也不必殺他。這派人的意思，更廣，更深遠。他們要聯合地球做一國，聯合人類做一家，和樂親善——不是日本的親善——共臻盛世。這派的首領，為一個生於俄國的，叫做克魯泡特金。[15]

文章的第二部分分析「小聯合」的力量，我覺得按照篇幅可以分為七個階級。最重要的是學生，佔34%的篇幅。他們的生活很苦。老師像奴隸一樣對待他們，把他們作為囚犯鎖起來。照明是如此糟糕，以致他們成了近視，長椅設計不當，使他們脊柱彎曲。他們要閱讀大量書籍，教師只是一些「書呆子」，一點都不了解20世紀，向他們灌輸「一大堆古典式死屍式的臭文章」，國家要亡了，還禁止他們的愛國舉動 ——「我們要講求自救，盧梭所發明的『自教育』，正用得着」。

其次是小學教員，佔篇幅的26%。描述比較有分寸，但他們生活困難，薪水微薄，每月八元十元，嘴裏嘗粉筆屑，住在偏僻的鄉村，交通不便，夫妻分離。

女性佔19%，排在第三位：「我們一窟一窟的聚着，連大都門〔門都〕不能跨出。無恥的男子，無賴的男子，拿着我們做玩具，教我們對他長期賣淫，破壞戀愛自由的惡魔！破壞戀愛神聖的惡魔！整天的對我們圍着。甚麼『貞操』卻限於我們女子，『烈女祠』遍天下，『貞童廟』又在那裏？」「我們於今醒了」，我們要進行我們女子的聯合，「要掃蕩一般強姦我們破壞我們身體精神的自由的惡魔！」

其他各階級篇幅沒有那麼多。農民佔10%的篇幅，排在第四位，雖然毛澤東承認他們的人數最多。農民缺乏土地，要向地主交租。工人佔6%的篇幅，工人要求更高的工資，更好的工作條件和公平分配利潤，這更多反映的是手工業者而不是工廠工人的情況。剝削的問題 —— 關於車夫被車主剝削 —— 只排到第六，佔4%的篇幅。毛澤東用4%的篇幅以警察結束了自己的列舉，他提到日本人認為乞丐、小學教員和警察是世界上最苦的人。毛澤東鼓勵所有人聯

合起來，鼓勵工人們模仿歐洲工人組成工會。這也是文章第三部分的內容。

同時，毛澤東提出三個問題：

(1)對廣大人民群眾的大團結到底有意識嗎？毛澤東認為，1911年的革命是海外學生、哥老會、[16]當地新軍中的一些士兵和當地勢力的革命，在群眾中沒有得到任何真正的支持。然而，這種「大逆不道」[17]推翻了清朝，並在1916年打倒了洪憲皇帝(袁世凱)。自第一次世界大戰以來，群眾的影響力越來越大：

> 俄羅斯打倒貴族，驅逐富人，勞農兩界合立了委辦政府，紅旗軍東馳西突，掃蕩了多少敵人，協約國為之改容，全世界為之震動。匈牙利崛起，布達佩斯又出現了嶄新的勞農政府。德人奧人捷克人和之，出死力以與其國內的敵黨搏戰。怒濤西邁，轉而東行，英法意美既演了多少的大罷工，印度朝鮮，又起了若干的大革命。異軍特起，更有中華長城渤海之間，發生了「五四」運動。旌旗南向，過黃河而到長江，黃浦漢臯，屢演活劇，洞庭閩水。[18]

(2)中國這個偉大的聯盟已經有此動機了嗎？根據毛澤東的看法，這是毫無疑問的。毛澤東強調1911年各省諮議局和同盟會在「痛飲黃龍」中的作用。此後，同盟會成為國民黨，省級諮議局變成「進步黨」。[19]每個省都建立了教育會、商會和農會，還有同鄉會、校友會和研究會。知名人士(紳士)和政治家發揮了重大作用，各種協會向市民和學生開放。但是近期的聯合會，例如學生聯合會才是真正民眾力量的組合。

(3) 我們促進人民力量大團結能成功嗎？中國社團經驗有限，中國企業管理的困難可能讓人們有疑慮。中華民族是一個奴隸的民族，數千年來屈從於某個皇帝。但事情正在發生變化：

> 我敢說一怪話，他日中華民族的改革，將較任何民族為徹底。中華民族的社會，將較任何民族為光明。中華民族的大聯合，將較任何地域任何民族而先告成功。諸君！諸君！我們總要努力！我們總要拚命的向前！我們黃金的世界，光華燦爛的世界，就在前面！

我們可以看到，在1919年的夏天，毛澤東還不是一個馬克思主義者。他相信全民動員，是全民動員的見證者和改革的參與者。儘管對俄國革命有明顯的興趣，但他仍然不相信暴力的革命道路。他是或多或少有國際主義傾向的民粹主義者，受到克魯泡特金的無政府主義的誘惑。不過，他已經準備好組成廣大的、令人震驚的聯盟來反對張敬堯和地方軍閥。

新聞與道德：趙女士的自殺

毛澤東在《湘江評論》被取締後，就毫不猶豫地進入長沙的湘雅醫學院 —— 中國的「耶魯大學」[20]，和燕京大學 —— 中國的「哈佛大學」地位相當。為了聽這個學校的醫學課，他拿了一本初學者手冊繼續學習英語。他接受了這所學校的出版物《新湖南》的編輯工作，把第7期變成一個新系列的第1期。毛澤東發了一篇聲明，表明自己批評社會、改革思想、介紹新知識和討論問題的意圖，但沒有提

到不需要原則，也不在乎權威（他稱呼政府為「當局」）。當局立即查封了《新湖南》。後來，毛澤東被湖南最大的報紙《大公報》聘為自由記者，1919年11月14日的一則社會新聞引起了他的注意：一名年輕女子不願意嫁給一個富裕古董商的兒子做填房，她覺得對方又老又醜[21]，在從父母家去未來丈夫家的花轎上，用剃刀割斷了自己的喉嚨。

　　毛澤東為趙五貞女士寫的文章不下十篇。他對婦女地位的看法影響了從大城市到四川偏遠地區的年輕人。[22]當然，對這一說法必須有所保留，但我並不贊同羅森鮑姆的看法，他對這篇文章的重要性提出根本的質疑。確實，毛澤東不是第一個，也不是唯一一個評論這件事的人。《大公報》的主筆龍兼公11月15日就評論過此事，認為這個年輕的女子是自由和愛情的烈士，必須譴責她所遭受的不公正。這件事具有典型性。趙小姐迷信鬼神，認為在從娘家裏到夫家的路上自殺，她的鬼魂可以逐個糾纏他們。[23]實際上，她有可能得救。她在紅十字會總部附近受的傷，如果不是家人拒絕男醫生的搶救，把正在流血的傷者送到有一段距離但有一名女醫生的「耶魯大學」診所，那麼她本來有機會活下來──女醫生只能眼睜睜看着她死亡。然而，毛澤東沒有將這點列入譴責迷信的名單，這可能有損烈士的形象。多麼充滿激情的文章！11月16日，他譴責由中國社會、趙家人和吳家人對趙女士形成的致命的三面鐵網。11月18日，他討論這個年輕女孩的個性問題。她的父母不顧她的意志，而她用她的行動贏得了她的人格，社會也為她高興。「雪一般的刀上面，染了怪紅的鮮血。柑子園塵穢街中被血灑滿，頓化成了莊嚴的天衢」：天下類於趙女士父母的父母都要入獄！

毛澤東建議年輕人的現代婚姻需經雙方同意，並提出對法律進行大幅修改。11月21日，他列舉了各種社會弊病，趙女士是這個社會的受害人。為了回應他的朋友彭璜反對自殺的觀點，毛澤東將這起自殺事件歸咎於這個社會否認婦女的地位，例如長沙沒有女性公共廁所，婦女獨自到茶館或旅館時不受歡迎，第一師範沒有女學生。

毛澤東還講述了另一件醜聞。韶山一個女子違心嫁給一個姓張的壞蛋，在與情人私奔兩天後，她被族人抓回來，被捆綁毆打，被她的丈夫多次強姦。在這種情況下，自殺其實是一宗謀殺案。11月21日和23日的文章中，毛澤東回到自殺這個主題，正如一位讀者寫的，按照中國的傳統，這不是一件「喜事」，也不是一個解決問題的方案。他用了一些理由解釋趙女士的自殺與中國傳統的「反抗強權」無關。婦女必須解放自己，改變自己的命運 (翻身)。必須禁止早婚，加強女童教育及婦女就業，以確保其經濟獨立。11月25日，毛澤東抨擊謀殺愛情的包辦婚姻。27日，他譴責撮合趙小姐婚事的佘媒婆。28日，他批評了婚姻中的各種迷信。

新聞與政治

毛澤東也是一個政治記者。暑假期間，毛澤東和新民學會留在中國的朋友們成立了兩個旨在促進「民眾大聯合」的小組。除了6月建立的健學會，1919年9月1日，還成立了問題研究會。這個研究會的名字回應了從初夏開始在《新青年》的專欄中李大釗和胡適的爭論：「問題」與「主義」之爭。毛澤東的朋友鄧中夏在春天的時候從北

京來到長沙，10月23日在《北大日刊》第467期上提到他的朋友毛澤東從長沙將消息傳達給他。[24]

研究會列舉了68個重大問題，並規定必須在理論的指導下進行研究，這是一個傾向李人釗的立場。這些問題包括教育問題（杜威學說、田徑場的建設……）、婦女問題（貞節、戀愛的問題、婆媳關係、取消賣淫和纏足、幼兒園、節育……）、白話文取代文言文的問題、孔子的問題、東方和西方文明的結合問題、勞工問題（工資、工時、失業、童工……）、國際問題。第11條到第41條涉及「如何推進民眾的大聯合」，聯合國、印度、航空公司在大西洋和太平洋的航班、英吉利海峽和直布羅陀白令隧道建設問題、山東、西藏等。第54條到第68條關於國內政治和經濟金融問題，還有公共公園開放的問題（第68條）。這些問題都有點幼稚，但透出一股強烈的好奇心，在那個時代非常典型。

事實上，毛澤東重點關注的是兩個問題：教育改革和驅逐張敬堯的鬥爭。關於第一點，12月1日，他提到「工讀主義」的體制[25]，這個體制1918年已經設立，1919年春天試行。他打算在嶽麓山上建一座「新城鎮」，有農場有學校，將杜威的教育理念與社會實踐結合起來。學生的一天將被分為八個小時睡覺，四個小時放鬆，四個小時個人學習，四個小時上課和四個小時勞動。勞動可以是在菜園裏或田裏耕作，或在村莊暫住，促進當地自治運動。他認為必須介紹給學生的是：法國是政治革命的典型，俄國是社會革命的模範，柏林是街道乾淨的模範城市，巴黎是美麗繁榮的城市。這個受托爾斯泰啟發建立的城鎮將實行自給自足，通過教育和勞動改革家庭。

驅逐張敬堯運動：毛澤東代表在北京

毛澤東以極大的熱情關注着驅逐軍閥張敬堯的鬥爭。各種請願和示威遊行紛紛爆發，以揭露張敬堯在湖南的種種劣行：北洋軍隊士兵佔領學校，土地稅翻倍，向外國公司廉價出售土地。1919 年 12 月 2 日，毛澤東和新民學會號召學生和日本海軍士兵在福州暴行的受害者聯合起來。湖南教育協會舉行了一次會議，呼籲恢復抵制日貨。由於檢獲並焚燒日貨的學生糾察隊遭到鎮壓，抗日救亡運動轉變成驅逐張敬堯運動。毛澤東連續兩天兩夜參加了教師代表和學生代表的討論。12 月 6 日，長沙 13,000 名大中學生罷課。但是軍隊瘋狂鎮壓，逮捕並威脅處死運動的領導人。一位中學校長被張敬堯的弟弟扇了一耳光，被迫下跪。罷工者決定利用長沙商會[26]的資助，組成請願代表團去廣州、常德、郴州、上海和北京。北京請願團的 55 名代表[27]由毛澤東帶領，主要由第一師範的教師、學生和新民學會的成員組成。在這次事件中，毛澤東上升的影響力第一次得到承認。

12 月 18 日，代表團乘坐火車去北京，[28]在漢口停留了 10 天後於月底到達首都，受到旅京湖南各界聯合會的接待。毛澤東首先關注的是建立一個平民通訊社。他的家庭剛剛發生了深刻的變化：兩個多月前，也就是 10 月 5 日，他的母親去世了。在感人的悼詞中，毛澤東回憶了母親的溫柔、善良和對不公正的痛恨。他似乎忽略了不久之後（1920 年 1 月 23 日）因傷寒去世的父親。26 歲仍然單身，自由自在，有一些資助，他很快將在第二次北京之行中體驗到自己新的地位，但是也認識到他的限制。

毛澤東將代表團和自己的住處安排在故宮護城河以北的小喇嘛寺福佑寺，該寺位於北長路97號。這個破敗的寺廟除了火盆沒有取暖的東西。主屋有兩尊金色或黑色的西藏神像，毛澤東在這裏放了他的床和一張書桌，一盞油燈。油印機被放置在一個香案上。毛澤東總是在深夜起草揭露張敬堯罪行的通訊稿，並將其投寄給北京、上海、天津和武漢的中國各大報紙。[29]12月24日，他譴責湖南省的鴉片貿易，當天武昌車站截獲了5噸從奉天（今遼寧）運往長沙的罌粟種子——似乎已經有2.5噸運到目的地了。12月27日，署名毛澤東和部分旅京湖南各界聯合會成員的請願書力陳張敬堯將湖南的煤礦廉價出售給英國人。這份請願書於1920年1月6日在上海的大報《申報》上發表。1月4日，毛澤東再次討論走私罌粟種子的問題。1月19日，另一份請願書歷數張敬堯的十大罪行，尤其是在醴陵和攸縣屠殺平民的事件，大規模銷售鴉片和強制販賣彩票等，簽名者眾多。1月19日，湖南教員代表要求將「讓他們身陷貧困」的都督撤職處罰。2月28日，代表團又開始了新一輪的請願。他們意識到以段祺瑞為首的皖系軍閥支持張敬堯，轉而求助跟段祺瑞爭奪首都權力的曹錕等直系軍閥——曹錕的大將吳佩孚之前支持張敬堯，但1920年3月他從湖南調走了自己的軍隊。

毛澤東的新生活

同時，毛澤東的個人生活發生了顯著變化。首先，毛澤東失去了一位長輩。當他在德國醫院再次看到楊昌濟老師的時候，後者已經病入膏肓了。夏天時突發的胃病引起了他全身水腫和消化系統的

問題[30]，可是老師固執地繼續在北京度過寒冷的冬天，堅持洗冷水澡也加重了他的病情。儘管他在山區一個療養院修養，而且入院治療，但還是於1920年1月17日去世。在1月22日發布的訃告上，毛澤東的名字出現在蔡元培等知名學者的旁邊——這證實了他在社會上所取得的進展。

此外，毛澤東與楊教授的女兒楊開慧墜入愛河。楊開慧19歲，長得像毛澤東的母親，小個子，圓臉，白皮膚，擁有深陷的雙眼和鬈髮。她受過良好的教育，非常獨立，當然也有些迂腐。蕭瑜確認說是毛澤東先獲得了楊開慧的芳心，而後才獲得她父母的允許，而毛澤東可能曾被陶毅和蔡暢所吸引。1920年春天，毛澤東和楊開慧開始在北京試婚，非常保密，直到12月楊開慧和母親到長沙定居之後才公開，三個人住在同一個屋檐下。在北京的時候，因為缺錢，新婚夫妻並不住在一起。

第一個孩子毛岸英於1921年出生，有人認為是在1920年[31]，其實最有可能在1922年10月。1936年毛澤東告訴埃德加‧斯諾，他在1919至1920年冬季公開與楊開慧的愛情，然而卻忘記了結婚的日期。在他看來這是微不足道的事件，顯然這是當時年輕人中的潮流。1921年5月28日蔡和森與向警予在愛情基礎上結合：沒有儀式，和幾個朋友在蒙達尼吃了一頓便飯，拍了一張合照，膝蓋上放著一本《資本論》。幾個月後，在給羅階（羅章龍）的信中，毛澤東認為這是一種勇敢的行為，是摧毀婚姻制度的榜樣，值得學習。這一點解釋了1920年他和楊開慧的關係。

毛澤東在北京的鬥爭分為三個方面。

第一個方面是教育，對毛澤東來說教育始終是最重要的。1920

年3月5日，他在上海《申報》上發表了一篇募捐1,000元資金的啟示，為了資助一個上海的「工讀」互助團。[32] 2月，他寫信給朋友陶毅，告訴她與新民學會12個成員和長沙女子師範學校的學生組成一個「研究會」的想法，他們準備參照已經在法國適用的半工半讀模式將這些成員送到俄國學習。他本身也可能參加，並和李大釗談到此事。3月14日，他在給周世釗的信中——此人為毛澤東謀得了修業學校的職位——提到去國外學習的事，[33] 他認為太多人迷戀出國留學的想法，其中只有極少數是非常好的。他表明已經跟胡適談過，後者也同意，甚至寫了一篇文章，題為〈非留學篇〉。

毛澤東表示希望留在中國更好地了解東方文化（他認為東方文化可以說就是中國文化），武裝好自己之後再學習西方文化。此外，他補充說通過譯本學習西方文明比通過原文學習更快捷。為此，他想在長沙建立一個「自修大學」，實行「共產主義的生活方式」，一方面通過為報刊撰文、編書和上課，自給自足，另一方面通過其他手工勞動，如做飯、洗衣，減少開支。學生每星期舉辦兩到三次研討會討論知識問題，而課時限制為每週6個小時，其餘時間用於自己閱讀。毫無疑問，毛澤東參考了自己的經驗，他對任何學校的紀律都「過敏」。他也參考了1919年10月受托爾斯泰或克魯泡特金的啟發在北京推出的一個類似項目，叫「西苑花園新村」（「黎明的曙光」）。他的朋友張國燾、鄧中夏、羅章龍和十幾個湖南人參加了。毛澤東說兩三年後他將派一個代表團去「世界第一個文明國」俄國。不久之後的9月23日，毛澤東起草了俄羅斯研究會的章領，並任書記幹事，湖南著名人士姜濟寰[34] 任秘書長。

第二個方面是驅逐張敬堯的政治鬥爭。從1920年3月12日湘軍

開始取得勝利到6月20日控制整個湖南，毛澤東和他領導的驅張協會[35]共寫了13封信和聲明。[36]從4月1日開始，毛澤東成為改造促成會的改革者之一。譚延闓和他的下屬趙恒惕[37]將湖南變成一個類似日本明治維新時期的實驗地。6月，促成會在報紙上發表了幾份聲明，建議湖南自治。毛澤東將湖南比作中國的瑞士，擁有三千萬居民：譚和趙驅逐了壞蛋張之後，軍事統治結束，士兵人數減少為一個師；建立省級銀行發行貨幣，省政府由普選產生的議會負責；設立100萬元的基金用於教育，15年內實現義務教育；完成長沙——廣州的鐵路建設；承認結社、集會的權利和基本的自由。

第三個方面是意識形態的鬥爭。毛澤東其實是在尋找一個理論以引導他的政治行動。因此，他常常和李大釗見面。李大釗之後在《湘江評論》上發表了一篇贊同毛澤東的文章。[38]1920年3月，李大釗建立了一個馬克思主義研究會，毛澤東參加了幾次活動。1918年年底以來，北大圖書館組織了各種馬克思主義研究組。但是，將1920年春天看作毛澤東在李大釗(馬克思主義在中國的主要介紹者)的影響下成為馬克思主義者的日子是錯誤的。[39]因為李大釗本身尚未成為馬克思主義者，阿里夫‧德里克(Arif Dirlik)的研究表明：李大釗深受克魯泡特金的影響。[40]從1920年1月開始，毛澤東閱讀了《共產黨宣言》不完整的中文翻譯本(劉仁靜[41]首次將它翻成中文)。其中重要的章節刊登在4月6日發行的《每週評論》上。羅章龍、何孟雄[42]、鄧中夏和毛澤東印發影印本。1936年毛澤東對斯諾說他的社會主義思想的完善是因為讀了考茨基[43]的《階級鬥爭》和柯卡普的《社會主義史》。無論如何，直到1920年至1921年冬季，馬克思主義大部分最基本的作品——《工資》(介紹剩餘價值學說)和《價格和利

潤》才有中文版。[44] 在1920年6月7日給以前的老師黎錦熙的信中，毛澤東提到他想專攻「現代三大哲學家」：亨利‧柏格森、伯特蘭‧羅素和約翰‧杜威。[45] 馬克思不在其列。

上海：返回的原因

毛澤東稍稍提前結束了他的第二次北京之行。湖南的形勢發展很快，在首都他不再有很多工作要做，資金也用完了。彭璜[46] 和蕭三讓他到上海與他們會合，給新民學會促成湖南改革以決定性的推動。學會位於靜安區公共租界原哈同花園附近的哈同路民厚南里29號（今安義路63號）。他有當記者的經驗，大家需要他編輯一份1920年2月份創立的週報《天問》。

於是毛澤東向一位朋友借了10元買車票，[47] 乘上了4月11日的火車。奇怪的是他5月5日才到上海，花了25天時間。1936年他對斯諾說他只夠到達南京對面的浦口的錢，他被偷了鞋子，不得不等待一個朋友借錢給他買新鞋子和從南京到上海的車票。其實毛澤東花了三週時間旅遊，攀爬了1,500米高的泰山，在山頂可以看到日出。他還參觀了孔子的家鄉曲阜，孔子弟子之一顏回居住的河畔，還在渤海灣的冰面上走過。這次旅遊補充了1917年夏天他在湖南的遊歷。

也許，毛澤東想慢慢來。直到1920年6月11日，張敬堯丟了長沙才最終失勢。但這種奇怪的拖延是不是有不理性的原因？毛澤東可能已經感受到在投身當地政治之前，需要與中國深厚的歷史溝通。很久以後的1966年，他在「文化大革命」前也秘密消失了一段時間。

　　在上海，毛澤東和新民學會來自北京、天津、長沙的十幾個成員彙集在黃浦江畔。5月8日，他們在上海老城靠近上海舊衙門的半淞園[48]開會，距離西門不遠。毛澤東發表了一次演講[49]，鼓勵赴法的會員「潛在切實，不務虛榮，不出風頭」。他們的指導原則應該是「純潔、誠懇、奮鬥、服從真理」，互相幫助投入創造性的活動來「改造中國與世界」。毛澤東特別強調婦女在這場鬥爭中的作用、發展社會的潛力是漫長和困難重重的過程。11日，毛澤東在航運碼頭為六個赴法的會員送行，其中包括朋友蕭瑜的弟弟蕭三。[50]一個女孩子驚訝毛澤東為甚麼不和他們一起去，毛澤東回答：「革命等不到他們回國。」當纜繩鬆開的時候，他最後喊道：努力學習、拯救我們的國家！毛澤東是新民學會唯一留在中國的領導者。

　　毛澤東已經收到從湖南寄來的旅費，但他一直不願回長沙去，因為他想拜見著名的陳獨秀教授，後者與幾個朋友住在環龍路老漁陽里2號。[51]此時陳獨秀正和共產國際代表吳廷康討論建立中國共產黨的事宜，毛澤東難以吸引老師關注湖南的麻煩事。而且我們幾乎不知道毛澤東和陳獨秀的這次會面有甚麼成果，[52]但是這加強了毛澤東的權威，他在自己已經滿滿的地址簿上又加上一項。7月9日，聯繫簿上又加入了胡適。毛澤東給胡適寫過一封短信，[53]告訴他湖南一切都好，並希望在教育領域裏面「有多點須借重先生」。

　　也許是為了獲得陳獨秀的寶貴支持，毛澤東延長了自己待在上海的時間，雖然他不喜歡這個城市。他曾經在學會本部試驗工讀生活，和三個成員[54]開了一個小食堂，毛澤東負責洗衣和分發報紙《天問》，有時也在一個洗衣店幫忙，每個月15元，[55]一半用在送乾淨衣服的路費上。對這種沒有時間思考，分散精力的生活，毛澤東不無抱怨。

毛澤東：書商、編輯、工業家

毛澤東的猶豫並沒有持續多長時間。1920年6月26日，在湖南的軍事行動結束，譚延闓和他的師長趙恒惕獲得勝利，在上海的流亡者可以返回了。7月7日，毛澤東由武漢乘船抵達長沙。然後，他在衡陽短暫逗留，[56]在那裏會見他在第一師範的一位老師（國民黨成員和譚延闓的親信，他剛剛被任命為第一師範的校長）。於是毛澤東被任命為第一師範附屬小學的校長，[57]同時是師範學校主要的中文老師。現在毛澤東就站在成名的門口：在北京他曾經兩次被拒之門外。

7月31日毛澤東在《大公報》上宣布和易禮容[58]、彭璜一起開辦了一個書店——文化書社。這個書店位於潮宗街56號湘雅醫學院舊址的三間屋子內。[59]8月2日，書店開業，譚延闓親筆寫了招牌。書店不為盈利，以傳播1919年五四運動中出現的「新文化」為目的。和包括著名的上海商務印書館等許多出版社達成協議後，9月9日，書店收到了第一批書。根據10月22日三個主要建立者的第一份報告，共賣出164本書。毛澤東在這三人中並不是領導者，有一個奇怪的頭銜「交涉員」。銷售的書包括達爾文[60]、克魯泡特金的主要中譯本，柏拉圖的《理想國》，《水滸傳》重新標注標點的版本，還有胡適、蔡元培的書和孫中山的一本書[61]，以及45種期刊和3份報紙。

在介紹他的書店時，毛澤東說「新文化的蓓蕾」「在俄羅斯北冰洋沿岸」開了花。另外，我們在銷售的書裏面發現有柯卡普（Thomas Kirkup）的《社會主義史》（*L'histoire du socialisme*）——概括地總結了馬克思的《資本論》，還有關於俄羅斯的研究和一項報告，雜誌當中

有陳獨秀的《勞動界》。[62] 519元的微薄資金，有27個股東，其中包括新民學會的一些成員（毛澤東、陶毅、彭璜、何叔衡），當地的知識分子，以及方維夏[63]、湖南商會的會長等名士。開張40天後，書店收入136元，支出101元，利潤是35元，因為不支付工資。

毛澤東成了書商和出版商。他的書社也獲得了何叔衡[64]的支持，這年夏天他被譚延闓任命為湖南通俗教育館館長，出版《湖南通俗報》。1921年6月被查封之前，毛澤東在這份報紙上發表了一些文章。在1920年秋天或之後幾個月，毛澤東甚至嘗試辦一個小棉廠，與「棉花王」聶其傑[65]有聯繫。很快，他不得不放棄。這種資本主義的嘗試在當時很流行。和周策縱（Chow Tse-tsung）[66]的看法相反，五四時期用白吉爾（Marie-Claire Bergère）的話說，正處於「中國資產階級的黃金時期」。企業家是現代化的代理人，受到崇敬。毛澤東儘管仍然不出名，還穿着褪了色的藍色學生服，但已經成為湖南省的名流。秋末的時候，他將年輕的妻子和岳母安置在王夫之研究會的總部，一幢漂亮的房子裏，好像不收房租。

回家處理家族事務

毛澤東不再是沒有錢的「流浪者」，他從父親那裏繼承了一筆錢——父親在死後仍然幫助了他的長子。我們看到毛澤東家裏的田地每年能多出3,500公斤大米用於買賣，父親的商業活動為他謀得了2,000元到3,000元的資金；但是時局的困難讓這筆微薄的資金只用了七個月。1920年8月下旬，毛澤東在韶山度過了一段時間。也許他將這段在鄉下的日子看作休息。解決完繼承的相關問題後，他成了一家之長。

1921年2月，正逢農曆新年放假，這年的新年2月8日開始。[67]
毛澤東和妻子還有兩個弟弟、一個收養的妹妹住在家裏。大年三十
的時候，所有人都聚集在底樓大房間的火炕邊。二弟毛澤民拿出一
份經濟狀況表，長兄不在家時他負責管家。家裏的屋子需要修繕，
流兵四竄，路上很危險，田地的收成一年不如一年。於是毛澤東不
無艦尬地開導：國亂民不得安生，所以大家要捨小家為大家，出去
做一些有利於大多數人的工作。家裏的房子可以給人家住，田地可
以給人家種。家裡欠人家的錢一次還清，人家欠的就算了。自己的
牛可以給鄰居耕田，他們負責來養牛就行。至於多出來的稻穀，賣
掉給家裏的人讓他們有東西吃。[68]

毛澤東雇用佃農耕作家裏的田，收田租供他的弟妹們上學：澤
民被他擔任校長的學校錄取；澤覃作為寄宿生進入長沙一所很好的
高中；澤建通過了衡陽女子師範學校的入學考試。

剩下一點錢可以讓毛澤東投入政治活動。1920年9月1日，毛
澤東回到長沙，在兩個月內組織了一場爭取湖南自治的民主運動，
是督軍譚延闓的主要對話者。事實上，「湘人治湘」的口號很快就被
新的總督採用了，譚延闓從夏初開始宣布湖南省獨立，一點都不在
意北京不穩定的權威。對毛澤東來講，這僅僅意味着一對新的軍閥
代替了舊的。從6月23日[69]開始，毛澤東用虔誠的許願表達了他的
擔憂：必須感謝譚延闓和趙恒惕驅逐了張敬堯，但是譚和趙「自認為
平民之一，乾淨洗脫其丘八氣，官僚氣，紳士氣，往後舉措，一以
三千萬[70]平民之公意為從違」。

9月1日，毛澤東回到長沙當天，譚延闓宣布進行「普選」產生
湖南政府，召開「自治會議」準備選舉，會議參加者是30個鄉紳，全

都是1909年間接選舉產生的省議會的成員。9月14日這個建議被天津自由人士的《大公報》抨擊為騙人的把戲，旨在保留某個階級小圈子的人的權力。9月27日，譚延闓做出讓步：他要求前省議會的53個成員起草一份〈湖南省自治憲法計劃〉，等中國國內實現和平再「建立一個全國憲法」。而就在幾天以前，在這場新聞運動的影響下，省議會建立了一個「自治研究會」。

公民制憲的努力

毛澤東在這場論戰中發揮了關鍵作用。1920年9月3日，他在一篇資料翔實的文章中分析了世界外交的形式，「湖南建設的根本問題」是「湖南共和國」。他譴責統一的大中國的概念，認為這是湖南不幸的主要原因。我們正在目睹俄羅斯、奧地利、匈牙利和奧斯曼等帝國的瓦解，新的國家紛紛建立。舊的中華帝國有二十二行省，三特區 (熱河、察哈爾、綏遠[71])，兩藩地 (蒙古、西藏)：未來中國可分為二十七個自治區，湖南共和國是「救中國的唯一辦法」。第二天，他寫了第二篇文章認為「固有的四千年大中國，盡可以說沒有中國，因其沒有基礎」。

毛澤東積極評價俄國革命的勝利，因為列寧[72]依靠80%到90%的工人，依靠一個有100萬成員的政黨。毛澤東補充說一個如此深刻和全面的革命原則上需要支持，但在中國不可能，必須「由分處下手」，打破「沒有基礎的大中國」，「建設許多的小中國」。

9月6日，毛澤東重提前一天在《大公報》上表達的一個想法，提出「湖南門羅主義」，禁止外省人干涉湖南的事情。[73] 7日文章的中

心主題是四千年來，湖南受統一中國的壓迫，「湖南的文明，只是灰色的文明」。當湖南的改革或革命運動處在先驅地位時，中央政府都予以堅決鎮壓，例如1897年至1898年的譚嗣同，以及1903年至1904年的馬福益和黃興。目前的無政府狀態「尚要延長七八年」，「我們的機會實在佳勝，我們應該努力，先以湖南共和國為目標」，作「二十七個小中國的首倡」。

9月26日、27日、28日和30日，他發表了一些言簡意賅的短文重新討論這些主題：「但若不繼之以實際的運動，湖南自治，仍舊只在紙上好看，或在口中好聽，終究不能實現出來」，「假如這一回湖南自治真個辦成了，而成的原因不在於『民』，乃在於『民』之外，我敢斷言這種自治是不能長久的」。

然而，在9月28日的文章中，毛澤東似乎將這種全民的運動看作在野黨和執政黨的對峙。因此，他不是最激進的人。《大公報》詢問毛澤東的朋友彭璜他想建立一個甚麼樣的共和國：是不是一個類似美國的共和國，掌握在資本家和政要手中？彭璜寫道，他想要的是一個沒有階級的共和國，外國人無法控制工廠和公共企業[74]，解放受壓迫的民族——藏族、滿族、蒙古族和回族，仿照愛爾蘭對英格蘭的模式，在湖南人的基礎上建立一個共和國。

毛澤東從未在立場上走這麼遠，他的想法大概也是如此，但他一直尋求與當地開明人士保持接觸。

事實上，這次新聞宣傳導致了「公民制憲」運動的出現。10月7日，彭璜作為湖南大學生聯合會的主席召集了幾個月以來出現的所有組織的代表，討論10月5日毛澤東和一位《大公報》記者的文章。這篇文章收到377人的簽名。大家批准了一項請願書，要求譚延闓

任命一名教師、一名記者、一名工會工人、一名商人和一名學生組成一個委員會,負責制定湖南自治和民主的憲法草案。湖南革命政府(人們這樣稱呼譚延闓當局)要召開制憲會議,自由地討論這個草案,為「新湖南」奠定基礎。請願中有新民學會的主要成員、記者和開明人士。他們從美國的形成或德國的統一中得到啟發,提出為各省制定憲法,最後制定一個聯邦式的國家憲法。在湖南,制憲會議不由普選產生,而是由省議會、教育界、商會、農協、勞工聯合會、學生會、記者聯盟和律師聯盟指定的代表組成。最後憲法通過全民公決獲得通過,但需要8到10個月的組織時間,這在亂世似乎有些困難。總之,這是一個溫和的民主運動,沒有擾亂社會階層。這篇文章中「人民」實際上擴展到在「資產階級黃金時代」出現的新力量,包括記者、律師、教師和西化的商業精英。這些人以請願者的形象出現,與譚延闓之前聚集的精英針鋒相對。11月,毛澤東在長沙建立第一個共產黨小組,他仍然是一個改革派,出現顛覆思想只是偶爾的事。

10月8日,毛澤東在省教育會主持了一次新的會議,有四百餘人參加。富商袁家普在會議中建議組織一次遊行紀念1911年10月10日的武昌起義。這位富商是一位開明人士,譚延闓的親戚,曾參加驅逐張敬堯的運動。大家組成一個15人[75]的委員會向譚延闓請願,請願書上有436個簽名。9日,15人去衙門遞交請願書,並宣布上街遊行,而來自22個協會的代表在教育處準備第二天的遊行。標語牌上寫着「普選」、「直接投票」、「湖南獨立」、「湖南門羅主義」、「人民選政府」、「直選行政官員」、「農民、工人和商人屬上層階級」、「湘人治湘」等。

10日，兩萬名示威者湧上街頭：包括三千多名工人、近八千名高中生和大學生、一百名記者、數千名商人和農民、兩千名警務人員……天氣陰沉，三支隊伍帶着標語牌、旗幟和銅管樂隊從9點鐘開始遊行，在市中心狹窄的街道上形成三個隊列。瓢潑大雨打散了一些示威者。譚延闓親自接受請願書。但後來一隊人馬佔領了不得人心的省議會，找到一面旗幟取下來撕裂：大家不想要代表北京中央政權的標識。在接下來的幾天裏，有人送密信給警察，告發這種不恰當行為的主謀是毛澤東。

此時，毛澤東已經去了萍鄉，在這個江西的山區休養，也許是為了躲避湖南當局的追捕。12月5日，他以學校校長的身份寫了一封信，在《大公報》上為自己辯護，他表示他如果支持湖南自治運動，就會光明正大並遵守法律。儘管如此，12日，譚延闓在他的衙門裏召集了一些學校的校長、報刊的主編和不同組織的負責人，痛斥旗幟事件。他認為這件事證明了某些人提出的自治是不可接受的。於是，運動陷入低潮。

11月1日，八個溫和的組織召開制憲會議，包括自1909年以來一直休會的省議會和記者聯合會。發言者都是著名人物，如章炳麟[76]、著名學者蔡元培、吳稚輝、張繼、約翰・杜威與他的翻譯、曾國藩的孫子、羅素。與會的人數雖然不多，但都經過挑選：60位名人和記者，會議由國民黨的報紙《民國日報》的編輯主持。大家建議各省自治實行聯邦制，但沒有人提及這一方案如何執行。杜威談到美國的13個創始共和國。羅素說，他也許會接受共產主義，但他拒絕工人和農民的專政。對於那時候的真實情況，只有章炳麟寫過回憶錄。如果選票能限制軍閥的權力，那麼如何使軍閥低頭？我們

注意到毛澤東沒有參加會議，要求湖南自治的民主運動支持者也沒有參與。當民主的浪潮席捲而來的時候，這些年輕人名聲大噪，而當浪潮退卻的時候，他們就在名流的世界裏消失了。

不過，章炳麟是正確的：在湖南西部爆發軍事叛亂的同一天，另一個軍事叛亂即將在湖南省東部的醴陵和平江縣爆發。譚延闓為了保住性命逃走了，而他的手下趙恒惕或許參與了驅逐他的行動。11月中旬，趙恒惕奪取了政權。1921年，他讓一些名流匆忙制定了一份湖南憲法，1922年舉行了受到操縱的選舉。他依照自己的利益恢復了軍政府。這是民主運動的失敗。毛澤東對此不感興趣。1921年4月25日，他在《大公報》上發表了一篇評論趙恒惕憲法草案的文章[77]，文中特別增加三項建議：允許女性有繼承權，能自由尋找工作，和自己喜歡的人結婚。顯然，他放棄了政治鬥爭，而借助公告的效應。11月的時候他對文化書社的經理易禮容[78]解釋說新民學會在驅逐張敬堯運動，湖南自治運動中只起到權宜之計的作用。為了在湖南省創造一個更好的政治環境，除了時不時參加這些運動，還要推動新民學會在國外的成員比如蕭瑜進行深入和專業的學習，或者建立一個組織，為徹底的革命創造一個基礎，比如蔡和森提議的共產黨。至於留在中國的成員，他們也必須提高自己的本領，參與社會運動或政治運動，比如支持普選和自治的運動，同時確保學會成員的坦誠和互相幫助。

毛澤東從他領導民主運動的經驗中吸取了教訓：他知道自1919年以來，各界朋友和聯盟一同建立的民眾力量的聯合主要由中學生、大學生和教師組成，無法戰勝陳舊的軍閥勢力。他開始看到誰持有槍枝誰就無所不能。一段時間以來，他有些沮喪，但他迅速鎮

定下來：1920–1921年的冬季將成為他加入共產主義的機會，共產主義一定能重新改變他的整個命運。

朝共產主義努力

他被迫在萍鄉耽擱了一週左右。1920年11月25日，毛澤東給向警予寫的信中[79]袒露了他那時的苦悶，我們知道向警予已經成為蔡和森的伴侶。毛澤東認為湖南人民文化上的落後是造成民眾運動失敗的原因。湖南人不明白他們需要「務與不進化之北方各省及情勢不同之南方各省離異」。建立新湖南立憲會議的想法對大多數人來說似乎有些奇怪：「湖南人腦筋不清晰，無理想，無遠計，幾個月來，已看透了。政治界暮氣已深，腐敗已甚」。

毛澤東似乎回到了最初的想法：就目前而言，政治是死路一條，他已經確定自己是一個教育工作者，並計劃做兩年的教育工作，雖然這不利於他的研究。因此，他請向警予引女子出國，此時仍然是去法國，而不是蘇俄，多引一人，就是多救一人。在1920年11月19日《大公報》[80]上發表的一篇文章中，毛澤東批評湖南財政用於女子教育的經費只有總額的二十二分之一。他對新民學會的另一位成員重申[81]，必須讓湖南省成為先鋒，放棄全國性大型組織，這些組織已經造成康有為、梁啟超、黃興和孫中山的失敗。確實，逃亡到日本的孫中山正處於最低谷。11月26日，毛澤東一邊為湖南惡劣的教育狀況流淚，一邊稱讚李石曾的教育「世界主義」規劃，他不接受東南亞盛行的本位主義。確實，總的情況很糟糕，未來還不明朗。1921年6月中旬，毛澤東得知易白沙[82]的死訊，他在剛剛過去

的端午節像詩人屈原[83]一樣投水自殺。他感到十分痛惜，撰寫挽聯：「無用之人不死，有用之人憤死，我為民國前途哭；去年追悼陳公，今年追悼易公，其奈長沙後進何。」

儘管淚水難抑，但是，毛澤東的人生已經反彈了。創作這幅挽聯後不久，6月29日他乘船去上海參加中國共產黨成立大會。此處我們不討論關於中國共產黨的建立產生的各種學術爭辯。[84]我們只是簡單提一下，雖然1921年7月底中國共產黨才被共產國際承認，但事實上從1920年8月開始，共產黨就在上海存在了，雖然它只是五四運動之後各大城市出現的各種各樣教育學會的一種激進的變種。它和按照1917年蘇維埃十月革命的模式建立的布爾什維克革命政黨沒有任何關係，後者通過工人罷工的浪潮中湧現的武裝起義來奪取政權。

1920年冬天，毛澤東的個人活動使他加入了當時只是一個小團體的共產黨。很明顯，這受到了蔡和森的影響。毛澤東在長沙，蔡和森在法國，他們之間曾通信四次 —— 1920年5月28日、8月13日、9月16日和1921年1月21日。1920年1月，蔡和森到達法國後居住在巴黎地區，直到里昂事件之後被驅逐。

1920年8月13日，蔡和森的信[85]在我看來特別有意思。我們知道受新民學會的影響，有30個中國學生來到法國，其中大部分住在盧瓦雷、蒙達尼，其中一些在哈欽森[86]的工廠兼職工作。借助「勤工儉學」來法的這一小批中國留學生難以適應他們的新生活[87]，他們發現幾乎不可能一邊學習一邊在工廠工作，來維持學費和生計。[88]許多人已經放棄了，或之後很快就放棄了。1921年6月30日，中國工業銀行的破產加劇了他們的困境，他們把自己微薄的積蓄存在那

裏。1921年9月，里昂建立了一所中法學院，很快一些按照更嚴格的學術標準被錄取的大學生將來到這裏，他們會把所有的時間投入學業。

這段時間爆發了兩次尖銳的危機：1921年2月28日，學生們朝巴比倫大街57號的中國使館方向遊行，這次遊行是不合法的，未能獲得使館的支持。1921年9月21日，為阻止成立位於聖愛任紐堡的中法學院，發生了里昂事件，法國當局逮捕了125名學生，其中大部分人於1921年10月14日被送回中國。[89]在這兩次引人注目的事件之前，蒙達尼的學生已經分裂成兩個小團體，人數差不多：一些人圍繞在蔡和森身邊，果斷地轉向蘇聯革命的模式，並提出建立一個中國共產黨旅歐黨團組織。他們建立了巴黎社會主義青年團。1921年2月，一些共產主義青年團的早期組織舉行會議，定下這個名字。其他人圍繞在深受蒲魯東（Pierre-Joshep Proudhon）影響的蕭瑜身邊，他們拒絕無產階級專政，宣揚民主和改革的社會主義。毛澤東和蕭瑜、蔡和森都通信。1920年8月，蔡和森給毛澤東回信，回答了關於國際形勢和在俄國取得政權的共產黨的性質問題。

蔡和森向毛澤東解釋俄國革命的方式，他認為俄國革命是其他革命的根源，將在全世界發展起來，並強調階級鬥爭和無產階級專政的必要，批判無政府主義是烏托邦。在談到1917年的俄國革命時，蔡認為中國將迎來它的二月革命，建議毛不要去參加，但要為未來的十月革命做準備。

毛澤東接受了這些立場。我們可以從1920年12月1日他給蕭瑜等的信中找到證據：[90]毛澤東的信寫給新民學會的七十多個成員，在信中他祝賀學會的法國分會7月份在蒙達尼森林的一塊空地上召

開會議。對蕭瑜在會上起草的「世界主義」表示非常贊成。他講述了蕭瑜和蔡和森之間的衝突，並給出自己的意見：他理解蕭瑜對蘇維埃式革命的反對，蕭瑜更接近11月1日羅素在長沙發表的反對理由，羅素說他贊同共產主義但反對工人和農民的專政，因為他覺得教育會讓有產階級意識到自己的錯誤，避免使用戰爭和「血腥的革命」：

> 曾和蔭柏、禮容等有極詳之辯論……我對於羅素的主張，有兩句評語，就是「理論上說得通，事實上做不到」。羅素和子升和笙主張的要點，是「用教育的方法」，但教育一要有錢，二要有人，三要有機關。現在世界，錢盡在資本家的手；主持教育的人盡是一些資本家或資本家的奴隸；現在世界的學校及報館兩種最重要的教育機關，又盡在資本家的掌握中。總言之，現在世界的教育，是一種資本主義的教育。……無產階級比有產階級實在要多得若干倍……而於和森的主張，表示深切的贊同。

他進一步肯定了1920年11月給易禮容的信中已經確認的內容。不久之後的1921年1月21日，他給蔡和森的信中清楚地肯定了「唯物主義歷史觀」。1921年3月至7月，當他在長沙見到回國的蕭瑜時，兩人曾有過數夜激烈的討論，包括乘船到上海參加中國共產黨成立大會的時候，甚至在上海期間。[91]毛澤東最終選擇了馬克思主義、共產主義、無產階級專政和階級鬥爭作為歷史的發動機。

決定性的選擇

同時，從1920年10月開始，他再次顯示出自己的組織能力。9月份從上海秘密回長沙後，他建立了長沙社會主義青年團。在上海期間他也許遇見了李達和張太雷。[92]他們是共產國際秘密使者的翻譯，正準備推出一個理論刊物，名叫《共產黨》。[93]毛澤東對這個被共產主義者看作革命先鋒的組織表現出了新的興趣。在1920年11月26日給他的朋友羅學瓚的信中，毛澤東表示贊成他離開蒙達尼的大學，去工廠工作的決定。[94]因為這樣他能學習「西洋工廠裏的情況」：

> 李聲澥君勸我入工廠，我頗心動。我現在頗感覺專門用口用腦的生活是苦極了的生活，我想我總要有一個時期專用體力去作工就好。李君聲澥以一師範學生在江南造船廠打鐵，居然一兩個月後，打鐵的工作樣樣如意。由沒有工錢以漸得到每月工錢十二元（相當於一個小學教師的薪水）。他現寓上海法界漁陽里二號，幫助陳仲甫先生等組織機器工會，你可以和他通信。

他也表明自己想到工廠做工。李聲澥又名李中[95]，他在1920年9月26日出版的《勞動界》第七期中發表了一篇署名文章，用無政府主義和工會的語言激勵工人們組成一個工人階級的基礎組織。他在上海期間留宿在陳獨秀家中，受陳獨秀的鼓勵應聘成為這座城市造船廠的鉗工，他在那裏組織了一個「工讀互助團」。[96]李中建議毛澤東當一名工人，毛澤東有點心動，因為這樣才能進入勞動者的世界，讓無產階級意識到它的革命使命。雖然毛澤東的信中列舉了托爾斯泰的言辭「由勞動得來的生活是真快樂」，但他沒有想過要自己

去經歷。毛澤東較早關注到要在學校範圍外擴大人民群眾的偉大聯盟。所以，他的朋友張文亮在組織小學教師和中學生的過程中，在1920年11月21日的日記中記道：「會見毛（在通俗館[97]），云不日將赴醴陵[98]考查教育。並囑青年團此時宜注重找真同志，只宜從緩，不可急進」。[99]

在這個冬天，毛澤東以新民學會和文化書社作為支點，負責組建一個湖南的共產主義核心。文化書社起到傳播進步書籍的作用，賺取的利潤用於資助政治活動。1921年4月，毛澤東撰寫的第二份半年度報告顯示從1920年11月至1921年3月，實現了銷售額4,049元，開銷3,942元，利潤107元。[100]全省各地新開了八個門店。[101]銷售最多的是親共產主義的著作——陳獨秀的《勞動界》5,000份，李大釗的《新青年》2,400份，《新生活》2,400本，《資本論》200本。我們也注意到還有胡適的《中國哲學史》150本，克魯泡特金的《思想》（*Pensée*）200本，約翰・杜威的《講演集》（*Recueils de conferences*）220本和凱恩斯的《凡爾賽和約的經濟後果》（*Conséquences économiques de la Paix de Versailles*）60本。

至於新民學會，1921年1月進行了好幾次充滿激情的辯論——1月1日、2日、3日和16日——還有2月20日，毛澤東不得不在夏天提交了一份討論報告。[102]在辯論中蕭瑜被擊敗，[103]他沮喪了很長時間。共產主義的顛覆性慢慢消除了制度困擾，而各成員被社會主義青年團神秘的地下集會所吸引。在這些會議上，我們尤其發現這一代年輕人身上的天真、熱情和他們的雄心壯志。很快，他們就大批投身於一場慘劇，一些人失去了生命，另一些人放棄了幻想。儘管爭論很激烈，氣氛還是友好的，辯論總以愉悦的聚餐結束。1月1

日到3日都下着大雪,大家走出屋子拍了一張集體照,不過沒有拍好。有人制訂了出遊的計劃,農曆五月,七月和八月的時候[104]進行了三次遊船活動。

每次大家都談到球類運動和打雪仗,雖然難以想像毛澤東堆雪人或扔雪球的場景。總之,他們還是年輕人,年紀從24歲到27歲不等。只有何叔衡47歲,這或許可以解釋為甚麼所有這些會議都由他主持。我們也可以注意到在1月16日的會議的21個參加者中,由毛澤東總結發言。他們中有五個女孩,這是一個時代的標誌:她們已經放棄了傳統女性的羞怯。而且女孩子們都有從事教育的宏偉規劃,除了一個想從醫,不過由於缺乏資助放棄了。陶毅大概是毛澤東的第一位戀人,她說她沒有被北京女子高等師範學院和南京女子高等師範學院錄取。有一個話多的男會員說他希望到達學術的頂峰,陶毅就自嘲是「採煤女工」來挪揄他,也許這其中也隱約流露出她沒有實現自己夢想的遺憾。後來她在長沙周南女子學校學習英語、教育學和心理學,並尋求創建「一個婦女的聯盟」。值得注意的是,雖然她贊成布爾什維克的方向,但逐漸偏離了共產黨,也從未加入共產黨。

1月1日和2日,討論的重點首先圍繞新民學會的目標和方法,持續了兩天。期間大家形成了分歧,一派是布爾什維克模式和俄國革命的支持者,另一派認為這些可能不適合中國。毛澤東認為這場爭議是陳獨秀主張的「改革」和梁啟超主張的「改良」之間的對立——這種分割的方法非常巧妙,但不精確。他和彭璜都直截了當地說除了俄國模式,任何道路都是死路。彭璜是布爾什維主義的支持者,他表達了自己對光明未來的看法:中國物質發展不發達不是一個障

礙，恰恰相反，是一個有利條件。事實上，我們可以發現，在中國找不到類似於法國工會、英國工黨、德國社會民主黨或國際工人組織[105]的組織。最後以投票的方式結束了兩天的討論，1月2日會議的投票結果中，12票贊成布爾什維主義，2票贊成民主，1票贊成「羅素的溫和社會主義」，3票棄權。

然後大家討論每個人眼前的計劃。女孩子們都很失望。男孩子比較樂觀，13人想學習一或兩門外語，通常是英語，然後是日語和法語──兩人選擇了俄語，這些人打算留洋。許多人都希望上大學，除了兩個人對自然科學感興趣，一人選擇物理學和化學，大多數人計劃學習文學。還有兩個華而不實的人認為自己是天才，滔滔不絕地談論宇宙、空間和時間。有兩個人可能受李大釗那篇著名文章[106]的啟發，考慮到鄉下當教師。

一個叫熊瑾玎[107]的人作了發言，從中可以看出他的坦誠天真。他說，如果沒有錢，就甚麼都做不成，因為必須達到某種舒適程度才能按照自己意願行事。所以他想發財：「我看過像《十個富人》和《賺錢者》這樣的書。[108]在中國有兩條路可以致富：當官或做買賣。我不想當官，我決定經商。我想和蕭瑜一起去開發滿洲，但我沒有資金。」

毛澤東有些嚴厲地批評熊瑾玎，「生活奢了，不特無益，而且有害」。毛澤東的計劃是：教書或當新聞記者，但專用腦力的工作很苦，他想學一宗用體力的工作，如打襪子、製麵包之類，因為這種工作學好了，可以「向世界任何地方跑」。「主張依科學的指導，以適合於體內應需的養料，身上應留的溫度，和相當的房屋為主，這便是『備』，多的即出於『備』之外，害就因此侵來。」

這種非常嚴格的儒家道德主義將會不斷在他的生活中出現。除此之外，毛澤東在1月16日會議期間打開了心扉：

> 覺得普通知識要緊，現在號稱有專門學問的人，他的學問，還止算得普通或還不及。自身決定三十以內只求普通知識，因缺乏數學、物理、化學等自然的基礎科學的知識，想設法補足。文學雖不能創作，但也有興會，喜研究哲學。應用方面，研究教育學及教育方法等。做事一層，覺得「各做各事」的辦法，毫無效力，極無經濟，願於大家決定進行的事業中擔負其一部分，便於若干年後與別人擔負的部分合攏，即成功一件事。[109]去年在上海時，曾計劃在長沙頓住兩年，然後赴俄。在長沙做的事，除教育外，擬注力於文化書社之充實與推廣。兩年中求學方面，擬從譯文及報誌了解世界學術思想的大概。惟做事則不能兼讀書，去年下半年，竟完全犧牲了，這是最痛苦的犧牲。以後想辦到每天看一點鐘書，一點鐘報。

我們可以通過1921年1月28日他寫給彭璜的信來完善這幅毛澤東的自畫像。[110]因為新民學會的成員之間實行互助，促進團建，毛澤東提到彭璜的10個缺點：(1)言語欠爽快，態度欠明決，謙恭過多而真面過少。(2)感情及意氣用事而理智無權。(3)時起猜疑，又不願明釋。(4)觀察批判，一以主觀的而少客觀的。(5)略有不服善之處。(6)略有虛榮心。(7)略有驕氣。(8)少自省，明於責人而暗於責己。(9)少條理而多大言。(10)自視過高，看事過易。毛澤東補充說他認為自己也有這些缺陷但1、3、5項除外，「君子[111]須能改過。有心救世，須自己修治」。

　　這就是當時的毛澤東。1921 年 6 月 29 日傍晚，他與何叔衡作為湖南代表去上海參加中國共產黨的成立大會。這可能是組織者的選擇，因為他不久之前去過上海，是湖南少數知名的共產主義者。也許，也因為聽說了他的組織能力。這個看起來笨拙寒酸，口音濃重的大個子在長沙經營的書店是上海和北京之外傳播共產主義最好的書店。這是很大的優勢。

第三章

鬥士 (1921–1925)

1921年7月初，當毛澤東來到上海的時候，他剛剛遭受了新的挫折。他兩次在首都北京逗留期間，都沒有被承認為一個真正的知識分子，在湖南自治運動中，面對控制了長沙的新軍閥趙恒惕，毛澤東建立了自己的名聲，但沒有真正鞏固其在地方上脆弱的名聲。很快，他被指定為參加中國共產黨成立大會的兩名湖南代表之一，毛澤東繼續尋求一個能救中國的政治方案。

這次會議草率的開端使他成為湖南省的一個共產主義者，促進當地工會的工人革命。很快他就體驗到新的失敗：1919年他夢想過的民眾大聯合在1920年面對武力時表現出它的局限性，更強大的工業無產階級的加入也沒有增強它的力量。不久以前，這種社會力量出現在工廠、礦山和鐵路車間裏，被共產黨人看作革命必不可少的先鋒。在中國的政治中，民主運動的基石是13,000名大中學生和1,200名教師，工人的力量在他們面前顯得微不足道。毛澤東受到通緝，不得不逃走。他一直拒絕這種模糊的持不同政見者的身份。1923年春天他躲到上海，後來到廣州避難。得益於當時的政治環

境，孫中山接受了國共統一戰線，毛澤東可以展現自己作為組織者和記者的才華，為共產黨和國民黨服務。

這樣，毛澤東幸運地成了國家幹部，他在一生中遇到好幾次這樣的運氣。1925年5月30日的五卅運動是中國對帝國主義提出的警告，背後當然是外國巡捕房的意思。此時，毛澤東回到了他在韶山的老家。秋天的時候他滿懷信心地到了廣州：在中國，主要的革命力量不在城市，而在廣大農村地區，數以百萬計的貧窮農民都願意站在反抗旗幟的後面，為了土地和尊嚴奮鬥。這種哥白尼式的革命戰略幾乎在同時期吸引了彭湃、方澤民和羅啟元[1]等其他共產主義戰士，以及沈定一[2]等一些民族主義者。

維金斯基的任務

按照1919年夏天共產國際第二次代表大會的決議，[3]共產國際打算在「殖民地或半殖民地」國家建立反帝聯盟，發展民間力量——包括正在形成中的工人階級——和民族資產階級，汲取自19世紀末以來在全球出現的巨大能量。通往倫敦或柏林的革命道路，也通向了新德里和上海。

正是在這種背景下，1920年春天，位於伊爾庫茨克的遠東國際派格里戈里・維金斯基（Alexander Vertinsky）抵達北京。維金斯基化名為吳廷康，他的任務是尋找中國革命者組成共產黨的核心。維金斯基先遇到了李大釗，之後與陳獨秀在上海碰了面。陳獨秀因1919年5月4日在北京爆發的五四運動進了監獄，出獄後居住在上海。維金斯基有一封共產國際的推薦信，共產國際允諾給組建中的小組以

物質幫助。值得注意的是，1920年秋天，維金斯基還會見了國民黨的領導孫中山，後者準備返回廣州重建聯合政府。1919年7月，年輕的蘇維埃共和國通過《加拉罕宣言》放棄了沙皇俄國在「不平等條約」的背景下於中國取得的一切權利和特權。1920年9月，《加拉罕宣言》通過具體的建議得到實行。此舉促成了蘇俄和年輕的中國民族主義者之間的和解。對於蘇俄來說，幫助未來的中國共產黨主要是為了加強蘇俄的外交，使其擺脫孤立的困境。[4]

1920夏天到1921年夏天，共產主義小組和社會主義青年團在北京、上海、濟南、武漢、廣州、長沙[5]紛紛成立，東京和巴黎也有。一些雜誌，例如上海的《勞動界》、《共產黨》，北京的《勞動音》讓大家知道了俄國革命，傳播馬克思列寧主義的基本原理。[6]著名的《新青年》和它的創始人陳獨秀一起回歸共產主義。北京附近的長辛店鐵路倉庫工人俱樂部的活動，上海小沙渡紡織區工人夜校和李中建立的工會使馬克思主義者第一次接觸了城市無產階級。

在這種情況下，共產國際駐中國代表馬林[7]於1921年6月3日經海路到達上海。接待他的俄國家庭住在匯山路6號——現在的華山路，位於國際租界內，在上海東部的楊樹浦。他在那裏遇到了蘇俄共產國際伊爾庫茨克辦公室派來的尼科爾斯基。經過與當地的共產黨人李漢俊、李達的激烈討論，馬林匆匆準備成立中國共產黨。

一次倉促的代表大會（1921年7月–8月）

本次大會的兩個主要宣傳共產主義的人都沒有出席。陳獨秀當時在孫中山的廣東政府任教育廳廳長，李大釗留在北京，派了他的

副手劉仁靜和張國燾參加。這意味着馬林能夠控制中國最早的共產主義者無序的活動——1923年6月，馬林在給季諾維耶夫、拉狄克和布哈林的信中惋惜中國共產黨的誕生有些早。

正如方德萬（Hans van de Ven）所説，對最早的中國共產主義者來説，這並不意味着一個有組織、有紀律的團體的誕生——這一點在1927年陳獨秀被趕下台後才實現。這個複雜的知識分子秘密社團出現了大約一年後，得到了正式承認。這個社團的努力主要集中於教育工人階級，建議其成員維護工人的利益。創立新黨的13名參與者的個人資料顯示出五四運動之後大量出現的社團的一些基本特徵。所有代表都是年輕男性，平均年齡28歲，比如毛澤東，最年長的45歲（何叔衡），最年輕的19歲（劉仁靜）。他們都是知識分子。四個師範學校畢業生（毛澤東、王盡美、何叔衡和包惠僧），兩個高等師範畢業生（李達、陳潭秋），五個中國或外國大學畢業生（李漢俊、張國燾、劉仁靜、陳公博和周佛海）。此外，董必武出生於1886年，是個秀才。鄧恩銘，水族，來自貴州，16歲隨家人到山東謀生，畢業於山東省立第一中學，在那裏他參加了五四運動。時代的另一個標誌是，許多人能講外語，或有意向學習。李漢俊和周佛海能用日語閱讀；陳公博、李漢俊、張國燾和劉仁靜會説英語；陳潭秋畢業於武昌高等師範學院，在武漢一所中學教英語；那時候毛澤東提出為了去蘇俄要學習俄語，他的英語屬初級水平——一生都這樣。

13名參與者中的10名被安置在博文女校，[8]因為假期學校對外關閉。他們以北大師生暑期考察團的名義住在學校宿舍裏。會議地點距離這所學校很近，在李漢俊的哥哥李書城的家裏，上海法租界

貝勒路樹德里3號，位於望志路的拐角。[9] 12名成員代表了北京、上海、武漢、廣州、長沙、濟南和東京共產主義小組五十多名黨員。巴黎沒有派代表參加。包惠僧是陳獨秀的代表，[10]不是嚴格意義上的「代表」，所以參加會議的15人中，只有12位代表，另外兩人是共產國際的兩位代表。

對於這次會議的總結可以從這些創立者的命運中看到答案：事實上，只有少數如毛澤東、董必武和王盡美到去世的時候仍是共產黨員，沒有和黨斷絕關係。[11]在國內革命戰爭期間，李漢俊和鄧恩銘分別在1927年12月和1931年被國民黨槍斃。陳潭秋在1943年被新疆軍閥殺害。何叔衡被轉移時經過福建，為了避免被捕跳崖自盡。李達於1923年脫黨，做大學教授，1949年重新入黨，1966年8月24日被紅衛兵揪鬥致死，時任武漢大學校長。劉仁靜於1930年成為託洛茨基主義者，1951年1月15日在香港《大公報》發表了一篇自我批評，[12]重新入黨。至於包惠僧，[13] 1927年脫黨，1931年成為國民黨的高官，1948年隱居澳門，後來回到北京任內務部研究員，1979年7月去世。張國燾在1938年長征結束後脫黨，加入國民黨，1979年12月3日在隱居的多倫多去世。最後，陳公博因為與日本人合作在1946年被國民黨槍斃。周佛海也以叛國罪被國民黨逮捕，1948年2月在南京監獄中自殺。這些命運的多樣性是1919年到1949年中國革命史的縮影，證明了入黨的模糊性，那時黨的章程和綱領仍然不清晰。

會議於1921年7月23日開始，由李大釗派來的張國燾主持。會議分成了兩派。李漢俊或多或少受到李達、陳公博和周佛海的支持，希望在組織工人革命運動之前，由馬克思主義知識分子對工人

進行長期的意識形態培訓。他建議在黨內進行辯論，在布爾什維主義和德國社會民主黨的路線之間選擇一條最佳路徑，並結合中國實際情況建成一種靈活的結構。他不接受無產階級專政，想把馬林的角色限制為單純的觀察員，認為革命是一種遠景，共產主義者可以加入資產階級的政府，例如孫中山的廣州政府。面對這種表現出「布道社會主義的」合法主義觀點，代表正統流派的是張國燾和劉仁靜。劉仁靜為無產階級專政的必要性辯護，拒絕對資產階級的任何妥協，主張吸收工人而不是知識分子入黨。劉仁靜和李漢俊為馬林做英語翻譯，馬林談到他在爪哇工作以及與薩拉喀特回教會建立聯盟的經驗，並強調組織工人的必要性。然而，馬林表現傲慢、教條，雖然同情亞洲被壓迫民族，但在「亞洲幼稚病」面前隱約顯露的優越感使他無法令人信服。

制定綱領和工作計劃時，共產國際的兩名代表沒有參加。7月30日，一個陌生人藉口弄錯地址進入會場，其實這是法國巡捕房的一個探子。馬林預計警察會來檢查，要求代表們撤離。第二天，代表們聚集在50公里以南的浙江嘉興南湖一艘遊船上繼續開會。他們批准了黨的名稱，選舉陳獨秀為書記，李達負責宣傳，張國燾負責組織。黨的綱領在7月31日和8月5日期間通過，8月5日可能是會議結束的日子。綱領要求通過「推翻資產階級」，建立無產階級專政，斷絕與知識分子階層的所有聯繫。

新政黨必須首先關注工人工會。加入共產國際的問題比較混亂，只接受了原則。然而，這是個有組織的新政黨，書記的權力相當大。卡爾‧拉狄克（Karl Radek）在1924年指出，由於某些原因，陳獨秀採用了集權主義和家長式的領導風格。直到9月初，陳獨秀

才從廣州回到上海開始履行書記的職責，之前他似乎把權力委派給了周佛海。至於馬林，他不滿新黨拒絕支持孫中山的政府，這是共產國際的路線。他沒有讓大會的文件公布。但他得到了他想要的東西：建立了一個有等級制度的機構，之後可以依靠它推行共產國際的路線，即建立無產階級革命運動和民族資產階級之間的聯盟。

此外，8月11日，馬林從陳獨秀處得知新政黨建立了一個勞動組合書記部，由張國燾領導，包括李啟漢、包惠僧、李震瀛和許白昊。[14]成立宣言發表在第六期《共產黨》上。書記部自1921年英美捲煙廠罷工開始就非常活躍。這次罷工的勝利令馬林印象深刻，讓他肯定了自己的路線：[15]一個革命的中國無產階級已經誕生，將推動民族資產階級的反帝鬥爭。[16]

被忽視的毛澤東

毛澤東在這次會議上是如何表現的呢？我們只有有限的資料，但這些材料能夠相互印證。蕭瑜確定代表們散會之後他和毛澤東乘火車去了嘉興，住在旅館的同一個房間裏。[17]毛澤東參加完南湖的會議後滿身大汗回到旅館，還不肯去洗澡，讓蕭瑜有些不舒服，他們一直談論政治到晚上。雖然睡了個懶覺，但他下午沒有去開會的地點，寧願和朋友在杭州遊玩。這樣的態度，至少可以反映了一些不安，還證實了後來劉仁靜的回憶是對的。[18]

劉仁靜回憶說毛澤東在這次會議上很少發言。和其他代表一樣，他只是介紹了長沙當地共產主義小組目前的情況和初步的成績。他對與會的馬克思主義理論家印象深刻，他銷售這些人的書或

讀過他們的文章，李漢俊是第一個翻譯《資本論》的中國人，也讀過李達或劉仁靜的文章。毛澤東和從莫斯科來的領導人坐在同一張會議桌上，當他們發言的時候，毛澤東像聽到了十月革命的陣陣迴響。他充滿敬意專注地聽着，吸收理論依據，堅定了自己的政治選擇，同時保持他的自主判斷。據蕭瑜說，毛澤東曾對他講，這些代表不錯，有些人受過良好的教育，他們可以讀日語或中文的文章。[19]

不過，毛澤東有點覺得這個環境讓他想起了在北京的不適應。而他充滿鄉村氣息的行為讓他的新同志們驚訝或不快。當他們寫回憶錄的時候，這些人大都已成為他的政治敵人。張國燾說毛澤東的常識相當豐富，但對於馬克思主義了解很少。毛澤東穿着他的布長袍馬褂，看起來更像是一個從鄉村來的道士。他健談好辯，在與人閑談的時候常愛設計陷阱，如果對方不留神而墮入其中，發生了自我矛盾的窘迫，他便得意得笑起來。[20]

如果這幅蘇格拉底式的毛澤東肖像對我們來說還算給人好感[21]，那麼李昂所做的描述打破了這個形象：毛給了他一個奇異的印象，他從毛身上發現了鄉村青年的質樸：毛穿着一雙破的布鞋子，一件粗布的大褂，在上海灘上，這樣的人是很難被發現的。但他也在毛身上發現了名士派的氣味。毛的頭髮和老兵一樣長，臉給人的感覺從來沒有徹底清洗……搔抓的時候從脖子和身上抓出一把污垢……所有人都把他看成一個怪人，開始叫他毛瘋子。他從高興變成憤怒不需要理由，隨口亂說話，跟每個人討論自己爛熟於心的東西，討論到要動起手來。

而且李昂補充說，雖然每個人都原諒他「粗暴的坦誠」，但這種坦誠掩蓋了一種「狡猾」。（我們覺得已經看到大躍進那些混亂的年代

大權在握的毛澤東。)1921年夏天，在這些創建了中國共產黨，説話有些不注意的西化知識分子中間，毛澤東確實找不到他的位置。而且1921年8月中旬回到長沙之後，毛澤東就病倒了，這次會議對他來説如此艱難。他得回到韶山去休息，再一次沉浸在他的英語初級課本裏。

一個外省的共產主義者（1921–1923）

一如往常，他恢復得很快，並有了中國共產黨駐湖南主要代表這個新身份。毛澤東接受的任務是在湖南建立一個共產黨組織，它已經吸收了當地16個小知識分子，正如我們看到的，這些人是新民學會的幹將，但是他從上海回來後不久新民學會就解散了。

從1921年的秋天開始，他按照這種規劃安排他的生活，成為上流社會邊緣的一個紅色名人。事實上，他有足夠的收入，在北郊租了一幢雅致的房子，它原是一個當舖老闆修的，叫作清水塘。屋子周圍是菜地，有一個「污水塘」，就建在通往小吳門的路邊。交通非常方便，很容易淹沒在人群中，擺脱趙恒惕派來的警察的監控。[22]

此外，共產黨仍進行地下活動，1921年10月10日，清水塘成為湖南省委機關 —— 毛澤東很快和妻子楊開慧、岳母、他的兒子毛岸英一起搬進清水塘，從10月開始一個保姆也搬了進來。這裏靠近船山學社。這個學社是一些名流為了紀念王夫之[23]而建立的，1911年革命後重新啟用，按照古老書院的模式運行。毛澤東經常去聽船山學社舉辦的講座。從1921年5月開始，船山學社由曾和毛澤東一起參加共產黨一大的何叔衡領導。這個學社由省裏任命會長，每個月

收到省裏撥的400元經費。從8月16日開始，毛澤東在這裏辦起他的「自修大學」。[24]

事實上，剛開始的時候，加入中國共產黨並沒有改變毛澤東的活動軌跡。他繼續致力於民眾教育，即使私底下他為自己的政黨或社會主義青年團吸收成員，培養青年人。當然，作為第一師範附屬小學的主事，他繼續舉辦平民夜校和針對進城工作的文盲農民的補習班。用這種方法將衣衫襤褸及骯髒的苦力引入當地的學校。這些人咀嚼葵花子，隨地吐痰，在他們的火盆上炸煎餅。主事這種奇怪的行為使他在同事們心中的形象受到損害。

晏陽初推動的長沙基督教青年協會夜校的成功讓毛澤東很感興趣。1922年3月，夜校頒發了1,200本畢業證書，從夏天開始為1,500人「掃盲」。不過，毛澤東譴責千字教材有宗教性質，讓他的朋友李六如編寫了另一本千字教材，介紹人類從石器時代到機械化時代的變遷，強調勞動的神聖：工人創造所有的財富，但他們在寄生蟲佔主導地位的社會中一文不名。這部四冊的教材於1922年10月出版。

他自己也上一門洋溢着民族自豪感的中國歷史課。9月29日，在申請加入少年中國學會[25]的申請信中，他寫到自己的職業規劃在於教育領域，職業生涯於1919年7月在湖南開始(實際上是4月6日)，為了領取月薪，獲得寫文章的酬金(記者)。三四年後，他將到國外去，到莫斯科去，在那裏度過五年。這與1919年的規劃相比沒有什麼改變，至少表面上是這樣的。

自修大學

　　然而他對偉大的自修大學計劃仍然躊躇滿志。毛澤東在之前的教育計劃中，將這種機構設計成一個為革命運動培養幹部的學校。如此，毛澤東為不久之後在廣東舉辦培養農民運動幹部的機構預先做了準備。1923年4月10日，在自修大學的第一期報紙《新時代》上，毛澤東發表了自修大學創立宣言，[26]第一次對自己的計劃做了一個總結。他描述了古代教育的體制，為科舉做準備的書院在1905年已經消失了。後來的新式學堂都有一個缺陷：教師和學生之間的關係是商業關係，教師要錢，學生要文憑。而且這種體制刻板又脫離現實，教學計劃繁重，只注重書本。毛澤東設想的新式大學必須打破這些精英主義傳統，精英主義讓學閥們[27]培養一些「少爺」、「小姐」或「思想麻木或糊塗的人」。我們需要一所面向無產階級的平民主義大學。毛澤東將大學的主要任務交給圖書館和小組討論。他提出，必須打破學術上的因循守舊，要根據每個人的資源調整學習期限。自修大學將在盡可能多的中國城市以及紐約、倫敦、巴黎、莫斯科和東京設立通訊員，教授馬克思列寧主義，因為這是一種對當代社會的「深刻改造」，設兩個系，一個是文學系，一個是法律系。

　　科學在這個計劃中是不存在的，可能是因為實驗室的成本高，也可能是毛澤東在這方面眼光保守，在這一點上他一直如此。唯一教授的外國語言為英語。大學由11人組成的董事會領導，學生會起了重要作用。招收高中畢業生，但也收具有同等基礎的非畢業生。實行一種持續性評估，一季度有一個測試，最後有一個畢業測試。（我們都知道毛澤東對考試制度的敵意。）

畢業生的數量也值得商榷。金沖及計算過第一師範附屬補習班的學生後來從自修大學畢業的數量，總共有24人，這是非常少的。當然，自修大學在1921年9月低調開學了，當時只有一個學生夏明翰。他很快加入了中國共產黨，並在六年後的秋收起義[28]中成為中共湖南省委的領導者之一。1923年11月，趙恆惕查封了這所「有害治安」的學校。學校共培養了200多名學生[29]，大部分成為湖南省的共產黨幹部，其中包括毛澤東最小的弟弟毛澤覃，他跟隨兩位兄長的腳步，不過有些跟不上。「我年輕時，對毛澤覃脾氣很壞，有一次還操起一根棍子要揍他，只因為他說共產黨不是毛家的祖宗堂。」20世紀60年代毛澤東風趣地回憶道。[30]

因此，1919年毛澤東打破家庭束縛的意願而服從了黨的要求，他毫不愧疚地「濫用」作為長子的權力。這一時期，毛澤東的生活中產生了兩個問題，它們都和缺席有關。

毛澤東缺席中國共產黨第二次全國代表大會

首先是一個男人的離開——一個名叫賀民範[31]的人，中國共產黨官方歷史學家們對他的存在持懷疑態度，他沒有在任何官方文獻中出現過，但在湖南早期共產主義運動中他也許比毛澤東更重要。他出生於1861年或1862年，是一位湖南學者，曾留學日本。1919年至1920年曾任長沙船山中學校長，住在校內。他接受了新思想，和陳獨秀有聯繫。他的智慧和積極引起了彭述之的注意。1920年9月，彭述之參加社會主義青年團，和其他團員一起赴上海，在外國語學校裏學習俄語，為去莫斯科學習俄語和馬克思主義做準備——

賀民範推薦了其他湖南人參加這個培訓，包括中國共產黨未來的領導人劉少奇、任弼時和蕭勁光。[32] 彭述之説賀民範和毛澤東，何叔衡一起將船山中學改造成自修大學，毛澤東將這個學校變成培養共產黨幹部的學校。然而，賀民范是一個傳統文人，出於精神的原因被馬克思主義吸引，但難以接受粗魯的農民，在他眼裏，毛澤東就是這樣的人。整個夏天這個人不是都打着赤膊，腰上圍了一條毛巾嗎？1922年到1923年冬天，厭惡戰鬥精神的賀民範離開共產黨，[33] 放棄了聯席校長的職位 —— 這個插曲也許預示了自尊心已經極強的毛澤東難以和人共事，除非他是自己上司。

第二次缺席更令人驚訝：1922年7月16日至23日在上海舉行了中國共產黨第二次全國代表大會，由陳獨秀主持，毛澤東沒有出席。毛澤東後來解釋説，他沒有參加是因為他到上海之後忘記了會議的地址。[34] 雖然這次會議是秘密進行的，但毛澤東熟悉上海，在那裏他住過兩次，還在洗衣店送過衣服。除非他沒有花任何努力找過 —— 就像他缺席了第一次代表大會的最後一次會議一樣，他一點也不喜歡這種場合。

也許他認為自己在職業生涯中已經嶄露頭角，不必捲入分裂弱小共產黨的衝突中。實際上，當時馬林決定強迫中國共產黨接受一大曾經拒絕的路線，共產國際倡導共產黨和國民黨之間進行密切合作。馬林將這一路線解釋為共產黨的「加入主義」。他説，共產黨員必須以個人名義加入國民黨。張國燾及勞動組合書記部都拒絕了馬林的提議，傾向於「關門」策略，強調黨的成員必須經過精心挑選，並向產業工人 —— 未來的無產階級革命先鋒灌輸「階級意識」。

在1922年4月6日給維金斯基的信中，陳獨秀把國民黨看作資

產階級政黨，非常不願意與之聯盟。[35]馬林為了在會見孫中山之前讓中國共產黨的成員接受自己的觀點，於1921年12月10日去了南方。他在武漢做了停留，見了陳潭秋和包惠僧。12月19日在長沙會見了趙恒惕，趙恒惕介紹了他的湖南省憲法草案，並提供了一小隊人馬護送他去見孫中山。那時孫中山在桂林領導打擊反動軍閥的北伐。

在經過湖南省會時，馬林在文化書社為社會主義青年團的成員做了一場「階級鬥爭和俄國革命」講座，與毛澤東談了幾句。馬林在桂林逗留了兩個星期，和孫中山見了三次面，對孫中山很失望。因為孫中山似乎迷戀軍事問題，他的政府不承認蘇俄，[36]而且他覺得年輕人向一個叫卡爾·馬克思的人尋求社會主義很荒謬，在中國古代已經有不同的思想家提出了這一點。1922年1月23日，馬林到達廣東，對廣州海員的罷工印象深刻，那時罷工者已經組織了151條船上的30,000名水手，一個月後這個數量翻了兩番，罷工運動延伸至香港，並吸引了這個英國殖民地所有的工人。

3月3日，擁有50,000名會員的海員工會和英國、日本的海運公司達成一項協議——在工資和工作條件問題上取得重大的成功。這次大罷工得到了孫中山的廣州政府和軍閥陳炯明的支持，至少在表面上得到了國民黨的支持，共產黨沒有真正參與。[37]

1922年夏天返回莫斯科後，馬林於7月11日向共產國際遞交了一份十分悲觀的工作報告，中國工人運動受到行會、秘密社團和「對政治漠不關心」的農民的抑制。馬林對共產黨人的作用持懷疑態度，認為他們幼稚無知，但對國民黨充滿熱情。他認為這不是一個資產階級政黨，而是「相對民主和革命的」四個社會團體的集合：知識分

子、海外華人、南方的士兵和工人。兩黨合作唯一解決的方法是共產黨人加入國民黨。帶着這個任務，8月12日馬林抵達上海。

中國共產黨對國民黨的接近

自從1922年6月被陳炯明（得到以陳公博[38]為首的廣東共產黨的支持）驅逐以來，孫中山在上海莫里哀路避難已經好幾天了。直隸軍閥吳佩孚在內戰中獲得勝利，似乎將要統一中國。很快，中國共產黨將實現這一切，雖然此時它甚至沒有真正誕生。1922年7月16到23日在上海舉行了中國共產黨第二次代表大會，除了有保留地支持國民黨，沒有決定什麼東西，共產黨可以考慮「黨外聯合」，但保留各自的主權。

數天前，不滿意的馬林會見了孫中山。孫中山同意接受共產黨員進入他的政黨，以換取蘇俄的經濟援助。馬林提出1922年8月28日到30日在杭州舉行中央執行委員會全體會議。儘管張國燾反對，但馬林以共產國際的名義推行「黨內聯合」，就是說共產黨員以個人名義加入國民黨。從9月4日開始，陳獨秀、李大釗、張太雷和蔡和森宣布他們已經成為孫中山領導的政黨成員。

此時，毛澤東沒有仿傚他們，他一直和勞動秘書處一樣對國民黨持敵對態度，直到1923年3月到6月間才加入國民黨。他參加了杭州的全會，根據哈羅德·艾薩克斯的回憶，毛澤東讓馬林印象深刻，[39]因為馬林沒有說服他。無論如何，他巧妙地避免了直接面對共產國際的代表，而是實行了馬林給陳獨秀的指示。1921年11月，陳獨秀給各級共產主義組織傳遞了下列指示：[40]招募和訓練武裝分

子;在黨的領導下培訓工人組織,和已經建立的工會建立真正的[41]聯繫,重點建立鐵路職工的工會。

毛澤東將他的自修大學變成一個培養黨幹部的學校,初步建立了一批工人夜校。他親自招收學員,兩次前往衡陽湖南省立第三師範學校,並在那裏建立了一個支部。1922年2月,他出席了安源礦工支部的第一次會議。1922年5月,湖南有30名共產黨員,包括當時屬江西的萍鄉安源煤礦。毛澤東任中共湘區執行委員會書記,協助他的有自新民學會以來就交好的何叔衡與易禮容,還有安源煤礦的負責人李立三[42]和鐵路工人負責人郭亮。[43]楊開慧負責黨的聯絡工作。當時在全中國範圍內,共產黨員只有195人,其中人數較多的上海50人,廣東32人,北京20人,武漢20人,這樣湖南就排在了第三位。而且毛澤東在組織工人階級[44]的過程中取得了巨大的成功。他不僅是湖南共產黨和社會主義青年團的第一負責人,[45]從1921年8月初開始也是湖南省勞動組合書記部的第一負責人。

作為忠實的列寧主義者,毛澤東努力尋求進入工人的世界。於是,他多次脫下書生的長袍,穿上粗布外衣和草鞋融入人民群眾。他常去小酒館,在那裏,工人、工匠、學徒和苦力坐在凳子上一邊吃着煎餅,一邊譴責工頭奢侈的生活和囂張的氣焰。1921年9月至1923年4月,他甚至多次乘坐從株洲到萍鄉運送安源煤礦無煙煤的火車去安源。1921年12月,他下到礦井底部,就像一個優秀的記者,記錄數據,進行現場調查,補充在圖書館裏得到的知識。[46]

毛澤東從黃愛和龐人銓[47]身上意識到自己在工人中所扮演的角色。黃愛和龐人銓是無政府工團主義者。1920年11月,他們建立了湖南勞工會,有3,000到7,000名會員。1921年11月21日,在它的第

一個週年之際，毛澤東應黃愛的邀請寫了一篇文章，文章發表在這個組織的週報《勞工週刊》上。[48]他說，這種組織自五四運動以來非常時髦，「勞工神聖」，勞工會在湖南勞動運動史上已寫完了頭一頁，現在要開始寫第二頁，因為「勞動組合的目的，不僅在團結勞動者以罷工的手段取得優益的工資和縮短工作時間，尤在養成階級的自覺，以全階級的大同團結，謀全階級的根本利益」。

馬克思列寧主義被嫁接到一個佛教用詞「覺醒」上，而這印證了毛澤東對教育問題的重視。他補充說要依照西方工會的模式，有一個權力重大的執行委員會，擺脫舊的行會制度，並拒絕權力的分散。最後他強調，要由工人自己組織和資助工會，打破將業主、熟練工和學徒混雜在一起的行會傳統。

勞工領袖毛澤東

毛澤東為勞工會提供了重要的共產主義理論作為支持。1921年2月，它經歷了一次嚴重的勞資糾紛，這將是毛澤東在工人世界中的第一次鬥爭體驗。[49]湖南大部分是農村地區，被一條南北交通線貫穿，交通線上的城市是活躍的商業中心和手工業中心。國家的開放以及鐵路的到來促進了鉛礦、銻礦和無煙煤礦的發展。1908年漢冶萍公司在江西—湖南—湖北地區擁有漢陽鐵廠（武漢），長江邊的大冶鐵礦和萍鄉煤礦（安源煤礦）。安源煤礦位於江西省萍鄉市附近，挖煤炭80萬噸，有12,000名礦工，其中1,500名鐵路工人負責運輸。全省共有10萬名工人，其中5萬名礦工，大部分使用古老的採礦技術——大多數人都做苦力。1927年春季，湖南省總工會有約35

萬工人，但這些人不屬現代意義的無產階級。因此，在1923年7月1日的文章〈省憲下之湖南〉中，毛澤東記錄在現代工業中只有30,000名工人，其中包括11,000名萍鄉礦工。[50]

毛澤東和湖南勞工會

這些工人包括長沙第一紗廠的工人，第一紗廠於1913年建立，後破產，1920年年初得到督軍譚延闓親信朱姓人家的投資，成為華實公司。11月在新督軍趙恒惕的支持下重組，引入了一個江蘇的經理，後者免費獲得十二分之一的股份。次年春天，紗廠開始生產。1921年3月18日，新的老闆帶着自己的幹部和工頭到達，這些人全是江蘇人。

此時湖南自治運動引起很大轟動，正處於高漲時期。從1920年11月開始，勞工會在《大公報》上掀起了一場關於工人自治的運動（「工廠屬於工人，工人是未來的主人」）。勞工會用請願書和街頭示威將自治變成一場有效的騷動，要求紗廠僱傭3,000名湖南工人，其中包括婦女，每月工資16元。1921年4月下旬，2,000名憤怒的工人抓住了老闆，拖到省政府前面。軍隊驅散了示威者，逮捕了黃愛，讓一個勞工會的會員加入公司董事會。1921年5月1日，勞工會舉行遊行爭取工人的權利。毛澤東和黃龐二人取得聯繫，邀請他們加入社會主義青年團。

秋天，長沙的文化界都在談論「馬」（馬克思主義）和「安」（無政府主義）的結合。毛澤東在勞工會的刊物上發表宣言解釋這種合作，但很快這種結合受到考驗。1921年12月31日，醞釀了幾個月的罷工

在第一紗廠爆發，抗議老闆不支付相當於一個月薪金的農曆新年獎金。1922年1月13日，機器被砸。趙恒惕派來軍隊鎮壓，造成3名工人死亡和30人被槍托毆打而受傷被捕。然而，1月16日，趙恒惕提供了一個妥協的協議，似乎被罷工者接受。同時趙恒惕逮捕了「無政府主義者和麻煩製造者」黃愛和龐人銓，17日早上將二人斬首，勞工會被查封。

憂慮的毛澤東直到1922年11月才開始組織自己的湖南勞動組織聯合會。在1922年5月1日發表在《大公報》上的一份聲明中，毛澤東隱晦地提到最近發生的悲劇，說希望人人討論的獨立湖南不背棄工人。[51]他補充說，沒有工人，就沒有資本家來竊取他們的勞動成果，只有共產主義能結束這種情況。在此期間，我們必須爭取改善工人的命運，包括確保每天八小時工作時間。俄國資本家和貴族的命運是一個警告，這些都可能發生在中國，因為「殷鑒不遠」[52]——這句話引自《詩經》。1922年7月，毛澤東和鄧中夏等六人簽署了一份勞動組合書記部的請願書，要求北京政府設立一項關於勞動的法律，包括結社自由，享有罷工的權利和婦女在生產前後六週享受帶薪假期。[53]

毛澤東和安源礦工

1922年，毛澤東在10次罷工中扮演了決定性的角色，或者設計戰略，或者親自參加，至少兩次運動是他親自參加的。這10次罷工鼓動了22,250人參加，共損失工作時間294,550小時。1923年7月出版的中共中央理論月刊《前鋒》上發表了毛澤東關於湖南的介紹，其

中包括對這些罷工的分析。這份短命的週刊是由馬林領導創辦的。罷工波及五個傳統行業(剃頭師傅、公共作家、裁縫、木匠和石匠、絲織工人)、傳統和現代的礦工(安源煤礦和水口山鉛礦)、只有一個現代行業:鐵路(株洲—萍鄉礦業線和長沙—漢口線的技術工人參加了罷工)。三次罷工獲得完全勝利,六次獲得部分勝利,一次完全失敗。這些罷工都要求增加工資。只有鐵路工人罷工增加了政治要求,即驅逐軍閥張敬堯。1922年9月8日、10日和12日,毛澤東在《大公報》上為長沙—漢口鐵路工人罷工撰寫宣言。1923年2月20日和23日譴責2月7日吳佩孚殺害工會成員。1922年10月6日、13日和25日,他為木匠和泥瓦匠吶喊。1922年12月14日,聲援印刷工人。1922年12月15日、16日和17日,他在《大公報》上發表三篇文章介紹12月11日至13日他作為湖南省工團聯合會總幹事和當地官員以及省長趙恒惕進行談判的內容。

仔細研究這些毛澤東參與的罷工過程,可以發現他的行為分為兩種截然不同的類型。

第一,在許多衝突中,尤其是那些發生在現代或半現代工業領域的衝突中,毛澤東設定戰略重點,委派代表,例如鐵路工人和萍鄉安源礦工的鬥爭。1921年9月,毛澤東第一次訪問這些煤礦,待了一個星期。他在湖南勞工會負責人的陪同下,走訪了兩省之間的邊界,這是傳統的土匪出沒的地方。1,500名鐵路工人屬年輕的無產階級,12,000名礦工中絕大多數人還用籃子往外掏煤。只有1輛礦車和300個焦爐。焦炭是為漢陽鑄鐵廠生產的(武漢),但大部分要送到日本再加工。礦工是附近的農民,大部分是文盲,年輕的單身漢。在這個世界中幾乎沒有婦女。他們用工資賭博,抽大煙以及和

附近村莊來的人打架。有400個包工頭負責招募和管理礦工，從礦工的工資中提成。礦工們都被哥老會吸引。哥老會是三合會的一種變身，所有工長和工頭都參加。

各種資料顯示礦工顯然不信任打扮成工人在貧民窟停留數天來接觸他們的大學生。12月，當地鐵路工人給勞動組合書記部的負責人毛澤東寫信，請他派一位教員。這些來自長沙的鐵路工人比野蠻的農民同胞更能接受現代社會。於是在弟弟毛澤民的陪同下，12月，毛澤東從煤礦返回。他走後，李立三留在那裏。李立三開辦了一所學校。1922年3月，在萍鄉副鄉長的支持下組織了一個工人俱樂部。這位副鄉長很高興看到自己管轄土地上的文明有了進步。那一年農曆新年從1922年1月28日開始。2月初，毛澤東第三次秘密來到安源，參加中國共產黨支部成立會議，支部書記是李立三。1922年5月10日到19日，毛澤東第四次來到安源，他帶來了第二位老師蔣先雲，一個從湖南省立第三師範學校吸收的年輕共產黨員。之後還有兩三個其他學生來幫助李立三，包括毛澤東的兩個弟弟。工人俱樂部慶祝5月1日的活動取得了巨大成功，豎起一面「中國共產黨萬歲」的旗幟。毛澤東聽取年輕支部的報告，並警告說，現在共產黨的活動在光天化日之下進行，共產黨人必須非常小心，團結工人面對鎮壓的威脅。工人俱樂部越來越壯大，1922年夏天，工人俱樂部與礦業公司的領導人關係有些緊張。1922年8月下旬，張國燾和秘書處從上海派了一名莫斯科留學回來的學生劉少奇來幫助李立三。

1922年9月初，毛澤東第五次到安源。為了進行一次不可避免的罷工，必須鞏固在工人俱樂部和工人學校的基礎上建立的工會。

毛澤東和當地的負責人一起分析當時的情況。毛澤東建議採取「哀兵必勝」的策略，讓礦工和鐵路職工們意識到自己悲慘的命運，尋求公眾輿論的支持，通過離間礦山和鐵路的負責人，孤立僱主而削弱其權威。9月10日，粵漢鐵路罷工被軍隊鎮壓(實際上是株洲—漢口)。毛澤東以鐵路工人工會的名義發表了許多文章，譴責鎮壓舉動，但仍然非常謹慎，沒有提到組織工人團結。[54] 9月12日，劉少奇主持了礦工和當地鐵路工人的聯合會議，9月13日與李立三一起領導了罷工，從礦井開始，並一直持續了近20天。

罷工取得了全面的勝利，結束了工頭制度，取得了更高的工資。工人俱樂部由工人管理。俱樂部確實遵守紀律：罷工開始時有暴力事件，工人們破壞勞動工具，這在任何新興工人運動中都能看到，剪斷發電機的電線，將礦車推到坑裏。不過，工會領袖很快說服礦工保持最低的電量抽水、通風，並給周邊社區提供電力。因此，出現了一定的罷工藝術。[55]

1922年的秋天，毛澤東第六次返回安源。他主持了一次工會會議，提交了一份關於整個中國的勞工運動發展的報告。在此次會議之前，作為積極的列寧主義活動家，他召集了工會中的共產主義者和支部，推動招收新成員的行動。1923年，共產黨有13個支部，300個黨員，受一個黨委會的調配。有26個社會主義青年團，500名成員。三分之一的礦工參加了工會，其中10,000人經常參加俱樂部，發展了消費合作社。在這個江西山區偏僻的角落裏，人們紀念列寧的誕辰，哀悼卡爾・李卜克內西的死亡。1922年11月7日，慶祝布爾什維克攻佔彼得格勒的冬宮。有傳聞說，萍鄉市安源是「小莫斯科」。確實，在劉少奇的領導下，工會要求改善勞動紀律，提高

生產質量和數量，同時要求工作的現代化 —— 這一點得到了幹部的
歡迎，卻讓年輕的共產黨礦工氣得咬牙。

毛澤東想必批准了這種傾向。1923年4月，他第七次訪問安
源。1923年2月7日，吳佩孚血腥鎮壓了粵漢鐵路勞工罷工。運動的
一週以前，毛澤東在長沙集合了安源的共產黨領導者，要求他們格
外小心，避免罷工，同時加強俱樂部的文化和經濟活動，鞏固工會
的基礎。毛澤東用唐朝詩人韓愈的一首詩中的話來説明他的觀點：
「彎弓待發」。劉少奇的謹慎符合這種清晰的實力分析。1923年對工
人運動的鎮壓沒有波及安源，江西的軍閥認為軍事行動太困難，趙
恒惕不是不願意採取鎮壓工人的行動，但他不能在湖南之外採取行
動。因此，1923年在中國共產黨第三次代表大會上，毛澤東成了少
數有較好的工作總結的共產黨領導人之一，這無疑有助於毛澤東快
速的升遷。[56]

毛澤東和漢口—岳州鐵路工人罷工

這次罷工的影響也相當大。當距離衡陽南部50公里，昌寧附近
的水口山鉛礦和鋅礦工人從一個技工處得知罷工的消息時（他家裏有
一個親戚是安源的礦工），他們湊份子送毛澤東去安源了解情況。毛
澤東和李立三、劉少奇進行會談後返回。蔣先雲陪同他一起去。蔣
先雲是毛澤東派到安源的一個共產主義教員。在四個工會會員的幫
助下，蔣先雲幫助水口山的礦工建立了一個工人俱樂部，並起草請
願書。1922年11月初，水口山鉛鋅礦爆發罷工，趙恒惕派了一個團
的炮兵來恢復秩序。但是，這個團的軍官採取中立的態度，也許去

年《大公報》上關於外國人對管理不善，工作條件不完善的礦山虎視眈眈的新聞有一定作用。毛澤東參加了這個活動，12月下旬罷工勝利後，派他的弟弟毛澤覃去由俱樂部開辦、礦山辦公室資助的學校任教。

在另一個現代經濟領域的一次勞資糾紛中，毛澤東也發揮了他的影響力。這是京粵鐵路長沙—漢口支線鐵路工人和新河（長沙）、岳州（中途）、徐家棚（漢口）三個有修理車間的火車站舉行的罷工。1921年10月，他們舉行了五天反對殘酷英國工頭的罷工，取得勝利。此時列強正準備召開華盛頓會議，該會議從1921年11月至1922年2月召開。這次會議的目的是超級大國妥善解決亞太地區的競爭，而不是廢除「不平等條約」，不過日本從山東撤出。1921年12月，毛澤東和其他組織者一起準備長沙大遊行反對這次華盛頓會議，有近一萬人參加。但共產黨沒有起作用，第一次罷工的成功是由於鐵路工人對正在四川打仗的吳佩孚的後方造成威脅。冬天的時候，毛澤東和新河倉庫的工人取得聯繫，按照安源的模式辦了一所夜校。他在礦工中遇到的困難更大：鐵路工人對這個打扮成工人的書生有戒心，而且大部分人講毛澤東不會説的粵語。工人俱樂部勉強維持，於是毛澤東和湖北共產黨員取得聯繫。他們也正努力在徐家棚火車站建一所夜校和一個工人俱樂部，對他們來説困難更大：鐵路工人來自廣東和天津兩個不同的地區。天津人集中在一個工人研究所，由一個監督員和一個與哥老會有聯繫的翻譯員組織。

不過，毛澤東派到岳州倉庫的第一師範畢業生郭亮勝利完成了任務：1922年8月，他建立了一個鐵路工人俱樂部，自己任秘書，並宣布放棄由「工賊」組織的各種形式的非法買賣。9月6日，毛澤東

在趙恒惕的秘密幫助下建立了由三個俱樂部組成的聯盟。事實上，趙恒惕和吳佩孚關係交惡。吳佩孚控制着湖北，勢力範圍一直到湖南邊界的岳州，而且開始往南發展，威脅到趙恒惕。在軍閥戰爭中，對鐵路的控制至關重要：公路狀況很糟糕，鐵路是運送軍隊和軍火唯一可以信賴的方式。於是，毛澤東判斷形勢對加薪的要求有利。9月9日，一場罷工突然爆發，在岳州和漢口225公里鐵路線上開展起來。

工人在長沙和趙恒惕的代表進行接觸，他們重新提及「湖南門羅主義」的話題，一年以前，毛澤東還很看重這個主義。趙恒惕保證只要鐵路工人不阻礙運輸軍隊，就付工資。罷工非常有紀律性，組織了一些巡邏隊防止蓄意破壞的行為，還有一些小組負責維護火車的運行秩序。但是9月10日，工人研究所的「知識分子們」在一個團的北方士兵的護送下組成了一支小隊前往岳州。途中，郭亮帶着一千多名參加罷工的婦女兒童堵住了去路。軍隊開了槍，人群四散，一些人掉進附近的洞庭湖淹死。造成十人死亡，一百多人受傷，幾十人被捕。毛澤東譴責這是「少數天津籍工人」的行為，因為他們和工人們要求撤職的兩個「工賊」有聯繫，同意「像狗那樣被利用，還慫恿軍隊支持」。

9月11日，罷工者佔領了鐵路：新的鎮壓造成6人死亡，200名示威者被捕。長沙民眾情緒激烈，趙恒惕卻聽之任之。9月22日，中國所有鐵路工人俱樂部的代表在漢口集合，威脅如果不制裁槍擊者，29日就發動總罷工。此時吳佩孚在北方任命了六個共產黨員為鐵路督察，在對手地盤上舉行罷工。28日，吳佩孚放棄。11月1日，罷工取得總勝利，在新河車站舉行粵漢鐵路總工會成立大會，此次會議由毛澤東主持。

聲稱自己是亞當‧斯密

　　此外，即使是在長沙的各種勞資糾紛中，毛澤東也採取了不同的態度，尤其是涉及非工業工人時。在這些罷工中，他作為發言人或工人談判代表直接參與，隨着鬥爭的繼續，他變成與當局進行溝通的中間人。當社會出現矛盾時，知識分子經常起這樣的作用。

　　以下是長沙泥瓦匠、木匠罷工的情況。1922年6月1日，泥瓦匠、木匠同行會在魯班廟內提出增加4,000名熟練工和學徒的工資。自1919年以來，儘管生活成本急劇上升，但軍閥張敬堯規定工資不變動。當地名流不同意這次罷工，他們還得到了官署的支持。談判在魯班廟開始，手工業行會成員選擇了魯班廟的兩個負責人去和相關的人員交涉。工人們出了3,000元，宴請256個名流，但是徒勞。一個叫任樹德的木匠於1921年秋天在船山書院的露天工場認識了毛澤東。8月初，任樹德在魯班廟召集了800人，趕走了浪費他們錢財的魯班廟負責人，再也不相信「資本家」——毛澤東上的課有了效果。第二天任樹德集合了最親近的12人，跟他們討論這位「有思想」的毛先生。9月5日，他們組成一個長沙土木工會，拒絕任何老闆的加入，毛澤東編寫了章程。

　　在接下來的幾個星期中，由工會組成的10人小組張貼海報，派發宣傳單，有一些用箭射進了軍營，還和警察發生衝突。一組年輕的同業會員闖進一個富人家裏，坐在他的桌子上吃飯。《大公報》發表了一些支持罷工者的文章，這些都出於龍建功的筆下，他曾和毛澤東一起參加湖南自治運動，是毛澤東的朋友。報紙轉向挑釁趙恒惕，譴責他和想要攻打湖南的「北方人」有聯繫，反對「不准工資上

漲」令，維護營業自由，絲毫不掩飾對譚延闓的同情。1922年8月，譚延闓逃到上海，在那裏與孫中山取得了聯繫。

9月底，同一批名流們宴請同行會，同意熟練工增加工資6%，即每天工資26.7分，其他人21.6分。受到第一次退讓的鼓勵，毛澤東讓工會從10月6日開始罷工，要達到每天工資熟練工34分、非熟練工26分的目的。他寫了一張奇怪的海報，上面沒有罷工的字眼，但是聲明工人和老闆一樣都有不工作的權利，這是他們的自由。有組織有條理的罷工馬上蔓延開來。工會害怕運動變質，10月19日，示威人群向當局提交了一份請願書，毛澤東重演了湖南自治時的劇情。

17日，官署任命了一個由名流組成的委員會，宣布每天統一增加到工資30分，希望能分裂罷工者。10月21日，在教育協會院子裏舉行的一次會議上，罷工者宣布10月23日由16名代表遞交請願書。官署禁止這次遊行，指責16名代表為「麻煩製造者」，幾個月前殺害黃愛和龐人銓的時候也用了這樣的字眼。22日午夜，毛澤東在罷工委員會上講話，他譴責這種恐嚇，堅持繼續罷工。

23日上午8時，二千多名抗議者冒雨開始行動。毛澤東就是其中之一，裝扮成穿着對襟[57]的工人。他們走到衙門，發現門前擋了一張桌子，上面放着兩塊布告板：「所有人工資固定為30分」和「宣布戒嚴」。16名代表和官員談判，沒有結果。示威者佔領了衙門的院子。夜幕降臨的時候，支援的代表團大批到達：他們帶來喝的東西，吃的東西和抵禦寒冷的衣物。凌晨3點，代表們呼籲示威者回家，並宣布代表們將在當天下午3點面見趙恒惕。在上午晚些時候舉行的會議上，毛澤東堅持湖南憲法對營業自由的保證，他將此解釋為承認罷工權。

正如預期的那樣，湖南省政務廳廳長吳景鴻會見了包括毛澤東在內的16名代表，毛打扮成一個木匠，衣服有些下滑。很快他質疑吳廳長：如果凍結工資，為什麼不凍結價格？工人們罷工難道不是省級憲法承認的權利嗎？這種説法讓吳廳長感到驚訝，他問毛澤東是誰。毛笑着回答道，亞當‧斯密，並讚揚斯密的經濟思想。有人報告吳廳長説，1,000名罷工者聚集在教育協會的院子裏，正準備抗議，但他只有一個團的力量。於是，晚上8點吳廳長做出讓步，宣布趙恒惕下令凍結工資是違法的。

毛澤東立刻寫了一份宣言，介紹給周圍熱情的示威者。10月26日，20,000人上街遊行，陪16名代表到總督府簽署每天增長到34分工資的協議。吳嘗試在協議中加一句話，即讓同行工會有權仲裁。示威者顯得有些急躁，於是吳簽署了協議。建築工人有了近30%的工資增長，他們的工會得到承認。示威者高呼：「勞動萬歲！世界工人團結起來！」「營業自由萬歲！」同行會的頭頭要任樹德向他們解釋，找了27個打手抓捕他。數百名工會會員陪着任樹德，當他大聲譴責同行會的「封建」態度的時候，這些工會會員堵住了扣留他的魯班廟的門。同行會已不復存在，2,000名建築工人加入了工會。

抗衡趙省長

此外，1922年秋季，傳統勞動領域的爭議越來越多。在大多數情況下，毛澤東都會介入，譴責行會扼殺憲法認可的自由。年輕的建築工會領導會幫助其他工人組成新的組織，擴大合作的領域。例如，10月份500名剃頭師傅舉行了20天罷工，爭取行會禁止開店的

權利。人力車夫衝擊了想要強制派租車費的車行。還有裁縫、織工和東莞的陶藝工人、鞋匠和筆業工人。罷工者將營業自由作為攻擊行會的主要口號。毛澤東引導的是五四運動的極端自由主義的力量，罷工者們好像被遙遠的資產階級革命的浪潮席捲了，雖然在沿海大城市這種浪潮已經結束了短暫的「黃金時代」，失去了力量。

毛澤東以筆替罷工工人說話。相對於趙恒惕控制的《湖南日報》，《大公報》是自由主義的發言者，為毛澤東開闢了專欄。不過在罷工期間發生了一個小插曲。300名排字工人和印刷工人在11月25日和12月10日之間舉行了罷工，工作時間減少到每天八個小時，並獲得了更高的工資。13日，《大公報》的主編因為罷工影響他的報社感到不快，攻擊回來工作的罷工者，指控他們被意識形態分子操控擾亂公共秩序，並認為職業病和肺結核是因為他們不講衛生。14日，毛澤東以罷工者的名義感謝這些「穿長袍的君子」的關懷，認為如果他們仍想得到工人的尊重，那麼這樣的態度是不合適的。

毛澤東在一個接着一個的衝突中獲得了勇氣，這一點可以從幾天後毛澤東與趙恒惕令人驚訝的對話中得到證實。《大公報》12月15日、16日和17日的專欄刊登了他們的對話。[58]

在毛澤東主持的新河火車站會議上，成立了粵漢鐵路總工會（實際上是株洲—漢口），湖南所有與勞動組合書記部有聯繫的工會都派出代表團參加。株洲—萍鄉鐵路工會建議趁此機會建立一個湖南全省工團聯合會。11月5日，聯合會成立，毛澤東任主席，在他身邊的人中有郭亮和任樹德。聯合會很快就聚集了15個工會近40,000名成員，其中主要是辦工人俱樂部的教師和大學生，有少數工人。聯合會在魯班廟對面的寶南路八號辦公，加緊介入工廠的運

動，越來越多的工人們倒向它。此時，只有40,000名士兵的趙恒惕軍事形勢不妙：吳佩孚的北方軍隊控制了湖南的北門——岳州，對湖南施加壓力，南方的情況非常混亂。趙恒惕不允許長沙的社會衝突蔓延。他採取了鎮壓的解決方案：他的警察摘下了人力車工會會牌，類似的威脅籠罩着與傳統的行會起衝突的其他工會。工會會員被稱作「極端分子」。

因此，毛澤東與湖南的黨組織利用現狀先發制人。1922年12月11日，毛澤東作為工團聯合會的總幹事和二十餘位工會代表一起會見了長沙知事周瀛幹。第二天，代表團會見了剛剛介入建築工人衝突的吳廳長，目的是在趙恒惕頒布的憲法框架內找到一個方案，解決持續不斷的衝突。[59]這兩次籌備會議促成了決定性的會面——當面會見督軍。這件事發生在12月13日，從中午開始持續一個半小時。趙恒惕聲稱保護勞動者，不想鎮壓他們。雖然他聽説了「總罷工」，但認為這是「沒有基礎的傳言」，沒有採取「任何恐嚇措施」。黃愛和龐人銓事件不能被視為「反勞工的鎮壓」，因為這兩個人「向土匪私買武器，打算在造幣廠罷工，將士兵的軍餉熔掉」。

毛澤東馬上反駁：「您説的黃龐二人私自購買槍枝的事情完全是假的。他們倆被殺是因為他們站在工人和工會一邊，罷工雖然造成了損失，但沒有停下他們必要的工作。」

然後毛澤東用了上一次和吳廳長交涉時同樣的論據：省憲法第12條保障結社和集會自由的權利。吳廳長説他不否認這一點，但是當局需要進行干預以維持秩序。[60]毛澤東回答説，「除非有人的行為違反法律」，否則不能有任何政府干預。他舉了英國和法國的例子，「那裏的共產主義政黨是合法的，有自己的國會議員」。毛澤東甚至

代表工人發言,「工人所希望的是社會主義,因為社會主義確於工人有利。但中國目前尚難做到,目前政治,自然以民治主義為原則。至官廳文告常有工人盛倡無政府主義之語,全違事實。工人並不信仰無政府主義」。

趙總督和吳廳長說了幾句關於社會主義的話,他們認為這種進步學說適應遙遠的未來。吳廳長強調勞動和資本之間的合作,而總督認為工業化是必要的,涉及「一些犧牲」。這引起了毛澤東新的評論:「但願政府帶領資本家和店主做出讓步,那麼工人不會再跟他們起衝突!」

工人和政府達成協議,建立一個仲裁辦公室,調停「類似廣東省的那種」資本和勞動糾紛。至於正在進行的各種衝突,如關於人力車夫工會的事情,毛澤東說這違反了憲法,尷尬的警察局局長說他並沒有被告知,承諾解決這次誤會。至於剃頭師傅的罷工,長沙知事主動承認行會的老做法違反了憲法,它必須停止。對於其他正在進行的衝突,也以同樣的精神探討。趙恒惕說想到幾個月前他下令處死了黃愛和龐人銓,覺得這次會面相當令人驚訝,他說:「湖南再來一個毛澤東,我就不能立足了⋯⋯」

毛澤東的成功是脆弱的,是局勢造成的。當然,他揭示了民眾力量的潛力,但因為他們處於城市中,很容易面臨被鎮壓的風險。匆忙建立的新工會往往是以老鄉關係、會道門或秘密社團的傳統網絡為基礎的。因此,1923年2月7日吳佩孚進行血腥鎮壓後,共產黨組織的京漢鐵路大罷工遭遇失敗。在隨後的幾個月裏,湖南大多數工會被禁止或解散,而趙恒惕試圖在嚴格的行會基礎上重建湖南工人組織,雖然1922年1月他處決了這個組織的首領。

軍國主義勢力的反撲被「六一慘案」證實,一場新的危機在長沙發生。商會、工會和學生會發起抵制日貨運動,要求收回日本在華盛頓會議後應該歸還的亞瑟港(旅順)和大連。1923年4月5日發起的運動在5月份擴大發展起來,以紀念1915年袁世凱接受日本旨在成為中國保護國的「二十一條」這一恥辱。在長沙港口,一個學生想檢查貨物,遭到日本水兵的毆打。6月1日,日本水兵打死兩名示威者。

第二天,兩萬人舉行遊行,導致趙恒惕宣布戒嚴(6月5日),同時發出逮捕多名運動領導人的命令,包括毛澤東。事實上,從4月初開始,毛澤東已經被懸賞通緝,在長沙街頭的布告上他被描述為「極端派」。[61] 4月中旬,為了不遭受黃愛和龐人銓的命運,他秘密從長沙來到上海。1923年1月,陳獨秀調他到中共臨時中央委員會,李維漢接替中共湘區執行委員會書記一職。這樣,毛澤東成為中國共產黨的永久幹部,並領取薪水,他的命運是全國性的,何況現在他已經失去了作為教師和報紙記者的工作。知名「造反者」的階段已經過去,孔子在《論語》中說,三十歲的時候,君子經過學習最終選擇了他的道路(三十而立)。[62]

中國共產黨第三次全國代表大會的轉折

毛澤東回上海這個決定在局勢中起非常重要的作用。當毛澤東恢復接觸在上海的黨中央時,曾有一段時間他持懷疑態度,主要原因是共產黨發展中遇到的困難。1923年6月,只有420名成員,其中包括37名婦女和164名工人。

產生這方面的疑慮有兩個原因:第一個是1923年2月7日吳佩

孚血腥鎮壓工人工會後，工人們缺乏強烈的反應。我們必須認識到中國工人階級沒有達到那個高度，能完成年輕的中國共產黨人賦予它的使命。[63]第二個是蘇聯最近數月為孫中山和國民黨提供明確的支持。1923年1月26日，年輕的蘇維埃外交官阿道夫·越飛（Adolph Joffe）和孫中山簽署了一份具有重要戰略意義的聲明。1922年6月16日，孫中山在廣州被驅逐[64]，逃到上海。當時，蘇聯本身不受西方國家認可，這份聲明事實上確保了蘇聯對孫中山政府的支持。孫中山沒錢支付桂系部隊的軍餉，一旦桂系軍閥允許他返回廣州（1923年2月21日），蘇聯準備給孫中山400萬金盧布。很顯然，當共產黨要求加入國民黨時，他得接納。

毛澤東此時回來得正是時候。年輕的中國共產黨需要他的辯論和組織才能。1923年6月12日至20日在廣州召開的中國共產黨第三次全國代表大會上，陳獨秀的報告中只有湖南的成績讓他滿意。毛澤東曾經支持張國燾、蔡和森的「關門主義」路線，但是1923年2月7日的悲劇和工人運動的無力抵抗動搖了他的想法。現在，他對自加入中國共產黨後支撐他政治活動的兩個關鍵產生了疑問：一個是聯邦制民主中國的建立，一個是工人階級在革命過程中的主導作用。

各種資料證明了這一點。毛澤東在馬林推出的中國共產黨的理論刊物《前鋒》第一期上發表文章〈省憲法下的湖南〉，分析了湖南的政治形勢，公開且清晰地指出由於湖南的地緣政治局勢，不可能出現一個自主的湖南（1923年7月1日）。7月11日，毛澤東在共產黨週刊《嚮導》第31至第32期上的文章中大膽提出：「我們一貫反對腐敗的軍閥和政客炮製的憲法」——這是他一生中第一次政治失憶，此後還有很多。對民主失望後，幻想又一次破滅。

　　與此同時，1923年6月，毛澤東放棄了工人階級在社會主義革命中起主導作用這一信條。托尼‧塞奇在斯內夫利特（馬林）的檔案裏發現了一個馬克思列寧主義者對本體論的疑問。[65] 為了給共產國際（1923年7月1日）準備一份關於中國情況的報告，馬林讓幾個共產黨領導人進行一項調查，了解1923年2月7日後革命力量的狀況。因此，項英[66] 寫了一份報告，內容是關於包括湖南在內的京漢鐵路穿越地區的情況。6月初，項英在廣東向湖南省的負責人毛澤東了解情況。後者描述的整體情況非常灰暗：大學只有單純的愛國者，儘管他們對新的教育形式感興趣。農民對公共生活或政治問題不感興趣。至於工人，他們主要關心的是生活條件的改善，對政治不太重視。另外，毛澤東説：根據中國國情，父權社會舊的傳統仍然根深蒂固。在這種情況下，我們不能發展一個現代政黨，不論是共產黨還是民族主義者。國民黨軍事活動結束後，這個政黨只剩下一個名字。如果軍事聯盟依賴一個軍閥來統一中國，那麼他能夠成功。如果沒有軍閥之間的協議，他們則只是地方勢力。結果取決於各軍閥的行為，而不是民族主義者或階級組織的行動。幫助中國運動唯一的解決辦法是蘇聯提供外交和軍事上的幫助：應在西北建立一支軍事力量。

　　趙恒惕的憲法帶來的是1922年5月被操縱的選舉，毛澤東舉了這個例子，然後説，人們對最近成立的政府的民主形式感到失望，[67] 三百萬工人中只有三萬人在現代形式的工廠中工作（原文如此），商會只召集大的貿易商，支持抵制日貨，因為日貨和中國產品競爭。教育協會只為了得到教育項目的經費而鬥爭。

　　1923年6月12日至20日，中國共產黨第三次全國代表大會在廣州

舉行，期間馬林應該見過毛澤東。他逐字逐句地確認過毛澤東的話：

> 毛澤東曾經告訴我說，工人們主要感興趣的是他們的日常問題，而不是政治……我並不像他那麼悲觀。他認為只有世界革命勝利後中國的民族主義運動才能成功。……毛澤東同志說，湖南有30萬人口，只有3萬至4萬現代工人。他花很多時間試圖組織工人。他是如此悲觀，他認為，中國唯一的救贖是蘇聯的干預。中國的資產階級革命不可能成功，即使中國共產黨加入國民黨是安全的。世界革命勝利後，中國革命才會勝利。[68]

基於這一點，馬林認為中共第三次全國代表大會的湖南省代表將投票反對陳獨秀的觀點。既然這是沒有前途的，為什麼要加入國民黨？他們反對的基礎和張國燾、蔡和森不同。張蔡二人反對加入國民黨是因為國民黨不可能進行重組，而且這對中國共產黨的未來很危險。

毛澤東對知識分子和學生領導的民主革命的失敗感到失望，對陷入行會主義圈套、缺乏政治願望的工人階級感到失望，對軍閥背後父權社會的力量印象深刻。他一直在尋找一個撬棍，恢復受阻的革命進程。儘管有所保留，但他認為改組的國民黨有可能在蘇聯的支持下，引導愛國主義的潛力，成為這個撬棍。

因此最後他和馬林、陳獨秀的立場一致，雖然湖南和湖北代表因其權責促使他們投票反對陳獨秀的提案。陳獨秀的提案得到了瞿秋白和李大釗的支持。這個提案贊同杭州全會的提議：共產主義戰士必須加入國民黨，只有國民黨是一個比較嚴肅的黨，因為「工人運

動」的弱點不允許它成為「一個獨立的社會力量」。然而,「年輕的中國共產黨」必須「仍舊保存我們的組織,以立強大的群眾共產黨之基礎」。據馬林回憶(而不是張國燾),經過激烈的辯論,這個提案被接受,21票贊成,16票反對。[69]

40名代表投票選舉中央委員會,體現了新的力量關係:陳獨秀40票,蔡和森、李大釗各37票,毛澤東34票,張國燾只有6票,沒有連任。毛澤東自然成為政治局[70]五位成員之一。由陳獨秀領導,還有蔡和森、李大釗、譚平山、毛澤東任秘書。我們很快發現他和各種政治嘗試聯繫在一起,這體現了他的新地位。

因此,在6月25日致孫中山的信上,他是簽名人之一。這封信是馬林的提議,建議孫中山利用曹錕在北京的軍事政變造成的政治真空(6月23日)。[71]毛澤東也是大會決議的起草者,[72]號召「小農、佃農和農業勞動者團結起來,反對當地豪強」。這樣模糊的口號證明此時他並沒有認識到農民問題的重要性。他在黨的報刊上寫了一些文章。例如7月11日《嚮導》上發表的〈北京政變與商人〉,他很高興地看到上海商會一改往日的冷漠,關心政治,聲討曹錕等直系軍閥。1923年8月29日,在《嚮導》第38期上,他強烈譴責指控北京政府在外國人面前的奴性:「洋大人打一個屁都是好的『香氣』⋯⋯再請四萬萬同胞想一想,中國政府是洋大人的帳房這句話到底對不對?」[73]

他還寫了幾篇反對他的剋星趙恒惕的文章。9月16日回長沙後,他和楊開慧一起重新在漂亮的清水塘住下來,此時楊開慧懷上了他的第二個孩子。長沙因為打仗動盪不安,9月1日[74],面對譚延闓的軍隊,趙恒惕撤離長沙。

個人的危機，國家的命運

正是在這種混亂的氛圍下，毛澤東經歷了政治上真正的升遷。1923年6月，他加入國民黨，之後開始在國民黨內迅速崛起。[75]他很快來到廣州——中國共產黨第三次全國代表大會後，中共中央6月至9月暫時設在廣州，直到搬回上海。毛澤東有多麼不喜歡上海，[76]就有多欣賞廣東，雖然他不會說廣東話。上海這個大都市有太多外國勢力的存在。廣州的外國人被限制在沙面島，香港還隔着一段距離，廣東海員大罷工勝利的回憶激起了他的愛國情操，而孫中山國民政府的宣言使這種情感復蘇：中國在上海蒙羞，但在廣州抬起了頭。

毛澤東和陳獨秀、李大釗一起參加了和國民黨領導廖仲愷[77]的會談，為國共合作奠定基礎。[78]他結交一些國民黨執政的領導，仔細研究他們之間錯綜複雜的關係。譚延闓位於花園街培正路的住所，他去了好幾次，我們不知道他是否和之前保護過自己、現在成為孫中山政府高官的人重新建立起直接聯繫。此時孫中山想要北伐統一中國，此舉必然要經過湖南。國民黨在湖南只有一個黨員，名叫丘維震。因此毛澤東顯得非常有用，因為他在長沙建立了大量的關係。國民黨總部派元老覃振[79]去長沙時，毛澤東給他一封寫給繼任者李維漢的介紹信。因此國民黨重組委員會中的共產黨成員林伯渠[80]讓毛澤東負責發展湖南國民黨組織。[81]1923年9月16日，毛澤東以這樣的名義回到長沙，化名毛石山[82]，進行秘密活動，中共中央要求他在長沙貫徹三大的決議。在吳佩孚的支持下，趙恒惕反擊譚延闓獲得勝利，11月重新佔領長沙。毛澤東不得不結束這次長沙之行，這也表明當時毛澤東的威望很高。

這種快速的政治崛起伴隨着嚴重的個人生活危機。他與楊開慧的關係開始惡化。1923年6月毛澤東在廣州出席中國共產黨第三次全國代表大會期間,楊開慧正處於孕期。自2月來,她懷上了第二個男孩——岸青(1923年11月出生)。9月份,毛澤東回到妻子身邊,但這幾個月的分離正逢趙恒惕和譚延闓的部隊在長沙開戰。楊開慧有很多痛苦的責備。毛澤東不得不在妻兒身邊留一段時間,沒有出席1923年11月24日至25日中國共產黨中央委員會在上海召開的三屆一中全會,不過他寄了一份關於湖南嚴峻情況的報告。[83]共產黨命令他參加1924年1月底在廣東舉行的新國民黨成立大會。1924年1月2日[84]當他出發的時候,楊開慧向他傾吐了積累數月的不滿。我們可以在12月毛澤東的這首詞〈賀新郎‧別友〉中看出端倪:

> 揮手從茲去。
> 更那堪淒然相向,苦情重訴。
> 眼角眉梢都似恨,
> 熱淚欲零還住,
> 知誤會前番書語。
> 過眼滔滔雲共霧,算人間知己吾和汝。
> 人有病,天知否?
>
> 今朝霜重東門路,
> 照橫塘半天殘月,淒清如許。
> 汽笛一聲腸已斷,
> 從此天涯孤旅。
> 憑割斷愁絲恨縷。

要似昆侖崩絕壁，又恰像颱風掃環宇。

重比翼，和雲翥。[85]

　　1924年2月，毛澤東移居上海，6月初將楊開慧、岳母、兩個孩子和一個保姆接來，住在英租界慕爾鳴路的甲秀里。[86]不過他經常不在家，因為1月份在廣州的國民黨大會讓他的職業生涯有了飛速的發展，他必須面對自己新的職責。

新國民黨的建立

　　1924年1月20日至30日，國民黨第一次全國代表大會在廣州舉行，會議由孫中山主持。蘇聯的顧問鮑羅廷[87]1923年10月6日到達廣東，對國民黨按照列寧主義的模式重組起了決定性作用，特別是1923年11月10日至13日孫中山遭到陳炯明部隊襲擊時，鮑羅廷起了重要的作用。經過激烈的辯論，會議接受共產黨加入重組的國民黨。湖南代表毛澤東在會上非常活躍。[88]他的發言結束了毫無意義的討論，拒絕了一項修訂案——這個修訂案否認幾個月來通過痛苦的協商達成的協議，旨在設定國民黨的目標是「組織一個全國政府」而不是一個「好政府」的提議也沒有通過。毛澤東與李大釗一樣反對「本黨黨員不得加入他黨」的提議。李大釗的發言起了決定性作用。

　　在其他兩點上，他必須站在胡漢民、戴季陶一邊，將問題提交給下一次會議。第一點是國民黨右派提議採用比例代表制以保護少數人權利，毛澤東認為這樣做存在「破壞革命」的風險：「比例制有害於革命黨，因少數人當選即有力量可以破壞革命事業」。第二點涉

及在國民黨內建立一個研究部門，毛澤東提出反對，他認為在一個革命黨內，難以區分研究和執行。

未來的權威形象豎立起來了。正如預期的那樣，毛澤東當選為國民黨候補中央執行委員，在黨內佔第39的位置。[89] 1月31日、2月1日、6日和9日，他參加了國民黨中央辦公室的四次會議，建議給當地國民黨組織提供更多的資金，而不是在北京、上海、哈爾濱和漢口設四個臃腫的執行部。

2月中旬，他被調到上海執行部，在那裏他負責組織、文檔和書面報告。總部設在法租界內的環龍路44號，在這裏組織了很多活動。這裏有一些重要的國民黨領導，如汪精衛、胡漢民、于右任、葉楚傖，但也有國共兩黨的混合成員，如毛澤東本人、沈澤民、瞿秋白、惲代英、鄧中夏、向警予、羅章龍、邵力子等等——有些人把這個地方稱為「國共群英會」。

很顯然，毛澤東非常重視這項繁重的任務。作為國民黨辦公室和共產黨的秘書，他並沒有忘記由他經手的事件中的政治博弈。因此他借助自己的身份反對國民黨中的兩個右派——覃振及其朋友，不允許他們在中央執行委員會中承擔責任。羅章龍在回憶錄中[90]描述了一個具有代表性的場景：有一天，一名男子突然來到環龍路的總部，胡漢民和汪精衛立即上前迎接。三人急切地討論起來。這個人名叫謝持[91]，是國民黨元老，他說自己有十餘年的黨齡，沒有必要填寫重新入黨的表格，而國民黨重組要求所有人都重新填寫入黨表格。毛澤東堅持原則，謝持拂袖而去。不過，毛澤東隨後派了一名秘書帶着表格去謝持家中。謝持被這種尊重所感動，就填寫了表格。

毛澤東剛柔相濟，想「淨化」國民黨中的「資產階級」右派，這是毛澤東在國民黨中的路線。國民黨右派為了獲得上海第四區的領導權（閘北區），僱用打手擾亂由國民黨員兼共產黨員邵力子主持的會議。為此毛澤東召集了共產黨的積極分子和國民黨左派共產主義工會的負責人，組織了一支由強壯的工人組成的執勤隊。

1924年5月10日至15日，中國共產黨在上海舉行了新一屆中央委員會全體會議。毛澤東在國民黨中保持的態度與此次會議上提出的政治路線相一致：團結國民黨左派，孤立右派。這條路線實際上促成了共產黨對國民黨的分化。1924年7月21日，中共中央第15號通告直截了當地表達了這種意見。這份通告有「陳委員長」（陳獨秀）和「毛秘書」的簽名，由毛澤東執筆[92]，通告被暗中寄給中共幹部，要求與國民黨右派作鬥爭。毛澤東指出，「我們在國民黨的工作，甚重要而又極困難」。他說：

> 自吾黨擴大執行會後，國民黨大部分黨員對我們或明或暗的攻擊排擠日甚一日，意在排除我們急進分子，以和緩列強及軍閥對於國民黨的壓迫。此時國民黨只極少數領袖如孫中山廖仲愷等尚未有和我們分離之決心，然亦決不願開罪於右派分子，已擬定於秋間召集中央執行委員會全體會議，以解決對我們的關係。

「我們為圖革命的勢力聯合計，決不願分離的言論與事實出於我方」[93]，毛澤東繼續寫道，「然為國民黨革命的使命計，對於非革命的右派政策，都不可以隱忍不加以糾正」。然後文章提出應在國民黨各級黨部開會時提出國民黨左右派政見不同，需要進行討論，「今

後凡非左傾的分子，我們不應介紹他入國民黨」，以保持指揮各團體的實權在中國共產黨的手裏。最後，通告要求「組織國民對外協會」，它們是「反帝國主義的聯合戰線之中堅」，形成「國民黨左翼或未來的新國民黨」。

由這兩人簽字的其他通告都採取了類似的方向，旨在將國民黨改造成進行反帝鬥爭的政黨。因此，9月10日的第17號通告譴責江蘇和浙江的軍閥為了爭奪利潤豐厚的鴉片貿易控制權在上海郊區交戰。毛澤東認為是帝國主義在背後操縱的結果，而孫中山支持浙江的軍閥。11月1日簽署，11月6日修訂的第21號通告討論孫中山參加東北組織的和平會議的問題。

1924年10月23日，「基督元帥」馮玉祥轉而反對吳佩孚，導致曹錕政府和直隸軍閥潰不成軍。鑒於這一政治真空的情況，孫中山沒有諮詢任何人，便放棄了他自己準備的北伐，並打電報給不同的軍閥，請他們組織全國統一會議，他自己應邀北上。11月12日，他離開廣州，17日到上海，24日到日本神戶，12月4日到天津。孫中山同意向國民黨重建以來一直與之鬥爭的軍閥妥協，此舉讓他的朋友們不解，也引起了共產黨人的第一次反對。但這種反對並沒有持續多久，共產黨人相信事實上國家統一將有益於反對帝國主義。總之，毛澤東和陳獨秀對中國革命的近期前景都抱着悲觀的態度。1923年6月，毛澤東就已經有這樣的看法了。中國共產黨非常弱小，1925年1月只有994名黨員。國民黨的基礎更堅固，國民黨如果能動員大眾，就可以轉化為反帝國主義的有效力量。

孫中山先生於1924年1月做的決定正符合這個方向：他成立了一個農民部，它隸屬於國民黨中央執行委員會。這個部在廣東建立

了一個農民運動講習所，並將其委託給共產黨員彭湃領導。1924年
7月，第一批只有38名學生，但10月份開始的第二批共有225名學
生。彭湃在廣州和汕頭之間的海豐和陸豐縣組織農民聯合會，以減
租為口號，這種機構為廣州政府在農村打下了基礎。

廖仲愷對工會的支持也是如此。1924年7月15日，法國和英國
的領事機構在廣州沙面島的外國租界採取安全措施，強迫進入的中
國工人持有護照[94]，侵犯了中國的主權，引起一場總罷工。罷工得
到了廣州政府的支持，8月20日取得圓滿成功。1924年10月10日至
14日，廣東商人建立了一支50,000人的自衛民團，對抗廣州政府。
孫中山指責商團受英帝國主義和軍閥陳炯明的支持，在黃埔軍校學
生的幫助下鎮壓了叛亂。1924年6月16日，孫中山創辦黃埔軍校，
蔣介石[95]任校長。蘇聯提供武器，並派出了100多名教官。

毛澤東不抱任何幻想，正如他的第17號通告中寫的那樣，他觀
察到國民黨中存在反對共產黨的力量，但是他看不到別的出路。他
在國民黨中積極表現，不是因為他感覺到民族主義的限制，而是以
人民力量為基礎的民族主義可能導致社會的變化。只在民族主義問
題上動員大眾，受益的恰恰是代表民族革命的國民黨。毛澤東陷入
了一個陷阱，無法逃脫，只能孤注一擲。此外，毛澤東曾是一個反
叛的學生，現在他必須接受國民黨和共產黨的雙重紀律。從5月10
日至15日的中共中央執行委員會會議開始，共產黨和國民黨之間的
關係緊張起來。6、7月間，國民黨反對共產黨在黨內存在的攻擊越
來越激烈。孫中山已經病入膏肓，大家試圖採用放射治療。他被邀
請去蘇聯時，讓蔣介石代替他，這對黨內的爭論產生了影響：誰將
會是國父的繼承者？

毛澤東左右為難，也許還有失望，就像在他一生中發生過的情況一樣，他病倒了。12月毛澤東因疲勞過度向國民黨請假，年底去了長沙。葉楚傖很高興他離開，邀請上海國民黨右派「慶祝喜事」。[96] 1925年2月6日，[97] 毛澤東回韶山療養，缺席了1925年1月11日至22日在上海舉行的中國共產黨第四次全國代表大會，沒有再次當選為中央委員。張國燾暗諷他為國民黨的事務忙碌，李立三背棄了他，說毛澤東是「胡漢民的秘書」，但我們清楚地看到其實他和胡漢民的關係並非如此。

1925年之謎

從1925年2月到9月，毛澤東沒有寫過一行字。彼時正是1925年五卅運動蓬勃發展的時期，這是民國時期最大的政治和社會運動，是週期性地影響現代中國歷史的運動浪潮之一。毛澤東沒有出現在運動發生的地點。運動的緣起[98] 是2月份以來上海日商紗廠日本工頭和中國工人在罷工中的各種衝突。5月15日，一名共產黨罷工工人被殺害。在他的葬禮上，大家譴責英國和日本帝國主義，各種民族主義團體反對上海公共租界通過各種法令強化它的權威，損害中國政府的利益。

群眾譴責帝國主義警察使用暴力，要求廢除「不平等條約」。1925年5月30日，學生和工人在南京路示威遊行，英國警察開槍鎮壓。商界、學校和工廠在環龍路國民黨總部開會之後舉行大罷工。罷工委員會很快就被共產黨主導，特別是被毛澤東介紹到安源的李立三。6月23日，廣州保護沙面租界的英法士兵向響應上海罷工的

示威者開槍。作為回應，一場抵制外國貨和罷工的運動讓香港殖民地陷入癱瘓，五萬中國工人逃到廣州，在那裏接受有關當局的幫助。

夏天，上海的總罷工逐漸結束，收效甚微。香港的罷工持續到1926年10月。繼五四運動後，五卅運動證明了由國民黨引導和共產黨推動的中國民族主義的力量。此外，中國共產黨 —— 11月擁有了一萬名黨員 —— 從5月份開始領導了一個一百萬成員的工人總工會。1925年3月12日，孫中山因癌症去世。1925年夏天，關於孫中山的繼承鬥爭公開化，戴季陶提出沒有社會革命的民族主義理論，11月各元老和國民黨右派組成「西山會議派」，要求驅逐共產黨人，將鮑羅廷送回莫斯科。

毛澤東去長沙附近的板倉看望岳母，然後帶着50公斤的書籍回到韶山的農場。他從報紙上得到這些事件的消息，接待了不同的密使。由於過年是家庭團聚的時候，因此沒有引起當局的懷疑。他的家人成年的都成了中國共產黨的積極分子，他與妻子、兩個兒子、兩個兄弟和養妹慶祝農曆新年。當時，毛澤民領導上海的共產主義刊物的發行。毛澤東還接待了四個毛氏堂兄弟，與鄰居聊天，和田間耕作為春種做準備的佃農交談。他有足夠的錢過六個月悠閑的鄉紳生活，這似乎是湘潭農民調查的開始階段。

即使在偏遠的農村，毛澤東無疑也感受到了五卅運動的衝擊，對「洋鬼子」的罪惡感到憤怒。1925年6月中旬，在曾是父母臥室的閣樓房間裏，他和32個村民建立了中國共產黨在湖南的第一個農村支部。其中有族人毛福軒，他在安源當礦工時加入共產黨，和鍾志申在韶山組織了一個夜校，為農民協會建立了基礎。[99] 鍾志申是一名小學教員，是首批黨員中重要的人物。通過這個小型的人際網，

毛澤東開始搜集農民情況的信息。我們可以從1960年他事後的回憶中了解這灰暗的六個月：他流連在茶館和賭館裏，跟人討論，詢問所有讓他驚訝的事情。他經常詢問村子裏的小農戶，他們沒有飯吃，生活沒有指望。他特別請一個農民玩牌，然後請他來家裏吃飯。飯桌上的談話中，這位農民讓他第一次了解鄉下階級鬥爭的殘酷。農民願意和他說話，因為他把他當人看，給他飯吃。不過也可能是因為他想賭博時贏一些他的錢。最後毛給了他一塊還是兩塊銀元，農民很高興。他有困難的時候都來見毛，毛給過他三塊錢，不要他還。[100]

6月中旬，毛澤東建立了一個共產主義青年團。這從賀爾康的日記中可以得到證實，賀爾康是長沙自修大學學生，是共產黨員，也是國民黨員。其日記提道：「今日到韶山李氏祠開會。我到會時才八點鐘……到下午七點鐘閉會，共開會四次，討論有三項：一，黨務問題；二，反帝國主義問題；三，鄉村的教育問題」。

8月1日的日記記錄的是晚上8點到10點，毛澤東在附近村莊主持十幾個人參加的國民黨會議的情況。[101] 7月10日，毛澤東在韶山建立了國民黨第七區黨部，由當地學者和少數教師組成，秘書恰恰是我們剛剛講到的鍾志申，他也是韶山第一批共產主義者。顯然，對毛澤東而言，共產黨集合了最堅定的活動家，而國民黨則是以共產黨為領導內核的「群眾組織」，兩個政治結構幾乎合併。賀爾康在7月12日的日記寫道：「下午潤芝先生來舍，邀我同去行人家〔即串門〕。九點鐘，國校〔指國民黨〕開會，成立第四區分部。一點又十五分鐘時，會才完畢。此時潤之忽要動身回家去歇。他說因他的神

經雖〔衰〕弱，今日又說話太多了，到此定會睡不着……在半途中就都愈走愈走不動，疲倦極了，後就到湯家灣歇了。」

7月21日的日記寫道：「到韶山南岸毛潤之家，上午而他已他往，未在家。就翻閱最近的報紙，看了半天。下午三時潤之才回來，此時C〔共產黨〕人也隨時到了幾個」。8月4日「下午到南岸潤之處，是C‧Y‧的常會期」。「晚同潤之到玉提凹小毛氏祠，民校開會，十二點鐘時才返。」

毛澤東的活躍更好地解釋了1925年6月在上海和廣州的事件。當時正值反帝國主義的高潮，民族主義的口號比其他任何口號更能鼓動人。因此毛澤東和他的共產主義團隊在韶山建立了二十幾個「雪恥會」，成員包括教師、學生和農民。農民的出現使毛澤東推出了首個針對農村的行動。7月中旬，乾旱導致糧食減產價格上漲，毛澤東得知一個名叫成胥生的韶山地主和團防局頭頭準備把糧食運到湘潭出售，獲取巨大的利潤，這讓他想起自己的父親1910年夏天做過同樣的行為。在他的建議下，毛福軒和朋友帶領數百農民，手持鋤頭，半夜攔住了運糧到銀田鎮的車隊。幾天後，他們強迫成胥生打開糧倉，低價賣糧（開倉平糶）。[102]

顯然，毛澤東的活動引起了鄉紳的注意。特別是成胥生給軍閥趙恒惕寫了一封密報 —— 後者剛剛恢復對湖南省的控制。8月28日，趙恒惕給湘潭團防局發了一封電報要逮捕毛澤東。一個在湘潭縣工作的開明文人郭麓賓在縣委看到這封密令，馬上讓人帶口信到韶山。毛澤東不在家，在隔壁村參加會議。他的弟媳王淑蘭[103]轉告他這個消息。毛澤東一邊吃開水泡飯，一邊等弟媳叫來的轎子。毛

澤東告訴轎夫如果有警察攔住，就説抬了一個郎中。一切都很順利，團防局的局長拿了幾塊銀元之後，事情便不了了之。

9月初，毛澤東給黨中央做關於韶山農民情況的報告時，他已經在長沙了。7日左右，他離開湖南，這裏是危險的地方。離開長沙之前，他創作了我放在本書開頭的那首著名的詞〈沁園春·長沙〉。他重新投入政治鬥爭，在六個月中，他深入中國內陸，確切地了解到一個新的情況：中國革命的命運取決於革命者調動農民巨大潛力的能力。

第四章

選擇了這個命運 (1925–1927)

在韶山度過六個月激動人心的日子之後，1925年9月，毛澤東回到廣州。他似乎已經完成了轉變，去年初冬時讓他煩惱的策略問題已經解決了。在隨後的幾個月中，他努力將以下信念變得更加清晰，證實它，並付諸實踐：中國革命的基礎是農民，否則不會成功。

此外，在湖南時他填了一張少年中國學會[1]的表格，闡述了他的政治觀點。當被問到他抱何種主義時，他直截了當地回答自己信仰中國共產黨和國民黨左派的路線，直到1927年8月離開國民黨：

> 本人信仰共產主義，主張無產階級的社會革命。惟目前的內外壓迫，非一階級之力所能推翻，主張用無產階級、小資產階級及中產階級左翼合作的國民革命，實行中國國民黨之三民主義，[2]以打倒帝國主義，打倒軍閥，打倒買辦，地主階級（即與帝國主義，軍閥有密切關係之中國大資產階級及中產階級右翼），實現無產階級、小資產階級及中產階級左翼的聯合統治，即革命民眾的統治。

在民眾大聯合的範圍內尋找共識的努力已經結束，必須打敗「與

帝國主義，軍閥有密切關係之中國大資產階級及中產階級右翼」——讓人感覺到無處不在的階級鬥爭已經誕生了。最能承擔這個任務的是國民黨，或者更確切地說，是它的左翼。關於個人經歷，毛澤東指出他研究社會科學，現在注重研究中國農民問題。他告知自己「教過一年書，做過兩年工人運動，半年農民運動，一年國民黨的組織工作」。他對農民問題的興趣可追溯至1925年的春天和夏天。帶着堅定的信念，毛澤東重新變成國民黨的中央幹部，雖然此時他在中國共產黨內不再有任何職務。他和國民黨右派進行堅決鬥爭，並力求把新生的農民運動置於國民黨左派和共產主義者的掌控下。經過一個冬天和一個春天，他堅信農民革命有不可阻擋的力量。

1927年5月下旬至8月上旬，毛澤東放棄了最後的幻想，認為中國不可能和平過渡到現代國家。自1919年以來，軍國主義和「黃金階段」的資產階級沒有民主主義衝動，新生的工人階級提出過訴求，農民階級為了掙脫痛苦有了新的嘗試。1927年，農民戰爭又一次困擾中國農村，並在接下來的20年裏伴隨着毛澤東。

國民黨內部的鬥爭

在八個月內，毛澤東的政治活動主要發生在國民黨內部，[3]他不僅仍然是中央執行委員會候補委員，還被指定為中央宣傳部代理部長。1925年10月5日，時任宣傳部部長的汪精衛推薦毛澤東任代理部長。直到1926年5月28日，毛澤東一直擔任這一重要的職務。他作為顧問參加中央執行委員會的會議，介入這個組織的常委會，並對國民黨的報紙和中央刊物有一定的控制權。1925年9月至1926年

春天，他負責國民黨每週的政治報刊《政治週報》[4]，寫了許多文章。他還經常為國民黨其他一些報紙撰文，包括粵語版的《民國日報》。自從1919年他表現出有效組織和筆鋒犀利這兩種素質以來，他的這些優點在為國民黨左派服務，攻擊右派的時候體現得淋漓盡致。

我們知道國民黨右派的理論從1924年夏天發展起來，主張清除國民黨內的共產黨，將鮑羅廷送回蘇聯，並拒絕階級鬥爭的理論。持這種觀點者認為在中國並沒有真正的資產階級和無產階級，只有貧窮的人民，他們全是帝國主義的受害者。戴季陶是這一理論的提出者，在孫中山去世後這一理論得到了加強。人們認為這個右派要對廖仲愷的死負責，至少是因為他的理論，胡漢民的一個遠房表親刺殺了廖仲愷（1925年8月20日）。

當毛澤東回到廣州的時候，他可以在共產黨的週刊《嚮導》上讀到陳獨秀言辭激烈駁斥戴季陶論點的文章。1926年1月5日到1月10日，毛澤東至少寫了五篇重要的文章反對國民黨右派，並將其發表在《政治週報》第一期到第四期上，當時正準備召開國民黨第二次全國代表大會。1926年1月1日至19日，國民黨二大在廣州舉行。1925年11月，國民黨右派在北京西山召開會議，成立了「西山會議派」。「西山會議派」控制了上海國民黨的組織和刊物《民國日報》，並在這個城市召開了中央執行委員會第四次會議。因為沒有達到法定人數，國民黨主要領導人認為這次會議是不合法的。中央執行委員會合法的第四次會議在廣州召開，之後舉行的國民黨二大對左派和共產黨來說是一次勝利，36位中央執行委員會會員中有7名共產黨人，9名左派。9名常委中有3名左派，3名共產黨員和3名中間派，包括蔣介石、胡漢民（遠在莫斯科）和譚延闓。毛澤東得173

票，當選為候補委員，這是個不錯的成績。汪精衛有248票排在第1位，李大釗收穫192票。

1926年3月19日，毛澤東被任命為農民運動講習所所長，這使他成為農民運動講習所的領導。農民運動講習所是1924年7月按照鮑羅廷的列寧模式重組國民黨時建立的。毛澤東成了國民黨的新星，日程安排非常繁忙。因為他的神經失調加重，失眠的毛澤東在晚上看書，他驚喜地發現了神奇的安眠藥。後來他把安眠藥的發明者列入對人類作出最偉大貢獻的偉人之列。

演說、寫文章、開會

作為國民黨的宣傳部長，毛澤東主要在三個方面參與這場激烈的鬥爭：政策分析，宣傳組織和理論思考。這些努力產生的影響在國民黨二大上達到頂點，於1926年3月20日蔣介石製造打擊共產黨的事件[5]之後減弱，但影響仍然繼續。

不過，1926年3月30日，在蔣介石對中國共產黨和蘇聯表現出敵意的短短十幾天之後，毛澤東參加了國民黨中央農民運動委員會的一次會議，彷彿甚麼事也沒發生過，會上通過了他的三項議案：第一個議案是指派一名共產黨員為農民運動講習所負責人。第二個議案是決定招收30名廣西學生進行培訓，之後可以在梧州開展農民運動——我們看到毛澤東絲毫不掩飾他的意圖。尤其第三個議案特別明顯。下面是部分原文：

在一定程度上政治和廣大人民群眾的運動存在着密切的聯

繫，考慮到農民運動目前在幾個省的發展，我們必須密切關注江西、湖北、直隸、[6]山東和河南這些省的農民運動，將來北伐要經過這些省份。

這個議案具有雙重意義。一方面，當蘇聯和中國共產黨仍然反對北伐的時候，[7]毛澤東就已經考慮北伐了。另一方面，他巧妙地提醒蔣介石，如果他想成功打擊數量更多、武器更好的對手的話，他需要毛澤東及其在湖南的人脈。蔣介石的勢力主要集中在韶關，如果想到達湘江攻佔長沙必須翻越崇山峻嶺，需要農民作為搬運工和路探。蔣介石間接地表示已經收到這個信息：1926年5月2日，他在全國第二次勞動大會和廣東省第一次農民大會上提交了一份報告，蔣介石重提他1925年東征陳炯明時曾得到海豐和陸豐農民組織的幫助，他指出武裝工人和農民在革命中扮演了比軍隊更重要的角色。[8]

辭去國民黨宣傳部長

一直到1926年5月28日，毛澤東都在宣傳領域擔任重要職責。國民黨中央執行委員會二中全會根據蔣介石的建議——其真正的意圖很清楚——決定「其他政黨的成員」即共產黨員不能領導國民黨的部級單位。5月20日，也正是在這次全會上毛澤東做了最後的報告〈關於一九二六年二月一日至五月十五日期間的宣傳活動〉。[9]之後他辭去宣傳部長之職，留任中央執行委員會候補委員和農民運動委員會常委，直到1927年初夏中國共產黨和國民黨決裂。

政策分析方面，1925年10月27日，毛澤東以宣傳負責人的身份

出席國民黨廣東省代表大會閉幕式，並發表演說。他將國民黨左右兩派之間的鬥爭歸結為對於「中間派」的直接進攻。毛澤東認為，自從國民黨支持「貧下中農」減租和打倒「土豪劣紳」以來就出現了中間派。毛澤東引用廖仲愷（「革命派團結起來」）和汪精衛（「革命者向左轉」）的口號指出，中間道路不存在。從1925年11月至1926年1月8日，[10] 這個主題不斷出現在他的文章中。

在1926年1月10日的國民黨第二次全國代表大會上，毛澤東歷數國民黨歷史上的數次分裂：他說1912年的國民黨不是一個革命黨，而是一個「小地主的政黨」。因此，面對依靠「大地主」的黃興，孫中山創辦了革命黨。當孫中山再次讓位的時候，這個黨落到了「買辦的手裏」。[11] 因此，當1924年孫中山將國民黨改組成依賴「工人和農民支持」的政黨時，他得到了這個政黨「包括汪精衛在內的二十多位領導人的支持」。在大會的閉幕晚宴上毛澤東說，孫中山先生曾抱怨不能夠將「民生主義」實施至今。毛澤東認為民生主義與社會主義相似。孫中山讓共產黨人作為革命青年進入他的政黨，共產黨人自然覺得在國民黨內有他們的位置，因為它的本質發生了變化。

彷彿是為了說明自己的觀點，毛澤東在1926年1月10日的《政治週報》[12] 上報道了1925年12月20日在廣州進行的反對段祺瑞和奉系軍閥的示威遊行。他詳細介紹了13個標語，其中第5個是「支持革命的國民黨」。為了體現人民的力量——工人、農民、商人、學生和士兵，十萬名示威者包圍「在青天白日滿地紅國旗、國民黨的青天白日旗和工會的紅旗海洋中」。毛澤東花了大量筆墨描寫遊行從東部操練場開始，經過老城區，到達城市西邊荒地「西瓜園」舉行最後集會。這份充滿政治宣言的嚴肅刊物上出現了「人民」。

　　此外，在1926年3月18號巴黎公社紀念日這一天，毛澤東在國民黨中央黨校做了一次講座，回顧了人民在歷史進程中的作用。他以漢代的建立者「流氓」劉邦和短暫的太平天國的領袖洪秀全為例，強調中國歷史上階級鬥爭的重要性。他認為，洪秀全依靠「無土地的農民，後來被地主的民兵殺害」。

　　不過，特別引起毛澤東注意的是宣傳組織工作。在國民黨第二次全國代表大會上，他提交了宣傳部的工作報告。[13]他批評上海《民國日報》等國民黨右派控制的報紙和刊物費用過高。宣傳部下屬的廣州《民國日報》的發行量從一千份增加到一萬一千份，他作為主編的《政治週報》每週發行四萬份。他的部門還在上海出版了一份雙週刊，用於「批評國民黨右派」，名叫《中國國民》。最後，宣傳部出版了「30種書，共發行393,959本」，幾乎有一半是孫中山的著作。

　　毛澤東詳細介紹了宣傳部引導的13個運動的口號。最後，他感嘆這些行動的一大弱點是太專注於城市而忽略了農民，同時強調需要通過圖片和漫畫在90%是文盲的農民中進行宣傳。1926年1月16日，大會投票通過關於宣傳的決議，我們在其中找到相同的信息：「如果我們想使國民革命成功，必須捍衛農民的利益。宣傳部要發出一個指令，規定只有那些支持農民解放運動的人才是真正的革命者……」

　　這項決議的結論是：「國民黨的重心隱藏在被剝削的農民群眾中。宣傳部必須經常提醒國民黨員關注這個問題，鼓勵他們更多地依賴這個重心。」

　　另外，毛澤東還參加了大會的討論。一名代表建議加入國民黨的中共黨員公開身份，並且允許國民黨加入共產黨，毛澤東堅持認

為在軍閥混戰的中國，這樣公開身份會讓共產主義戰士招來殺身之禍。雖然他譴責「西山會議派」，但他建議對違紀的「西山會議派」成員採取一個比較寬容的態度。斯圖爾特・施拉姆認為，毛澤東在促進社會革命的過程中，認為民族主義佔優先的地位：在他眼裏，接近這些激進分子比遠離他們重要。[14]我認為那時毛澤東對國民黨的革命意圖已不抱任何幻想，他知道很快他也會「違紀」──他鼓勵寬容，也許不久後他自己也需要寬容。

對中國社會五類階級的分析

經過這番緊張的唇槍舌劍，毛澤東又一次精神衰弱，至少表現出明顯的疲勞。1926年2月16日，他請了兩個星期的假，然後將宣傳部的工作交給他的朋友沈雁冰（筆名茅盾）。後者在他的回憶錄中證明毛澤東去了廣東和湖南的邊界。前一年夏天，毛澤東發起了一項農民運動，他去那裏會見趕來彙報農民運動進展的人員。

毛澤東確實從那個時期開始提出農民問題的理論，即使第一次發表處於摸索階段。1951年對原來文本的修訂[15]使得我們對原文不得而知。1925年12月1日，毛澤東在國民革命軍的半月刊《革命》上發表了一篇文章，題為〈中國社會各階級的分析〉，這是《毛澤東選集》的第一篇文章。[16]

雖然從文章的題目看像是社會學研究，但內容完全是政治性的。1919年，毛澤東評估和定義過革命的敵人和朋友，在1923年的中國共產黨第三次全國代表大會上，毛澤東也做了同樣的事情。文章的開頭是一段聲明，幾乎沒有一點馬克思主義的分析，這一段在

1951年的修訂版中消失了：「無論哪一個國內，天造地設，都有三等人，上等，中等，下等。」[17] 然後他將中國人分為五類，農民出現在對每個類別的描述中，這體現了農民問題的特殊性也證實了概念上的某種尷尬性。

第一類是「地主階級和買辦階級」。毛澤東認為這些人依賴外國，主要包括大銀行家、商人和工業家，都或多或少與買辦有關，還包括官員，大地主和「反動派知識階級」，共有一百萬人。

「中產階級」主要指「民族資產階級」，是第二類。毛澤東將在日本和西方的留學生、大學學者、小地主和工匠歸納在內，約四百萬人。總體而言，他們都禁不住中央集權和戴季陶思想的誘惑——「舉起你的左手打倒帝國主義，舉起你的右手打倒共產黨。」——並不能成為持久的中間力量。面對白色的反革命大旗和赤色的革命大旗，他們選擇了白旗。大約有五百萬是或多或少有些革命性的敵人（請注意，毛澤東把留學生歸入其中：是不是可以反映他的某種辛酸或遺憾的心情？）。

接下來的三個類別構成潛在的革命陣營。首先，是「小資產階級」組成的第三類，毛澤東估計大約有一億三千萬人，包括一億自耕農，其中少數人有「餘錢剩米」，被反革命陣營吸引，但是廣泛動員的時候會加入人民陣營，例如1925年5月30日的五卅運動。應該指出，毛澤東認為中農是革命運動潛在的盟友，但這個時候陳獨秀與共產黨的領導層打算僅僅依靠貧苦農民。毛澤東把「小知識階層」納入第三類。

第四類包括一半的人口，約兩億。這些是「半無產階級」，五千萬半自耕農，六千萬半益農和六千萬貧農，還有小手工業者，店

員和小販。這是農民問題的所在，農民必須將全部或部分收穫交給地主，是高利貸的受害者。他們的土地越少就越革命。

第五類是「無產階級」。四千五百萬人，擁有兩百萬有組織的工人，形成了革命的先鋒，在海員罷工、鐵路罷工，以及開灤和焦作煤礦[18]罷工中顯示了力量，還包括三百萬苦力，兩千萬僱農和兩千萬遊民無產者。在這一點上，毛澤東明顯偏離了共產黨的正統路線：事實上，他看到了被馬克思主義作家貶低的「流氓無產者」身上戰鬥的勇氣，如果加以引導就可以稱為革命力量。

他進一步指出，遊民是招募士兵的基礎，尤其是乞丐，其次是盜賊、強盜和娼妓。[19]他們可以成為革命的先鋒。《水滸傳》中反政府的綠林好漢因此加入了無產者的世界，胸前掛着紅色共產國際刊物上的標識。毛澤東一直強調這些失去社會地位的人被秘密社團網羅，根據最近在韶山的經歷，他按照地理位置列舉了一長串秘密社團。[20]毛澤東說，處置這批人是「中國的困難的問題之一」，最後他號召三億九千五百萬人團結起來反對五百萬敵人。

農民運動講習所

雖然毛澤東對農民的理論分析仍然模糊，但他有了一次決定性的重要經歷。1926年3月16日，國民黨決定由毛澤東擔任第六期農民運動講習所所長。[21]1924年6月30日，國民黨中央執行委員會正式成立農民運動講習所，彭湃從1924年5月3日起擔任主任，之後的三期主任由同是共產黨員的羅綺園和阮嘯仙擔任。1925年10月，第五期講習所由彭湃和羅綺園領導。在毛澤東擔任所長之前，共有

454名學員拿到講習所畢業證書。之前講習所領導的職位稱為主任，所長的職位比主任高，這一改動體現出對學術地位的正式承認。從第六期開始，辦學地點選在當地一個更著名的地方——位於市中心大東門的番禺學宮。

第五期有43名來自湖南的學生，佔總學生數的三分之一，其中10人來自毛澤東的家鄉包括毛澤民。1926年1月，毛澤東在這裏上了一堂課，是關於中國農民中各階級的分析及其對於革命的態度的內容。1926年5月3日至同年10月5日，毛澤東自然而然地成為第六期農民幹部培訓的領導，錄取了來自20個省的327名學員，湖南人又一次佔多數。蔣介石需要農民，北伐必然經過湖南，如果他想動員湖南省的兩萬名國民黨員必須借助毛澤東。事實上，這些國民黨員主要是毛澤東在各個共產黨員的幫助下親自招募的。

第六期的預算為65,000銀元，課程安排比以往幾期更繁重。教師主要由15人組成。毛澤東親自授課23個小時，講解農民問題，除了借助自己在當地的經驗，他在自己簡陋的住所裏一直保存着在韶山進行第一次農民調查時的筆記。他還負責其他三門課程：9小時「在農村如何進行教育」的課程、關於世界地理的講座，以及有關衛生的課程。軍事培訓也很重要，學生們組成兩個連共六個排，周恩來教軍事策略，黃埔軍校的教員教戰術訓練課。8月份，學生到海豐和陸豐進行為期兩週的實習，參觀彭湃領導的農民組織如何運作。

這種實習是毛澤東從實際出發或從一定的實際出發進行調查的第一個已知的例子，是群眾路線的基礎，後來毛澤東往往利用調查來啟動他的政治運動，根據當時他的政治理念進行解釋。實習由蕭楚女[22]組織，持續兩個星期。在汕尾，受到學生們熱烈歡迎。汕尾

離汕頭不遠，在紅海灣沿岸，那裏的海盜非常有名。彭湃作為指導，介紹了他在海豐和陸豐組織農民協會長期鬥爭的事。這裏是彭湃的家鄉。他的家庭將土地租給300戶佃農，共1,500人，每年交租60噸。

彭湃在公共場合發表宣講，逐步擴大他的影響，到1923年5月建立了兩萬名農民組成的農協，管理十幾所小學和一些診所，調解衝突，用公平秤加強糧食市場的道德性，結束了「紅」「黑」兩派秘密社團幾百年的恩怨。因為颱風摧毀了農作物，要求實行減租70%。1923年8月，陳炯明軍隊鎮壓了這些早期的農民協會，彭湃被迫逃往廣州。1925年，成為廣東省農民協會執行委員會常委、副委員長的彭湃借蔣介石領導的兩次東征作了反擊。之後，他在海豐重建農協，兩次軍事鎮壓期間70名幹部被地主的民兵殺害。海豐實行減租25%的政策比國民黨嚴厲得多，不過符合國民黨的綱領。

「農民問題」：毛澤東的判斷

也許正是這個時候毛澤東堅定了自己的直覺，去年夏天他在湖南第一次感覺到農民運動的力量時就有這樣的感覺：「全中國各地都必須辦到海豐這個樣子，才可以算得革命的勝利」。[23] 毛澤東尤其對海豐官員和稅吏的不安感到高興。當官的誰也不敢「傷農」，稅吏也不尋求「額外括錢」：「全縣沒有土匪，土豪劣紳魚肉人民的事幾乎絕跡」。1926年農作物歉收，農協要求減租60%。陳村的一位婦女去官員那裏申訴獨生子被殺，面對官員的冷漠，她帶着一面葬禮用的白旗跑到衙門裏，上面寫着「我請彭湃同志主持公道」。彭湃成為一個

正義之神。毛澤東對此印象深刻，滿懷感情詳細地記述了這件事。

　　根據這樣的經驗和以往湖南的經驗，毛澤東籌備他的課程並主編了一套「農民問題叢刊」。斯圖爾特・施拉姆認為這套刊物是研究毛澤東農民革命觀點起源「最有啟發性的作品」。[24] 這是一套供內部使用，作為講習所學生教材的書。序言出自毛澤東之手，日期為1926年9月1日，題為〈國民革命與農民運動〉。毛澤東指出，「農民問題乃國民革命的中心問題，農民不起來參加並擁護國民革命，國民革命不會成功」。革命的主要對象是封建地主階級，「農村封建階級，乃其國內統治階級國外帝國主義之惟一堅實的基礎，不動搖這個基礎，便萬萬不能動搖這個基礎的上層建築」。

　　在第五期講習所的課程上，毛澤東講了「中國農民中各階級的分析及其對於革命的態度」[25] 的相關內容。毛澤東第一次用馬克思主義研究這個階級，分析其在生產關係中的位置，強調由農業工人提供的剩餘勞動帶來的收入只有小部分屬農民。因為中國還缺少資本主義農業，他估計擁有500畝以上耕地（33公頃）的地主佔農民的0.1%即32萬人。他回顧了海豐農協50萬家庭在反對陳炯明鬥爭中扮演的角色。他不贊同「買辦階級之猖獗於都市，完全相同於地主階級之猖獗於鄉村」的看法，因為買辦只在某些沿海地區存在，而地主遍布全國各地：「軍閥做主體，而買辦階級為其從屬」。

　　「然若無農民從鄉村中奮起打倒宗法封建的地主階級之特權，則軍閥與帝國主義勢力總不會根本倒塌」。毛澤東從而得出一個決定性的斷言，必須在國民黨控制的地區組織約3,000萬農民。從這個斷言出發，形成了本傑明・史華慈所稱的「異端行為」，而不是他自稱的馬克思列寧主義理論[26]：

中國的農民運動乃政治爭鬥，經濟爭鬥這兩者匯合在一起的一種階級爭鬥的運動。內中表現得最特別的尤在政治爭鬥這一點，這一點與都市工人運動的性質頗有點不同。都市工人階級目前所爭，政治上只求得集會結社之完全自由，尚不欲即時破壞資產階級之政治地位。鄉村的農民，則一起來便碰着那土豪劣紳大地主幾千年來持以壓榨農民的政權（這個地主政權即軍閥政權的真正基礎），非推翻這個壓榨的政權，便不能有農民的地位。

這樣，決定革命鬥爭的中軸線從城市轉向農村。

施拉姆還指出這套書最精彩的部分是介紹廣東省農民階級鬥爭的5章，共300頁，有3卷——全省農民協會代表大會決議，由彭湃和農民運動講習所共產黨負責人撰寫的海豐、廣寧和普寧農民運動的3份報告，以及廣東省農民運動概況的介紹。書中還包含另5個章節，共134頁，形成第4卷，描述了中國農業生產，農業商品化，農民的組織和行政機構，目前世界上的農業進步，中國農業生產的問題。最後134頁是關於意大利、德國和日本，特別是俄國的農民運動，其中有一章為「俄國農民與革命」。

從此，毛澤東選擇了鬥爭中希望動員的力量，雖然他預計到鬥爭非常艱巨。蔣介石1926年3月20日製造的事端沒有引起毛澤東的回應，他對這個將軍不抱任何幻想。他比以往任何時候都相信革命的希望在農村，他夢想像彭湃那樣建立群眾基地，抗衡國民黨日益壯大的軍事力量：黃埔軍校前五期培養七千多名軍官，而農民運動講習所培養1,272名幹部，[27]其中只有800人回到農村。佔軍官數量不足十分之一的幹部將面對四億農民。為此，毛澤東和中國共產黨

重新取得了聯繫。1926年11月上旬,毛澤東成為中共中央農民運動委員會書記,這個部門是在中央委員會的授權下成立的,管理人員中沒有一個是農民。

中國共產黨和農民的世界:陳獨秀的判斷

　　農委的存在有些模糊,甚至不能肯定毛澤東是否去過上海上任,[28]但他肯定這樣的戰略選擇是正確的。自1923年以來,中國共產黨比較關注農村世界,是為了順從共產國際的要求。1925年5月30日的一個重大變化幫助毛澤東在黨中央找到一個位置。1922年11月,陳獨秀為年輕的中國共產黨設置任務的時候,並沒有忽略農民問題。[29]他在報告中總結道,如果共產黨脫離農民,就永遠不可能成為一個偉大的黨。他首先想到的是一億兩千萬貧民,在他看來他們等同於無產階級。1923年7月,陳獨秀先於毛澤東分析中國的農民階級。同年12月,陳獨秀發表〈中國國民革命與社會各階級〉。他觀察到「約佔農民半數之自耕農,都是中小資產階級」,他們有強烈的私有財產意識,「如何能做共產主義的運動」?受彭述之的影響,幾個月後他在《新青年》上補充說無產階級必須在受帝國主義壓迫的國民革命中發揮主導作用。因此,農民只是工人階級可疑的盟友。[30]

　　當然,1923年10月,國際農民組織在季諾維耶夫的影響下成立之後,共產國際的領導層有了不同的態度。在1923年5月給中國共產黨的指令中,共產國際已經強調農民問題必須在黨的政策中發揮核心作用。季諾維耶夫認為這種方法能讓革命立刻取得成功。布哈

林從1925年3月開始發展了一種親農民的政策：進入農民世界的時候，革命者必須適應一種不同的革命。被陳獨秀和毛澤東等同於小資產階級的中農變成盟友。布哈林認為國民黨作為一個農民黨，在這個新政策中應起核心的作用。從此農民就是主要的革命力量，只要國民黨的政策允許，共產黨員在國民黨內必須積極活動。

因此毛澤東在自己不知道的情況下成了布哈林主義者。確實，中國共產黨在農民世界中的存在非常不起眼：1925年年底，共有500名共產黨員在農村活動，主要集中在廣東省的東部，全部以國民黨員的身份出現。運氣再次眷顧毛澤東：他發現了農民的革命作用，符合中國共產黨領導者最近確定的需要，符合1926年11月共產黨中央委員會的決定。因此，這個發現非常及時，甚至非常必要。此外，農民在中國革命中的中心作用得到了斯大林和布哈林的明確肯定。1926年11月22日至12月16日的共產國際執委會第七次擴大會議上，[31]斯大林和布哈林聯合反對托洛茨基主義——當然共產黨需要繼續附屬於國民黨。

國民黨中央執行委員會廣東會議（1926年10月15日–28日）

1926年7月11日，北伐軍攻佔長沙。9月7日，佔領漢口和漢陽，順利橫渡長江。8月31日開始進攻武昌強大的防禦工事，10月10日獲得勝利。只有東戰線的蔣介石在江西南昌比較困難：佔領後又丟失，11月8日才進佔南昌。1926年12月，國民黨臨時政府離開廣州遷到武漢，現在它控制了七個省，在六個月前已經控制的六十萬人口基礎上再加上一百一十萬。工人尤其是農民的幫助促成了國

民革命軍的勝利。在8月下旬湖南平江城汨羅江鐵路橋的艱苦戰鬥中，農民提供給國民黨參謀部的信息起了決定性作用。

在農民運動講習所上完課，將實習生派往各自的工作地點之後，[32]毛澤東於10月15日至28日在廣東參加了國民黨中央執行委員會的一次擴大會議，在勝利的背景下討論接下來的政策。[33]這次會議彙集了80人，包括中央執行委員會常務委員或候補委員、各省和地區國民黨黨部負責人。參加會議的有甘乃光、[34]譚延闓、徐謙、張人傑、吳玉章、丁惟汾、宋慶齡(孫中山的遺孀)、宋子文、孫科(孫中山的兒子)。毛澤東幾次參與討論，發言很有威信。四分之一的與會者是共產黨員，一半是國民黨左派。以戴季陶為首的中間派和右派在旁聽席上沉默不語，遠離風暴，也許他們認為新的力量平衡的建立有利於蔣介石——勝利之師的元帥。因此孫科説：「在本次會議上，找于樹德、毛澤東、惲代英、侯紹裘[35]尋求調解，足以確保所有的問題都解決。」[36]

要注意的是，此時毛澤東不是因為好爭辯而是因為他的靈活和善於謀劃引人注意。他反對宋子文為了北伐預征錢糧的建議，認為這樣和軍閥無異。毛澤東認為額外的稅收難以被農民接受，「預征錢糧不過僅收得二三百萬元，何苦以此區區之數使數千萬農民或大多數人民懷疑我們的決議案是不能實行呢。本席仍舊主張發行三百萬股實公債，向殷實商人募集」。不愧作為負責仲裁的七個成員之一，他提供了一個奇怪的妥協方法：為甚麼不按農曆來進行1925年已經預計的最後一次徵收？農曆新年的第一天是陽曆1926年2月13日。

在棘手的民團[37]問題上，毛澤東也表示出調解的態度。10月25日，擴大會議拒絕了湖南代表要求取消民團的一項議案。毛澤東支

持湖南代表，三天後，擴大會議重新擬了一項新的議案，限制民團的權力，將它們納入國民黨的掌控，並將它們的作用限制在打擊土匪上。

毛澤東似乎要不惜一切代價與國民黨分離。此時陳獨秀將蔣介石1926年3月20日政變的很大責任歸咎於國民黨對共產黨廣州領導人的滲透。在陳獨秀與廣東共產黨負責人以及鮑羅廷的衝突中，毛澤東似乎站在共產黨總書記的一邊。對他和陳獨秀來説，的確存在一個國民黨左派需要發展的問題，以此來避免民族主義者與共產主義者關係的破裂，並動員農民。面對明顯的革命軍事化傾向，毛澤東開始為自己的政黨做長久打算。

「農民的痛苦」

1926年11月上旬，得知中共中央任命他為中央農民運動委員會書記之後，毛澤東讓楊開慧帶着兩個兒子從廣州回到湖南。他自己乘船離開廣州去上海，領導農民運動委員會。自1925年10月成立以來，農民運動委員會幾乎沒有活動。11月15日，毛澤東與彭湃擬定了〈目前農運計劃〉，主張沿着鐵路線發展農協，後來這些鐵路線也成為北伐的軸線。這樣實現了農村社會運動和武裝革命力量的有效合作。

此外，他還得出結論，各地農運須切實與國民黨左派合作，並促成國民黨中央農民部在武漢設立辦事處、在武昌開辦農民運動講習所。[38] 為了建立這個講習所，他與國民黨在江西、湖南和湖北的黨部聯絡。與此同時，他根據上海辦公室搜集的資料和剪報寫了一

篇文章，於11月25日發表在《嚮導》第179期上，題為〈江浙農民的痛苦及其反抗運動〉。[39]因為工業和商業發展而聞名的這兩個省內，農民的命運與別處一樣悲慘。

長江三角洲地區崇明島的農民用自己的工具耕熟新漲的沙田，地主管田的所有權，每四年租一次，每千步田要交500斤甚至以上的穀物。官府和地主勾結，在重量上弄虛作假，農民借債時還要受高利貸的盤剝。這種情況導致了1922年「並沒有甚麼赤黨，過激黨煽動他們」，他們自己成群起來燒毀警察局，割去地主一隻耳朵。儘管乾旱，地主堅持要收相同的田租，但畝產只有三四百斤。

這樣的例子還有不少。在長江上游江陰的一個村莊，一個在無錫省立師範學校畢業、日本留學歸來的學生於1924年組織了「佃戶合作自救會」，要求降低田租。1925年1月，他被軍閥孫傳芳的部隊槍殺。成千上萬的農民參加他的葬禮，現在對他的懷念引導農民重新開展減租的鬥爭。在丹陽，土匪掠奪一家當鋪，當鋪主人即鳴槍報失，說典當的衣物都被搶去了，同時秘密將衣物乘夜移藏他處。這些衣物的當戶即近鎮各村農民聞訊，邀截於路，找到一部分衣物，但已被移藏的衣物沒有找到。典物的農民於是組成了「當戶聯合會」，結果，當鋪賠償900塊錢。在同一個城市的另一個村莊，地主裝了戽水機器，農民必須支付1,400元的費用才能使用電機泵灌溉農田。農民組成了一個「農民促進會」，湊錢買了自己的戽水機器。地主們用種種誣詞告到孫傳芳那裏，結果孫派兵下鄉逮捕了合作社負責人，強迫村民使用地主的機器。

在無錫的一個村子裏，農民和「麵粉大王」榮宗敬的弟弟榮德生起了衝突。榮氏兄弟開辦了保興、茂新麵粉廠，又開了申新紡織

廠。[40]這位「民族資本家」想拆掉農民的房子，抽乾一條河修路。農民們得到水田每畝200元，新植的桑苗每株1角錢的賠償，並得到不破壞房屋的承諾。在上海西部的青浦，地主在官員的幫助下想將荒地的租金翻三番，農民們組織墾務聯合會進行反抗。在長江以北的泰興，30個要求減租的農民被捕。在蘇北地區徐海的一個鎮，洪水連綿，農民組織（連莊會）歸入紅槍會，很多農民流而為匪。

在浙江寧波，那裏的農民「本來是很強悍的」，9月13日上午，「破產農民和遊民」聚積兩千多人到警察局，把警察局焚毀了，又轉至鄉紳地主家「吃大戶」，把他們的屏畫古董門窗壁格搗毀。第二天，逃到城裏的鄉紳獲得了軍警的支持，鎮壓了一次「完全沒有組織，又沒有指導」的「原始的暴動」。

毛澤東沒有進行任何理論分析，這些生動的小場景卻完全符合當前的政治：民族資本家讓人理解，而軍閥和鄉紳是不共戴天的敵人和幫凶。至於農民，他們的鬥爭是為了較低的租金，而不是激進的土地改革。因此毛澤東認為如果這樣的運動能夠由共產黨組織和運行，它就能維持在共產黨和國民黨之間的合作框架內。我們還注意到他已經對農村世界中失去社會地位的邊緣人和秘密社團感興趣，這些人既沒有信仰也沒有法律，他讚賞他們的革命潛力，雖然列寧主義領導人認為他們屬流氓無產者。

統一戰線的必要性

這篇文章發表的那一天，毛澤東來到武漢，中途曾在江西南昌停留。蔣介石在南昌建立了他的軍事參謀部和政治服務機構，南昌

開始挑戰武漢作為北伐首都的地位。我們從林伯渠 11 月 26 日的日記中看出,這位程潛領導的國民革命軍第六軍黨代表遇到了「潤之」(毛澤東)[41],他們一起拜見了第二軍軍長 ── 毛澤東的舊相識湖南人譚延闓。譚延闓剛剛到達江西,和他一起的還有第二軍的副黨代表李富春。

晚上,國民革命軍總政治部副主任郭沫若設宴接待林伯渠、李富春和毛澤東。這是郭沫若和毛澤東第一次會面。後來,他在回憶錄中寫道,此時毛澤東給他的印象「狀貌如婦人好女」,讓他覺得有點像劉邦手下的謀士張良。[42]這樣的描述不無意義,如果我們將這段文字和毛澤東 33 年來的照片作對照,我們會感到震驚,他近乎女性的魅力和溫柔的性格與農民的粗魯,邋遢的衣服,糟糕的個人衛生狀況形成鮮明對比,毛澤東已經是一個雙面人物,隨着時間的推移越來越明顯。

這樣的魅力起了作用。29 日,毛澤東、林伯渠和李富春從江西臨時政治委員會處得知:江西選派了 150 名學員去武昌農民運動講習所,並負擔經費 12,000 元。12 月初,毛澤東離開南昌前往武漢。[43]

在漢口,他建立了中共中央農委辦事處,同國民黨湖北黨部討論建立農民運動講習所。他住在武昌一座富商建的漂亮別墅裏,離長江不遠,灰色的磚牆隔開喧囂的街道,有一個內庭院,房間裝飾着垂直的黑木板。他的妻子、兩個孩子和岳母住得很舒心。彭湃有一個房間,毛澤東有一個書房。他在農民運動講習所兼課,講習所辦在不遠處的一個貴族寬敞的住所內,大廳由紅色的柱子支撐,朝向優雅的拱廊。這座建築坐落在黃鶴樓北面幾百米處。

12 月 13 日至 16 日,毛澤東作為中央農民運動委員會書記參加

了中國共產黨中央委員會特別會議。這次會議在漢口舉行，鮑羅廷和維金斯基出席。會議的氣氛很緊張，陳獨秀在開幕報告[44]中指出，軍閥仍佔據中國的三分之二，在這種情況下與國民黨決裂將是不可理解的。廣東區委認為1926年3月20日國民黨已死，「牢牢抱住一個臭氣熏天的屍體無用」。陳獨秀批評他們犯了「左稚病」，這些同志在1926年3月的危機中對國民黨採取「一種傲慢的態度」，滋養了狂妄的想法，認為國民黨不存在左派，中國共產黨應單獨控制所有的群眾運動。與此同時，由左派佔主導地位的國民黨臨時政府自12月11日起離開廣州遷到武漢。

陳獨秀提議繼續留在國民黨內，團結國民黨左派。鮑羅廷和那些相信土地改革的時機已經到來的人過於樂觀了。那時，農民只想要較低的租金、禁止高利貸、用結社和武裝自己的權利來抵抗土豪，反對隨意收稅。他們不要求「耕地農有」，而要求保留國民黨左派綱領中的改革。陳獨秀繼續說：「以想像的極左為名義，忽略真正的左派，好比今天拒絕吃醬油蔬菜，等着明天有大魚大肉。」這種幼稚的態度伴隨着脫離群眾的行為，激怒了商人和小僱主，例如發生在武漢的糾察隊工會和商人之間的衝突。相反，必須「加強左派，擴大統一戰線，扶持汪精衛」。12月18日，會議的最後一天通過了這一傾向的決議。

運動的教訓

毛澤東也許對這次辯論感到困惑，但這並不意味着他和越來越多的人一樣反對家長式作風的陳獨秀。陳獨秀迫於共產國際的壓力

為自己也不認同的政策辯護。李維漢在他的回憶錄中提到「毛澤東支持湖南省委的觀點，[45]但陳獨秀和鮑羅廷不同意解決土地問題，他們認為這個問題並不成熟」。[46]湖南省委在李維漢的領導下認為必須依賴全省農民運動的持續發展進行土地改革，毛澤東好像曾對李維漢解釋過，李維漢回憶說：他不同意陳獨秀的觀點，但經過討論，他認為我們不應該將這種分歧堅持到最後。毛澤東提請中央委員會注意一點，「右派有兵，左派沒有兵，即右派有一排兵也比左派有力量」。然而，他的提醒沒有起到效果。

我們注意到毛澤東緘默地屈從大多數人的意見，看得出來毛澤東有很強的洞察力，也許有些加工的成分，因為這是一位老將暮年的回憶。此外，幸運之神還讓他避免了對陳獨秀提出的決議進行投票。因為他剛剛收到一封電報，湖南全省第一次農民代表大會電請毛澤東到湖南對大會進行指導。電文稱：「先生對於農運富有經驗，盼即回湘，指導一切，無任感禱！」[47]

12月17日，中央委員會繼續開會，此時毛澤東在一位名叫卜禮慈[48]的國際農民組織代表的陪同下離開漢口前往長沙。12月20日下午兩點，他受到了湖南全省第一次工人代表大會和第一次農民代表大會聯合舉行的歡迎大會的高規格接待。鐘響之後，一個叫劉驚濤[49]的人主持了這次在長沙幻燈場舉行的歡迎大會。他說毛澤東是「中國革命的領袖」、「湖南湘潭人」、「對於農民運動尤為注意」，回到湖南「系專為考察農運」，應邀來這裏「指導」。他還向與會的300名代表介紹了國際農民組織的代表，這位代表將會談到「俄國農民的情況和蘇維埃對農民的態度」，並「對中國的農民運動進行評價」。

毛澤東用回憶開始了他兩個小時的演講：他去湘僅一年，而今

年和去年的情形大不相同，在去年是不會有這種大會的。在去年是
軍閥趙恒惕的政府，今年，是較能與人民合作的政府。去年農民運
動僅是萌芽，今年，已有一百二十萬有組織的農民了。這是各位同
志努力的結果。然後，他描述了自己最近的文章中提到的中國革命
的力量和中國的社會組成。最後，他保證説：國民革命的中心問
題，就是農民問題，一切都要靠農民問題的解決。無論是打倒帝國
主義，打倒軍閥，打倒土豪劣紳；或者，是要發展工業，商業或教
育事業，都必須依靠農民問題的解決。

　　休息五分鐘後輪到卜禮慈講話：1914年至1918年的戰爭造成十
二萬人死亡，改變了很多東西。如果沒有這場戰爭，農民就不會革
命，但工人和農民之間的合作很困難，這也解釋了德國和保加利亞
革命失敗的原因。之後在擔任湖南省農民協會委員長的老朋友易禮
容主持的會議上，毛澤東回答了代表們的問題。然後大會進行表
決，在毛澤東的支持下通過了40項決議，其中有一項支持使用暴力
「打倒土豪劣紳」，這是「革命鬥爭中必取的手段」。

　　另一項決議明確提出目前的任務是「剝奪他們的政治權力，奠定
農民政權的基礎」。毛澤東在回答一個問題時肯定地説這些目標「很
快會實現」。事實上，「打倒地主」的時機並未到來：我們現在還不是
打倒地主的時候，我們要讓他一步。在國民革命中是打倒帝國主義
軍閥土豪劣紳、減少租額、減少利息、增加僱農工資的時候。[50]

暴力與啟迪

　　精明的毛澤東已經懂得在實踐中如何控制政策偏差。經過這一

次輝煌的成功，毛澤東開始調查湖南農民的情況。一方面，他是中國共產黨處理農民問題的領導人（他向中共中央委員會提交報告），另一方面，也是國民黨中央執行委員會候補委員。另外，他還參加了國民黨湖南常委會的一個會議，湖南省黨部決定派戴述人[51]偕往，並會同考察所要調查的六項內容，以協助實施調查。

1927年1月4日，毛澤東開始展開調查。[52]穿着一貫的藍布長衫，粗草鞋，手拿雨傘，毛澤東和他的國民黨同伴經過三十二天時間，步行七百多公里，考察了五個地方：他的家鄉韶山所在的湘潭、童年時常去的外祖父母家湘鄉、作為師範生開啟政治經歷的長沙、通往安源煤礦的醴陵，還有衡山（1922年他到衡陽湖南省立第三師範學校建立黨支部時攀登過的聖山就是這座城市名字的來源）。而且，毛澤東意外地去了距離韶山40公里的鄰縣寧鄉，因為他得知當地國民黨將一個農協會員投入監獄，並控訴他擾亂公共秩序。

因此，毛澤東對於全省農民運動的看法是局部的。當時湖南有75個縣，毛澤東只去了5或6個，方圓40公里，[53]其人口只佔農村總人口的八分之三。這樣的考察也是不全面的，僅限於湘區的山谷和毛澤東的同學任教的村莊。然而，此行與1917年夏天他的朋友蕭瑜帶他從西到北一直走到洞庭湖的旅程不同。一位當代的傳記家寫道：「農民革命的風暴像磁石一般吸引了毛澤東。」[54]事實上，毛澤東此次經過的村莊都是北伐戰士將要經過的，農民組織將利用軍事勝利擴大它們的影響力。

此外，他使用的調查方法也值得商榷。毛澤東在縣委召集農協負責人或1925年調查時安排的信息員——對調查者的選擇，會對調查結果有影響。毛澤東還訪問偶然遇到的普通農民，湘潭西鄉的張

連初細緻地介紹了農民的生活條件，提供了很多細節。雖然記錄的時間是民國十五年（1926年），但我覺得應該是在1927年1月抄錄的。[55] 這樣搜集信息增加了調查的當地色彩，但是也突出了記錄的客觀性。無論如何，即使這次調查屬人種學研究性質，毛澤東少年時與農村社會的親密接觸，讓他比其他出生於城市的領導人更好地了解他的對話者。

革命的狂喜

就這樣，毛澤東在共產黨的兩所學校或共產黨、共青團、各種委員會的總部內開會、記錄、演講，好像逐漸被一種革命的狂喜抓住了。在韶山，他聽說農民們躺在「土豪劣紳的小姐少奶奶的牙床上」。在湘潭馬家河附近的村莊，15,000個農民闖進6個被老百姓鄙夷的地主家中大吃大喝，宰了130頭豬，毛澤東聽了哈哈大笑。當他聽說寧鄉的國民黨支部把「三民主義」變成「二民主義」，不承認在他看來等同於社會主義的民生主義，還把一個低價出售庫存糧食的鞋匠投入監獄時，毛澤東吩咐戴述人去國民黨寧鄉縣黨支部揭露「二民主義」破壞農民運動的錯誤。銀田寺就在毛澤東家附近，從前他經常從韶山去湘潭看報，路上經過銀田寺。1925年8月，韶山的農民在毛澤東的授意下在銀田寺攔截了一個投機商運米的車隊，抓住了團防局局長湯峻岩。據說民國以來，湯峻岩和另一個同夥殺了五十多人，其中四個是活埋的，最先被殺的是兩個無辜的乞丐——這讓我們想到魯迅的〈阿Q正傳〉中阿Q的命運。在湘鄉，有人向他彙報有個壞地主逃到長沙準備反攻，把農民運動的幹部看作「一字

不識的黑腳杆子」,「翻開腳板皮有牛糞臭」,「弄得鄉里不安寧」。落後的小地主為了加入農民協會,偷偷給農協負責人塞了十塊錢——毛澤東高興地發現權力陣營轉移了。在衡山白果村,婦女們闖入祠堂,坐在族長和元老們的桌子旁吃飯。毛澤東表揚這種對父權制傳統的反抗。醴陵發生了一起戲劇性的事件,在當地頗有勢力的哥老會「龍頭老大」歸順了革命。幾個月前,一個叫易萃軒綽號「鄉里王」的人和農協鬥得不可開交。冬天的時候,他送了一錠金子給農協買新的三腳架,送他的兒子參加了國民革命軍。毛澤東覺得可疑,派以前的同學羅學瓚擔任中共醴陵地方執行委員會書記,揭露敵人隱藏的陰謀。自1921年秋天從法國留學回來後,羅學瓚一直在湖南工會工作。在許多村莊,人們強行讓鄉紳土豪戴着紙做的高帽子遊街,帽子上寫着他們的罪行。在寧鄉、岳陽、華容、湘潭、醴陵和益陽,有打死、斬首或槍殺特別殘忍的鄉紳的事件,是一場真正的恐怖。[56]共產黨湖南當局試圖遏制暴力,毛澤東卻認為這是對統治階級的合法回應。他還補充說,在全省的每個縣打死一到兩個劣紳是好事,可以鏟除封建主義的罪惡:在毛澤東身上,「革命」已經和「處死」有關聯了。

毛澤東為農民暴力辯護

毛澤東每到一處給的「指令」都引導農民協會在政治上打擊地主,在經濟上對他們處以罰款,迫使他們降低田租,不准驅逐農民。毛澤東還提醒農民用梭鏢[57]武裝自己,在路上巡邏放哨,確保當地的秩序,監視鄉紳民兵團。農協禁止吸食鴉片和賭博,應用富

人的錢修復道路、橋樑和水壩。隨着人數的增多，農協的力量也越來越大：1926年4月全省只有40,000名會員，來自鐵路沿線的28個鄉鎮。1926年11月有1,367,727名會員，是原來的30倍，來自6,867個鄉農協，29個縣農協，平均每個鄉有約200名成員。

1927年2月4日，毛澤東回到長沙，很快向中共湖南黨委交了幾份報告。彼時，湖南黨委正尋求糾正農村政策。2月12日，毛澤東回到武漢，開始寫著名的〈湖南農民運動考察報告〉，他把主要的內容歸納在2月16日寫給中共中央的報告中。[58]

「在各縣鄉下所見所聞與在漢口在長沙所見所聞幾乎全不同，始發見從前我們對農運政策上處置上幾個頗大的錯誤點」。毛澤東提出，黨對農運的政策應注意：以「農運好得很」的事實，糾正政府，國民黨，社會各界一致的「農運糟得很」的議論；以「貧農乃革命先鋒」的事實，反駁各界一致的「痞子運動」的議論；以從來並沒有甚麼聯合戰線存在的事實，糾正農協破壞了聯合戰線的議論。

接下來毛澤東提出十大建議，在調查途中毛澤東已經付諸實踐了。結論是：農民問題只是一個貧農問題，而貧農的問題有兩個，即資本問題與土地問題。這兩個都已經不是宣傳的問題而是要立即實行的問題了。

如此，毛澤東公開反對陳獨秀和1926年12月中央委員會通過的決議。由於寫給中央的報告沒有收到任何答覆，他匆匆結束了兩萬字的〈湖南農民運動考察報告〉，該文於1927年3月5日發表在中共湖南省委機關刊物《戰士》上。3月12日的《嚮導》上只有報告的前兩章，沒有第三章。毛澤東在第三章論及農民的暴力，而陳獨秀和彭述之堅持要刪掉這一部分。4月初，整篇文章在漢口長江書店以《湖

南農民革命（一）》為書名出版發行，瞿秋白作序，讚揚毛澤東、彭湃是「農民運動大王」。事實上，1926年10月份斯大林要求限制對農民暴力的讚揚，避免觸怒國民黨。11月份中旬，為了在共產國際執委會第七次擴大會議上和托洛茨基反對派作鬥爭，[59]同樣是斯大林卻接受了農民暴力——我們可以在共產國際執委會第七次擴大會議上通過的決議中看出：害怕農村階級鬥爭升級會削弱反帝國主義戰線是沒有根據的。因為害怕中國部分資本階級的合作的不確定性和不徹底性而拒絕促進土地革命是錯誤的。

毛澤東再一次得到幸運女神的眷顧，他及時防止了偏差。自從1927年5月和6月《共產國際》的俄文版和英文版先後轉載了《嚮導》刊印的報告後，報告的部分內容從1927年6月15日開始在共產主義報紙上發表。雖然莫斯科和上海之間通信很難，但根據蔡和森的回憶，從1月份開始，中共領導層已經知道共產國際執委會第七次擴大會議的精神。2月中旬參加共產國際執委會第七次擴大會議的譚平山和羅易抵達廣州，消除了中國共產黨領導層所有的疑慮。

〈湖南農民運動考察報告〉

這份報告解釋了2月16日寫給中央的報告中的結論，風格時而生動，時而抒情，反映出毛澤東非常熱情地面對農民世界反傳統的暴動。報告的一開頭就提出了主題——「因為目前農民運動的興起是一個極大的問題」。領導他們、批評他們還是反對他們，這是所有的革命者必須迅速作出決定的三個選項。毛澤東很清楚共產黨的領導選擇了第二個選項，國民黨選擇了第三個選項。對他來說，他主

張第一個選項，這場運動中一切都是好的，連偏差[60]都是如此，封建主義是「帝國主義，軍閥，貪官污吏的牆腳」，只要能達到中國革命最根本的目的，就是說推翻封建主義，我們不應該「過分」抱怨。

毛澤東接着講農民起義是孫中山的夢想，但他未能實現，因此不應該質疑暴力。毛澤東再次提及五個縣的農民運動，並肯定「革命不是請客吃飯，不是做文章，不是繪畫綉花，不能那樣雅致，那樣從容不迫，文質彬彬，那樣溫良恭儉讓。[61]革命是暴動，是一個階級推翻一個階級的暴烈的行動」。

因此，「每個農村都必須造成一個短時期的恐怖現象」。農民打倒地主階級中的所作所為並不過分，這不過是他們所處的位置必然的結果。矯枉必須過正，不過正不能矯枉。[62]毛澤東這樣説是為了讚揚他眼中的「暴徒」（痞子），那些「踏爛鞋皮的，挾爛傘子的，打閑的，穿綠長褲子的，賭錢打牌四業不居」的遊民，敢於「站起來反對欺壓村民的劣紳」，現在「組織基層的農民協會」。在如火如荼的革命中，農民協會禁止吸食鴉片和賭博，他們已經改正了自己（除了15%的人，毛澤東補充説）。在農協控制的地區，土匪已經完全消失，農協的工作人員70%是貧農和社會邊緣人。[63]農民革命不是一團糟，好得很。毛澤東請他的朋友們不要模仿傳説中的葉公好龍。葉公喜歡龍，在他的家裏畫滿了龍。但是有一天，當天上的龍把鱗片狀的尾巴伸進他家窗口時，他嚇得要死。毛澤東用雄辯的語氣請黨內的同志們不要害怕在農民革命中看見真龍。

被高估的農民運動

然而，他誇大了這場革命的範圍和凝聚力。繼羅易‧霍夫海因茲（Roy Hofheinz）[64]後，不同的學者對毛澤東的運動觀提出質疑。湖北34個縣只有287,000名有組織的農民。江西有50,000人，人數最多時是1927年5月的82,617人。其他省份幾乎沒有或很少。我們如果仔細看1926年12月毛澤東附在報告內的湖南農民協會圖，就會注意到他們的農民組織只覆蓋了22個縣，100萬人，其中50.63%（692,609人）在湖南南部的三角洲，三角洲的底線從湘鄉到瀏陽，三角洲的頂部是洞庭湖畔的湘陰。因此農民運動優先在南方士兵多的地方發展，這具有戰略上的重要性，能夠為革命提供更多的支持。霍夫海因茲研究了1924年出現在廣東省西北部廣寧縣的農民運動，指出這裏的農民受到來自廣東的大學生的動員，國民政府提供資金和軍事資源。當士兵被徵召去北伐之後，[65]當地的革命浪潮再次回落。

與此同時，毛澤東低估了傳統社會的抵制力。毛澤東沒有提到在醴陵地區起決定性作用的秘密社團（主要是哥老會），他們招募的成員比農民協會更多。四個月後，革命在該地區遭遇失敗。毛澤東尤其低估了團防局和其他民兵的鬥志，例如在湘潭地區活躍的「保護財產團」，其領導人與不少北伐的將領有良好的關係。從1926年11月開始，湖南國民黨不再是年初的情況：趙恒惕的支持者、1909年省議會成員、當地的知識分子紛紛加入國民黨，共產黨只控制了三分之一的省級行政職務。

而且，許多出身地主家庭的國民革命軍被農民協會對自己的財產，甚至他們的家庭成員所構成的威脅嚇壞了，在定性這個運動的

時候非常想鎮壓那些「暴動的農民」。而且北伐蓬勃發展,眾多軍閥的士兵和軍官投誠,但保留了作為僱傭兵的行為和想法。毛澤東的報告給人的印象是毛澤東等革命者被農民運動所吸引,比預期更傾向於採用社會革命的方法。

不過,我們可以思考蔣介石和北伐的將領們是否曾聽到另一種來自農村的反革命呼聲,來自失去地位的鄉紳,憂心的地主,甚至小規模的農戶。這些中農的態度後來成為毛澤東關注的主要問題,顯然他們不傾向於加入農協,[66]因為他們害怕貧農在農村製造的恐怖事件,最終會波及他們。中農只佔農協的8.43%,他們在湖南農村的人數比這個數量多兩三倍。

一些擔憂的共產黨領導人注意到這個來自基層的相反的推力。1927年1月8日中共中央的報告中寫道:「在北伐軍佔領的湖南,湖北,江西,群眾運動已經進入了一個革命性階段,已經滲透到鄉村革命工作⋯⋯處死土豪劣紳的事件仍然在繼續。目前的社會運動比1911年的革命和1919年的五四運動更深入。軍事失敗的情況下可能會產生暴力反應」。[67]

1月26日,中國共產黨中央委員會指出,「國民黨的力量日益強大。現在國民黨內反對蘇聯、反對中國共產黨和工農運動的傾向非常明顯。這種趨勢首先是因為蔣介石和張靜江⋯⋯他們認為必須禁止階級鬥爭,不需要中國共產黨。第二個原因是國民革命很快就會佔上風,階級革命將發展起來:現在主要的敵人不再是帝國主義和軍國主義,而是共產黨。由於這些原因,一個反共產主義的浪潮席捲着國民黨」。[68]

更何況在農民組織內部,事情也不像毛澤東說的那麼簡單:

「假」農會越來越多，裏面的幹部取代傳統的幹部剝削農民。

因此我們讀到一個令人擔憂的報告，它出自一個叫作吳健仁的人筆下，描寫湖南最南端的情況。[69]他從廣東農民運動講習所畢業後被派往蔣戶建立一個農民協會。他依靠當地組織者推動教育，在縣委見到了幾個軍官。1927年2月，當局召開大會在該縣建立農協，十個新加入共產黨的黨員成為領導核心，負責人仔細列了清單，決定降低地租，沒收寺廟的土地，禁止吸食鴉片和賭博，讓失勢的小鄉紳戴上滑稽的大紙帽遊街。不過只要一離開縣委到了村莊，就是另一種情況。吳健仁說沒有任何農民跟他說話，因為他是陌生人。他之所以能在村裏建起一個基礎農協，是因為調解了兩個家族之間的仇恨。另外，他坐着轎子，由一個小分隊的軍隊護送，和以前的官員一樣。

1927年6月6日，湖南西部邵陽以南的新化縣縣長給國民黨中央執行委員會提交了一份報告，描述了當地相似的情況：「在這裏，一群人控制了革命的機關和執行死刑，沒收的財產在他們之間共享。在一個『紅色星期』中，為了解決私人恩怨，處死了十個人。殺死了當地負責補助金的人，他本來應該到省會受審，正等待押送。最後，縣裏的警察殺了大多數暴徒，但他們的頭頭跑了。」[70]

農民革命有了傳統的農村土匪的特點。在幾十萬人居住的湖南省，1926年12月農協有4,714名成員，1927年有13,000名成員，中國共產黨主要在城市，在廣袤的農村影響不大。沒有國民黨的中介，共產黨甚麼都不能做，但是國民黨日益敵對。協會中的積極分子中包括77,897名小學教師，他們組織和領導很多農民協會，佔所有成員的6.36%。[71]

儘管如此，在這個冬天結束的時候，在家鄉強烈的體驗仍然對毛澤東有影響：他認為從年少開始夢想的農民革命出現在眼前，他比以往任何時候都更希望這成為他的政黨活動的中心，通過他在國民黨的職位來實現。在3月和4月上旬，湖南農會控制了許多村莊，手持長矛的農民自衛團也越來越多。

與外國列強關係的改變

儘管國共矛盾越來越影響民眾運動的浪潮，不過支持北伐的運動浪潮繼續席捲長江以南。這股浪潮衝垮了民族主義和共產主義領導人草草建成用來疏通潮水的堤壩。

城市裏的人和知識分子一樣，總要求廢除「不平等條約」，全面恢復中國的主權。1926年9月4日，英國炮艦耀武揚威地轟炸了四川萬縣和廣東港口海軍，這些都提醒人們與帝國主義列強對抗的危險。1926年10月10日，香港和廣東的罷工與抵制結束。蔣介石和國民黨當局想消除以鄧中夏和蘇兆征為首的共產黨人的糾察隊繼續對臨時政府構成的壓力，到1926年3月20日已經解除了他們的武裝。

這個問題剛剛解決，新的問題又出現了：1926年的夏天和秋天，基督教傳教士的財產被工會成員或者士兵查封，醴陵、長沙和南湘[72]的天主教和新教學校都關閉了。然而，國民革命軍阻止任何攻擊漢口避難的外國人的行為。11月19日，蔣介石保證說：「我與基督教沒有分歧，傳教士將一如既往地在中國受歡迎。」這次事件平息以後，又出現了西方侵略者在清朝所獲特權存廢的問題：12月下旬和1927年1月初，共產黨人在許多民族主義分子的支持下，動員

武漢的工會要求收回漢口的英租界。[73] 1927 年 1 月 4 日，人群聚集起來，沖過保護英租界的路障，但很快又被安全疏散。1 月 6 日，江西九江的一小塊英租界也發生了類似事件。鴉片戰爭以來，驕傲的英國國旗第一次降下，而公共建築的桅杆上飄着中國國旗。1927 年 2 月 18 日，國民黨當局與英國簽訂協議，確認這些勝利，開始解除不平等條約。

這個運動顯然會延伸到上海的租界，英國立即從印度屬地派出一個艦隊和一個步兵師。2 月 19 日至 24 日，共產黨在上海幾個中國控制下的區舉行起義，起義的目的是驅逐軍閥孫傳芳的部隊。因為準備不充分，起義失敗。不過這只是暫時的，北伐戰士為了儘快重渡長江，一邊撤退一邊戰鬥。私底下，蔣介石盡力安撫擔心自己特權的外國勢力，並從長江下游大都市的商界精英那裏獲得經費支持。其他的聯盟、其他的權力關係已經明確。[74] 1926 年 12 月 13 日，國民黨中央執行委員會的多數派和到達廣東的臨時政府在武漢組成了國民政府委員臨時聯席會議，稱為「武漢政府」。12 月 31 日，蔣介石在南昌成立臨時中央政治委員會，稱為「南昌政府」，得到了國民黨中央執行委員會少數派和監察委員會多數派的支持。

改善農民的處境

正是在這一緊張背景下，國民黨第二屆中央執行委員會第三次全體會議召開。1927 年 3 月 10 日至 17 日，會議在漢口召開，蔣介石缺席，與會者 33 人，國民黨左派和中國共產黨是多數派 —— 人數為 30 人。這次全會利用集體領導，廢除蔣介石在政府、國民黨和軍隊

中所佔據的重要職位，任命流亡的汪精衛為黨和政府的領導人。在汪精衛回國之前，譚延闓是武漢政府的第一負責人。兩個共產黨人進入政府，譚平山任農民部部長，蘇兆征任工業部部長。各項決定反映了領導人調整工人運動的意願，即通過組織正式的調解機構解決勞動爭議。彼時武漢的罷工越來越多，長江航線的幾乎停滯，外企的撤離使經濟陷入癱瘓：已經有十萬失業工人轉而參加紅幫或哥老會而不是共產黨人匆忙建立而沒有基礎的工會。

3月15日，全會通過一項決議，「以改善農民的處境」。[75]該決議引起的討論使毛澤東確認，自己從去年初冬開始已經頗有影響力。毫無疑問，他的〈湖南農民運動考察報告〉起了很大作用。[76]我們可以從文中看出毛澤東的靈活性。[77]他對國民黨政府還沒有實施一年前通過的改善農民命運的決議案、沒有使農協免於被鎮壓感到遺憾，不過為北伐「給農協吸引了五百萬農民」感到高興，並提出了十項具體措施：第一，政府應立即着手建立區鄉自治機關；第二，區自治機關內應設立土地委員會；第三，所有鄉間不屬政府軍隊之武裝團體，必須隸屬於區或鄉之自治機關；第四，減租25%；第五，區鄉公地及廟產，政府應下令飭其交給區鄉自治機關管理；第六，政府應嚴重處罰貪官污吏，土豪劣紳及一切反革命者，並應依法沒收其土地財產；第七，改革舊有田稅法；第八，政府應明令禁止高利盤剝；第九，政府應准區鄉自治機關有管理糧食出口及保存一部分糧食之權；第十，政府應加緊實施民主司法制度和解決貧農土地問題之具體辦法。

這些改革的提議符合共產國際執行委員會第七次擴大全體會議提出的關於中國農民問題的建議。1926年12月16日，共產國際中央

執行委員會在莫斯科召開會議，把這些建議強加給中共中央。紙上的文字表述很溫和，不是嚴格意義上的土地改革。而且我們可以在國民黨這樣或那樣的決議中找到這樣的建議。不過，它們幾乎從未被官員和北伐軍在其控制下的城鎮和村莊內實行過。毛澤東的講話和在湖南時的發言一樣，針對國民黨的言行不一，擔心國民黨能否維護和加強與廣大群眾的聯繫。因此，在他和鄧演達[78]為全會起草的一份針對農民的聲明中，毛澤東重新提到他的十個建議，並得出結論，這些建議將幫助貧農實現孫中山的計劃「耕者有其田」。我們由此可以看出在土改的問題上，國民黨與共產黨有些微區別。

1927年3月18日晚，毛澤東在武昌農民運動講習所歡迎河南和湖北的一千餘名農民代表。他們在孫中山像前對民國國旗行禮三次，而後讀孫中山的遺言。毛澤東發表激昂的演說，要求懲治「土豪劣紳」，為了紀念「贛州[79]和陽新[80]」死難烈士 —— 3月6日，蔣介石在江西贛州處死了一個工會領導、共產黨員陳贊賢。3月26日，毛澤東在講習所舉行追悼會，號召與會者譴責蔣介石和一切屠殺工人和農民的反動派。然而共產黨對蔣介石的揭發還屬用「新軍閥」影射階段。3月28日，毛澤東作為國民黨中央農民運動委員會委員參加了全國農民協會籌備會議，被選為中華全國農民協會臨時執行委員會常委。同為委員的還有農民運動積極分子共產黨員譚平山、彭湃和方志敏，以及對農民運動持質疑態度的張發奎[81]、唐生智[82]和譚延闓。鯉魚和兔子的聯盟表明1927年4、5月間，隨着勝利的進程，革命將會因為內部的矛盾陷入僵局。

黃鶴樓上的疑慮

雖然毛澤東在危險之中進退，在共產黨內受到左派和右派的各種批評，但是他的觀點仍然沒有變：土地改革是中國革命的中心問題。[83]當然他是不自在的，1958年，在評論當時寫的〈菩薩蠻・黃鶴樓〉[84]這首詞時，他承認：「一九二七年，大革命失敗的前夕，心情蒼涼，一時不知如何是好」。毛澤東坐在武昌的蛇山上，在1884年焚毀的黃鶴樓廢墟前，面對着長江北岸漢陽的龜山，向我們傾吐他的焦慮：

> 茫茫九派[85]流中國，沉沉一線穿南北。[86]
> 烟雨莽蒼蒼，[87]龜蛇鎖大江。
> 黃鶴知何去？[88]剩有遊人處。
> 把酒酹滔滔，心潮逐浪高！

如果我們了解一下武漢政府領導者之間關於農民問題一波三折的討論，就能理解毛澤東的痛苦了。國民黨第二屆中央執行委員會第三次全體會議建立了由五人組成的土地委員會。4月2日，負責執行全會決定的中央執行委員會第五次擴大會議確認了這個委員會的成立。主席為鄧演達，徐謙和顧孟余是國民黨左派，譚平山[89]和毛澤東是共產黨員。[90]

從4月19日的第一次會議到22日，毛澤東仍處於上升階段。他經常在土地委員會擴大會議上發言，促成了一項關於土地改革的決議草案。武漢當局與南昌的衝突日益嚴重，結果仍然不明朗。我們可以相信雖然前期遇到挫折，但武漢的革命熱情仍然高漲。3月22日

和23日，上海共產黨領導的武裝起義取得勝利，在上海的兩個區[91]建立了中國權力機關控制的臨時市政府。但是，蔣介石26日抵達上海後不承認這個組織，而由他的將領來接管這座城市。3月24日北伐軍攻佔南京，伴隨着搶劫日本、美國和英國領事館的場景，在不明情況下殺死了六個外國人。[92]英國和美國的炮艦藉口保護外國人離開，同時也出於恐嚇的目的，燒毀這座城市的街區，殺死了大約五十個中國平民和士兵。外國的海軍陸戰隊和軍艦封鎖了上海的兩個租界。4月5日，終於從法國回來的汪精衛在租界內和陳獨秀簽署了一份聯合宣言。而蔣介石公然在法租界與黑幫老大杜月笙和他的青幫籌劃反革命政變。

上海和南京的事件

1927年4月12日，一千多名青幫流氓冒充工人，用卡車運輸武器通過兩個租界，襲擊了工人糾察隊，蔣介石的軍隊袖手旁觀。蔣介石的軍隊用機槍掃射數千名從公共街區趕來遊行的手無寸鐵的示威者，所有的抵抗在兩天後停止。月底，五千名共產黨人、工會成員和國民黨左派被打死或逃亡。

蔣介石的部下在各個城市的做法如出一轍，尤其是4月15日的廣州。白色恐怖持續了整個夏天。而在北方，軍閥張作霖於4月6日違反與外國公使館的協議，闖入李大釗避難的蘇聯大使館。4月28日，這位毛澤東年輕時代的思想導師被絞死。當共產國際的新代表、共產國際執行委員會第七次擴大全體會議之後派出的印度人馬納卡德拉‧羅易（Manabendra Roy）[93]4月份從廣東到達武漢的時候，

他可以看到數百名農民被支持蔣介石的軍閥絞死，吊在樹上。蔣介石成了長江下游和中國南方的新主人。

蔣介石離開南昌，於4月18日在南京與一些國民黨元老組成了國民黨臨時中央政府，成為武漢國民政府的對手。同一天，國民黨中央執行委員會將他開除出黨，並解除其所有職務。4月22日，在武漢的所有國民黨中央執行委員會成員共同發了一封電報，譴責蔣介石「背叛革命」，毛澤東是署名人之一。[94]這些決定被蘇聯和中國共產黨看作國民黨左派對正確趨勢的肯定；而且他們認為此時共產黨人不適宜離開國民黨，斯大林認為國民黨是一個「革命的議會」，由「四個階級組成，工人、農民、小資產階級和部分民族資產階級」。只要工人和農民的要求不過分，群眾尤其是農民施加的壓力能把國民黨變成一個人民的政黨。[95]

遵循着這條模糊的路線，羅易參加了4月27日至5月9日在武昌召開的中國共產黨第五次全國代表大會。這次迷茫的大會決定不作出任何決定。沒收政策仍然針對超過500畝（約33公頃）的土地，這麼大面積的土地在中國南方相當罕見，而且不涉及參加北伐的將士。毛澤東當選為候補中央執行委員，但他和彭湃，方志敏起草的關於土地問題的決議被陳獨秀拒絕，沒有進行任何真正的討論。這份決議重新提到毛澤東在國民黨土地委員會上的建議，擴大沒收土地的範圍。

像往常一樣，毛澤東實際上在努力繞過共產黨內的障礙。他在黨內的權威依然邊緣化，一方面是因為他因生病沒有參加第五次全國代表大會的閉幕會議，農委主任被瞿秋白取代，另一方面是因為他在國民黨內的活動。4月初毛澤東甚至忙得沒有時間去看他的第

三個兒子。4月4日毛岸龍呱呱墜地，來到這個世界四天後，毛澤東才去看他。事實上，4月4日這一天毛澤東還主持了武昌農民運動講習所的開學典禮。[96]當時時局混亂，739名學生主要來自湖北、湖南和江西，每天有兩個小時的軍事訓練，每週有場地演習，熟悉漢陽兵工廠提供的新步槍的用法。4月12日之後，每天四個小時軍事訓練，直到6月底畢業後被派往各個村莊。

土地改革示意圖

儘管政治環境惡化，但毛澤東仍在國民黨的土地委員會內繼續他的抗擊。4月19日，他請委員會考慮沒收甚麼土地，如何進行土地的重新分配。而官方立場是堅持政治沒收，也就是沒收「土豪劣紳」、公開的反革命者、軍閥、寺廟和宗族的土地。根據蘇聯專家沃林和岳爾克在廣東進行的調查，[97]毛澤東肯定地說農民的苦難和農業生產率的下降將導致饑荒，只有解放農民才能增加生產，挽救革命。

此外，廢除「封建制」能提高農村的工業化和農民的文化水平。因此，毛澤東畢生追求建立的政治和經濟之間的聯繫已經出現。而且毛澤東還支持鄧演達的建議，在農村裏發展農民的自治機關，擁有民兵武裝，兵工廠保留農民5%到10%的生產收入。

4月20日，該委員會免征軍人和他們親屬的土地，這大大限制了征地的範圍。毛澤東一句話也沒有說。但是，在4月22日該委員會第三次擴大會議上，毛澤東介紹了他的政策。這是汪精衛第一次參加土地委員會的會議。這篇報告是清晰思考和空想的奇怪混合

物。毛澤東似乎意識到4月12日以來形勢突然變化，他正面臨一個不確定的未來，一如當時在黃鶴樓時的心情：

> 現在所決定的政治沒收，是沒收土豪劣紳軍閥等等的土地，此為第一步。進一步再沒收一切自己不耕種而出租於他人的地，[98] 此為經濟沒收。經濟沒收在湖南已不成問題，農民已經自己分配。[99] 湖南的軍閥剝削農民。國民政府在湖南建立之後沒有能力完全消除這種剝削。因為戰爭不得不繼續原來的稅收政策。[100] 這種情況和現在革命目標相矛盾。如果找不到出路，會導致革命的失敗。在現行的稅收制度下，連注冊稅都無法徵收，如果在很多情況下土地稅也無法徵收，其他稅費更不可能。解決土地問題是於革命有利益的。如果在湖南繼續現在的稅收政策，年收入大約為一千萬元，1925年為一千五百萬到兩千萬元。如果解決了土地問題，10% 的土地稅有超過五千六百萬元，如果將抽取15%，就沒有財政問題。因此，不解決土地問題，財政困難就沒有出路。自耕農，中農的土地不沒收，富農是要沒收的。如果十個農民中有五個是富農，必須將五個富農的土地分給另外五個人。在湖南，農民正在自己分配土地。開一些分配土地的會議。因此，專就湖南的狀況說，用政治沒收的形式是不夠的，但就一般而論，只能用政治沒收。所以，國民政府應明定一般的法規，同時又須頒行單行的法規，如湖南。湖北不能與湖南比，河南和湖北也不能比。其解決土地問題的辦法當然不同，全國都實行經濟的沒收，則是空想。你們可以讀一讀中國土地分布調查，相當有價值，可以作為參考。[101]

湖南的革命示範性讓人回憶起從前毛澤東參加湖南「獨立」運動時的話。他在〈湖南農民運動考察報告〉中非常樂觀，認為農民革命席捲了整個中國。這也是一種糾正的委婉方式。湖南是不是例外？這也脫離了中國共產黨的革命戰略，布爾什維克的模式是在首都而不是一個單獨的省份奪取政權。

汪精衛對這個報告有不同意見，他認為我們必須堅持政治沒收大面積土地，革命軍人和家屬的土地除外。毛澤東的建議是只要條件允許，對所有未開墾的土地進行直接的經濟沒收，這樣對富農有威脅。[102]這個建議由審查委員會重新討論，這個委員會由15名成員組成，包括5個執行委員會成員，以及汪精衛和譚延闓。然而，後來該建議被遺忘。

毛澤東以退為進

4月23日至5月6日，土地委員會召開最後一輪會議，毛澤東改變了態度：為了保留他的計劃，毛澤東以退為進。4月26日上午，土地委員會第五次擴大會議召開，陳獨秀和鮑羅廷應邀參加，重申他們對於委員會建議的支持。毛澤東一言不發。在晚上的會議中，他建議在7月1日召開的農民大會[103]上繼續討論。

5月6日的最後一次擴大會議上，土地委員會通過了一項關於土地問題的溫和的決議草案：堅持「政治沒收」，以50畝（約3公頃）良田或100畝（約6公頃）一般的田地為上限，超過這個上限可以「研究」，可能沒收。並補充說如果農協有足夠力量建立村委會，則甚好。5月9日，土地委員會的五位成員將毛澤東起草的這份報告提交

給國民黨中央執行委員會時，加了一句評論，反映出所做的巨大讓步：「土地問題，從目前政治形勢和農民本身的力量，均不許可全數收歸國有，只能做到政治沒收（部分沒收），小地主及革命軍人的土地均應加以保障，地主及佃農制度還不能完全消滅。」

被擊敗的毛澤東知道怎樣留在遊戲中。羅易曾經描述過這幾個星期中的毛澤東，雖然這是很久之後的事，但我認為他的描述證明了這個不同尋常的領導者已經具有一種奇怪的威望：

> 毛澤東來到漢口（應該是武昌），在那裏我第一次見到他可能是 5 月 26 日。午夜，我們正在中共政治局辦公室熱烈地討論。鮑羅廷坐在我旁邊。一個身材高大的人悄悄地進了房間，臉龐黝黑寬闊，長直髮往後掠，飽滿的高額頭，神情高傲。「毛澤東。」鮑羅廷喃喃說道。他沒有注意到鮑羅廷。我們兩個外國人交換了一下眼色。鮑羅廷低聲說了一句話：「這個人很難對付。典型的中國人。」[104]

毫無疑問，羅易，鮑羅廷和瞿秋白、陳獨秀、張國燾、蔡和森、周恩來、彭述之一樣，當他們遇到毛澤東的時候，都意識到這個人非常堅持自己的意見，但還沒有很大的權力，因為自己的才能遠高於他的同事和朋友卻不被賞識而痛苦。雖然毛澤東有各種情緒，但此時他們似乎都已經迷上了這個不讓任何人置身事外，不講究穿着，說話有口音，長着細嫩雙手的大個子。

從後退到崩潰（1927年5月-6月）

毛澤東希望的反省來得很晚。農民運動因為地域的限制，難以被少數農運積極分子控制。即使在武漢，不論是文職還是將軍，在軍國主義的環境下，權力都無法避免地轉變成軍國主義。事實上，自春季以來從蔣介石控制的省份（廣東、福建、浙江、江蘇、江西、安徽等省）開始的反革命舉動也影響了武漢國民政府下屬的省份。5月14日，唐生智和張發奎的士兵在豫南駐馬店戰勝了吳佩孚的軍隊，5月28日在豫北打敗張作霖派出的援軍。但這些勝利沒有激起群眾運動。相反，在中國北方平原的地緣政治真空引來了馮玉祥。雖然他和蘇聯關係好，蘇聯是他的武器供應商，不過這位「基督將軍」有自己的打算。

與此同時，國民革命軍的主力部隊開赴北京之後，在長江以南留下真空。歸附武漢當局的各種衛戍部隊和蔣介石的密使聯繫。5月初，駐守宜昌的夏鬥寅來武漢追捕共產黨人，5月19日才被艱難擊敗。毛澤東匆忙派出的農民運動講習所的學生起了很大作用。

這些戰鬥孤立了湖南，那裏的政治局勢迅速惡化，長沙駐軍指揮許克祥很快與湖南省農民協會和省總工會發生衝突。5月19日，湖南省會成了抗議士兵的示威現場，軍長何鍵[105]的府邸被佔領。5月21日發生了「馬日事變」，[106]許克祥讓他的部隊攻擊農民協會和省總工會，造成30人死亡。鮑羅廷和唐生智急忙派了一個由譚平山帶領的國民黨中央查辦代表團。代表團受到許克祥的威脅，到達湖南邊界的時候就可憐地打道回府了。

湖南湖北的鎮壓

中國共產黨中央政治局在羅易的意見下做出反應，5月26日發表了一份尷尬的聲明：要求加強工作，跟士兵們解釋土地問題，農村的自治管理掌握在農民手中而不是鄉紳手中。5月31日，中共湖南省委動員農民協會的民兵組織奔赴省會，重樹革命影響力，懲罰許克祥。但省委書記李維漢取消了這個危險的決定，也許是陳獨秀、譚平山的要求，也可能是毛澤東的意見。不過命令撤銷得太晚，瀏陽縣的民兵帶着幾百枝槍和數千枝長矛進攻湘潭，在幾個小時之內被長沙趕來的援軍全部槍殺。[107] 士兵們在瀏陽、湘鄉和湘陰這三個縣進行了數天的大屠殺。2月份毛澤東曾將農民運動的主力放在這塊三角地區。然而，湖北的情況更糟糕。革命運動在中國中部農村加速崩潰。

1927年6月7日至13日，毛澤東為中華全國農協[108] 撰寫的訓令反映了他對軍隊的鎮壓感到憤怒[109] 卻無能為力。他承認，「沒有消除運動第一階段農民最初的遊行」，「有一些農民協會是假協會，不良分子的行為傷害了大眾的利益」。他説某些農民協會以打擊迷信和不良傳統為由，決定禁止娛樂及吸食鴉片或打砸群眾崇拜的神像，但這本應該先進行一個長期的宣傳工作。

但更重要的是，毛澤東一再強調鎮壓非常殘忍。幾週來湖南和湖北的士兵在農村犯下一系列可憎之事，讓他有理由要求嚴懲罪犯。同時，這殘酷的現實打碎了他1919至1920年產生的夢想，即通過有分寸的改革和教育，對中國傳統社會進行和平與民主的變革。農村大量的流血事件一直沒有停止。「在湘潭和常德一萬農民被打死

或受傷。」毛澤東引用湖南湖北兩省農協報告中的數字寫道。在湖北，社會上的紅幫、黑幫或白幫的流氓作為幫凶燒房子、強姦、搶劫和活埋數百名男女村民。在二十多個村莊，有人「挖眼睛、拔舌頭，挖內臟、剝皮、肢解、鐵烙、女性乳房被『紮鐵子』，被迫『赤裸遊街』：湖南、湖北、江西至少有一萬人死亡」。[110]

6月，情況越來越糟。6月5日，羅易認為應該讓汪精衛讀一讀6月1日斯大林發給中共中央政治局的電報：克里姆林宮的主人要求中國共產黨人在這種災難性的政策環境下仍留在國民黨內，為了「依靠國民黨左派繼續土地革命」，同時「加強工人和農民在國民黨中央執行委員會內的存在」。斯大林特別要求陳獨秀和鮑羅廷儘快建立一支軍隊，以應對目前武漢當局越來越不可靠的情況。共產黨軍隊必須有兩萬名戰士[111]和五萬名革命工人和農民。

這個建議既有煽動性又不切實際。[112]汪精衛得知了共產國際給中共的命令，第二天，他開始在河南鄭州與馮玉祥進行政治談判。13日，馮玉祥得到武漢的同意，可以在唐生智和張發奎的勢力退出之後進駐河南。6月20日，馮玉祥和蔣介石在徐州舉行會議，並歸附於他。21日，馮玉祥向汪精衛和譚延闓發出最後通牒：驅逐鮑羅廷「國民黨中央執行委員會的成員前往南京進行黨的統一和淨化工作，其他人去國外度長假」。這樣他們可以「鏟除軍國主義和共產主義」，恢復「國內和平」。

9月29日，何鍵發電報給武漢要求驅逐國民黨內的共產黨人，並派人逮捕知名活動家。即使在武漢，軍隊對民眾運動的威脅也越來越大。6月19日，第四次全國勞動大會在漢口召開，國際紅色工會建立的勞動組織——泛太平洋勞動大會秘書處於建立的第二天開

始工作。最棘手的問題是解除李立三領導的民兵武裝的事宜。這個強大的准軍事組織有幾千人，配有制服和小型武器。6月28日至29日的晚上，武漢駐軍的軍事分隊佔據工會總部，並沒收了民兵的兩千枝武器。第二天工會總部重建，但是沒有武器。有人說這是誤會，但是所有人都想到了1926年3月20日的廣州中山艦事件和蔣介石當時的態度。

毛澤東尋找出路

毛澤東在為這場風波尋找出路。6月3日，他發電報要求將許克祥撤職查辦，並在蔡和森的陪同下在漢口的一個租界裏（法租界？）會見了躲在這裏避難的湖南農協和工會負責人。他請他們回到自己的戰鬥崗位，恢復工作，並拿起武器：「山區的人上山，濱湖的人上船，拿起槍桿子進行鬥爭，武裝保衛革命。」[113] 6月13日，毛澤東出席了國民黨中央軍事委員會會議，報告湖南馬日事變的情形是許克祥的一次非法事變。6月17日，軍事問題負責人周恩來向共產黨中央介紹了湖南暴動計劃，激怒了羅易。

受到各方指責的陳獨秀想派毛澤東去四川，在6月24日的中共中央政治局常委會第三十一次會議上，蔡和森建議派毛澤東去湖南確保湖南省委的領導。6月25日，毛澤東抵達長沙同一天，唐生智也返回這個城市，武漢當局派他重新控制形勢，但「不訴諸暴力」，而許克祥歸附蔣介石之後躲在該省南部。26日，唐生智發送了一封電報給武漢，強調「指使農民運動的人」對馬日事變負責，因為他和毛澤東在國民黨中央執行委員會的地位一樣，所以這份電報更具有

權威性。毛澤東這一邊則想要恢復中共在湖南長沙以及南部的衡陽和西部的常德的共產黨組織。

在衡陽的一次秘密會議上，毛澤東提出馬日事變是「四一二」上海事件的繼續。因此他將唐生智，這個仍然追隨譚延闓支持武漢當局的最後一批將軍之一列為革命的敵人。他要求儘快集合工人和農民民兵的武裝，「要用武力來對付反動軍隊，以槍桿子對付槍桿子」。唐生智於 6 月 25 日已經下令解散工人和農民組織，公開攻擊中國共產黨。毛澤東提出，在政治和經濟上與他作鬥爭，借助工人糾察隊和民兵的力量；必須保存武器，有三種方法，或者建立挨戶團，或者上山，[114] 或者把武器埋起來。這種備戰的態度剛一宣布，7 月初陳獨秀就將毛澤東召回了武漢。

毛澤東在談話中指出，馬日事變是上海事件的繼續，接下來將有無數個馬日事變在全國發生，對不能合作，已經反動的國民黨分子要嚴加處置。各縣工農武裝一律迅速集中，不要分散，要用武力來對付反動軍隊，以槍桿子對付槍桿子，不要再徘徊觀望。

第五章

毛澤東轉入地下（1927年7月–12月）

　　毛澤東到達武昌時，中共中央剛剛撤退到這裏，到處是一片災難的氛圍。6月23日，第一批蘇聯顧問已經乘火車離開漢口。鮑羅廷生病了，悶悶不樂。7月初，中央決定讓「共產黨部長」蘇兆征和譚平山辭職，國民黨中央執行委員會向中共建議將所有的農協和工會交給當地的國民黨黨部管理。

中國共產黨軟弱的策略

　　1927年7月4日，中共中央政治局成員在武昌召開緊急會議，專門討論湖南的情況。[1]會議由陳獨秀主持，其他與會者是李維漢、毛澤東、鄧中夏、蔡和森、周恩來、彭德懷和張國燾，和毛澤東一起到達武昌的湖南農民協會的負責人劉志勛受邀參加。蔡和森第一個發言。他認為最近長沙事態的發展是何鍵和唐生智之間衝突的結果。何鍵讓他的下屬許克祥去鎮壓革命運動。之後毛澤東在會上發言。他也認為馬日事變反映了何鍵「奪唐生智政權」的企圖：

長沙事件為何鍵奪唐生智政權。唐生智本欲拉我們反何，但見我們沒有力量，遂拉攏何鍵部下打何，但唐仍然需要我們，因為他的力量不足以既打何鍵又打許克祥。故唐不能打許克祥。雖然我們力量薄弱，應促成唐生智和何鍵分化。

十天前，毛澤東還想在湖南組織武裝起義反對唐生智，現在說出這樣的話來是多麼奇怪。也許毛澤東是擔心自己孤立無援吧。

接下來的討論也同樣模棱兩可。陳獨秀不僅想加劇何鍵和唐生智之間的分歧，還想「拉攏唐生智，消除汪精衛、鄧演達和張發奎的影響」——自蔣介石的政變以來，共產黨人要尋找一個「好將軍」，所以有了非常奇怪的想法，張國燾比較清醒，擔心唐生智「已經決心消滅共產黨，並與何鍵達成妥協」。會議決定支持唐生智，反對蔣介石，好像4月12日以來甚麼也沒有發生過。隨後，會議討論關於農民協會和可能設立的「農民自衛武裝」的問題。蔡和森認為他們應該轉入地下。李維漢不同意，因為據他介紹，叛亂的農民只不過是土匪而已。陳獨秀也許是因為斯大林6月1日建議創建共產黨軍隊的電報，堅持國民革命軍招兵時，農民協會的會員和自衛武裝可應徵加入，「為了保證這些新兵的階級本質和革命性，利用革命軍中所有政治部門內存在的共產黨員」，因為這樣可以「武裝」農民。除此之外，剩下的都是「空話」。

對此，毛澤東說，湖南的農民協會有兩種策略：第一，改成安撫軍合法存在，此條實難辦到。第二，此外尚有兩條路，一為上山，二為投入軍隊中去。[2]「上山可造成軍事勢力的基礎」。

經過短暫的爭論，張國燾和陳獨秀似乎更傾向於加入正規軍和革命分子滲透進軍隊的方法。毛澤東再次發言：「不保存武力則將來

一到事變我們即無辦法。」這是過去6個月他的思想變化中最具有決定性的想法，同時他也對中國共產黨軟弱的策略感到痛苦。

很快在革命陣營中爆發了所有人都擔憂的事：7月12日至15日，就像蔣介石3個月前一樣，汪精衛通過武漢當局和國民黨中央執行委員會的一系列決策，終止了國民黨與共產黨合作的政策，驅逐國民黨中的共產黨員。7月12日，何鍵的軍隊進入武漢，宣布戒嚴。他在湖北的部下和湖南的唐生智一同大肆逮捕並開始處決共產黨員。共產黨員躲藏起來或到張發奎的第二軍控制的地區尋求庇護。張發奎還沒有像他的同僚一樣採取行動。

羅易匆匆離開武漢。7月13日黎明，鮑羅廷偷偷到達廬山的牯嶺。[3]他建議由瞿秋白接替陳獨秀擔任中國共產黨負責人。[4]前一天，中共中央獲悉共產國際撤銷了陳獨秀的職務，陳獨秀很快辭職。他被認為犯了「右傾機會主義錯誤」——引導這一戰略的斯大林是不能犯錯的。中國共產黨人被要求撤出他們在武漢臨時政府的兩位部長，而共產黨員則接到指示，想留在國民黨內爭取舉行大會選舉出新的領導層。

新的共產國際駐中國代表貝索‧羅米那茲(Besso Lominadzé)[5]7月23日達到武漢，他認為中國的形勢需要直接革命。這項不可能完成的任務深得許多共產黨領導人的贊同，他們想讓叛徒付出代價，並利用這個目的仍然保留在軍隊中的職位。7月下半月，中國共產黨的領導和羅米那茲密鑼緊鼓地準備從張發奎的第二軍開始起義。張發奎的總部設在江西北部的南昌。駐軍司令朱德是中共黨員。這一起義必須用國民黨左派的名義，並打着他們的旗幟。這不是一場政變，而是一種提供軍事支持，重振革命的過程。

槍桿子裏面出政權

7月20日，中共中央和中央農民部簽署關於農民問題的第九號通告，[6]證實了這一點：共產黨員應該引導農民獲得武器，或者加入軍隊為以後的兵變做準備，或者加入傳統的自衛民兵組織——通告中提到「挨戶團」、「保衛團」和「聯莊會」——或者躲入山中，加入秘密社團或土匪。我們注意到關鍵的句子出自毛澤東之手：「一個革命的武裝是必不可少的」。8月初，毛澤東起草了中共中央給湘南的命令，[7]此時他試圖組成一個師的軍事單位，與湖南東南部汝城諸多反對唐生智的部隊會合。其中瀏陽和平江的郭亮手下有一千多農軍，[8]5月份起義失敗後從海豐來了一小支農民部隊。

8月1日，8,000名南昌駐軍發動起義。[9]儘管斯大林提醒要謹慎，但譚平山、賀龍、郭沫若、惲代英以及周恩來宣布成立中國國民黨革命委員會，我們還看到一些缺席的人的名字，如鄧演達、孫中山遺孀宋慶齡、陳友仁以及張發奎。張發奎立即否認，並採取相應的軍事行動。國民黨中央執行委員會的22個委員或候補委員發表聲明，譴責「新軍閥蔣介石、馮玉祥和唐生智」，並號召儘快召開國民黨第三次全國代表大會結束右傾。在簽名者中我們發現毛澤東的名字，這是他最後一次作為國民黨中央執行委員會候補委員發表意見。

這次準備不充分的起義很快就失敗了。被人數多得多的敵方追擊，起義武裝從8月3日開始往南撤退，9月底到達汕頭。剩下一萬三千人潰散，兩支一千人的小部隊分別到達彭湃領導的海陸豐地區，以及湖南、江西、廣東交界地區，在朱德和陳毅的率領下打游擊。

8月7日，羅米那茲和少數共產黨領導人試圖在起義尚未成為災難之前努力一把。他們聚集在漢口日租界裏，俄羅斯經濟顧問提供了寬敞的豪宅，為了安全起見，窗戶緊閉。22名代表，其中包括15名中央委員會成員，召開緊急會議，會議由瞿秋白和李維漢主持，選出了包括彭湃（未出席）、蔡和森在內的中央臨時政治局，毛澤東是候補委員。會議通過的決議批評了陳獨秀和譚平山的右傾投降主義，在革命的國民黨旗幟下準備起義，建立蘇維埃政權。在此背景下，新的領導人必須去湖南、湖北、江西和廣東這四個出現農民革命的省份，準備秋天的時候進行起義。秋天是傳統的收穫季節，起義的計劃已經制訂，在長江中部地區湖南和湖北的62個縣，35萬平方公里的土地上，按照「傳統農民起義」的方式進行。這些武裝行動導致在城市中出現一波針對官員和知名人士的恐怖暗殺。在湖南，起義軍於9月13日佔領南部的衡陽，西部的常德和北部的長沙。採取農村包圍城市的策略，並在長沙建立了一個革命政權，從而動搖了武漢政府。[10]

毛澤東政治思想決定性的轉折

毛澤東在本次緊急會議上發言。他的話值得我們注意，證實了自春天開始，他的政治觀念發生了決定性的轉折。[11]在評論羅米那茲「重要的」報告時，毛澤東首先談到國民黨問題。他認為這是共產黨一直未能解決的問題，因為共產黨總是認為國民黨不屬於自己，自己是國民黨內的陌生人：

當時大家的根本觀念都以為國民黨是人家的，不知它是一架空房子等人去住。其後像新姑娘上花轎一樣勉強挪到此空房子去了，但始終無當此房子主人的決心……過去群眾中有偶然不聽中央命令的抓住了國民黨的下級黨部，當了此房子的主人翁，但這是違反中央意思的。直到現在，才改變了策略，使工農群眾進國民黨去當主人。

顯然，毛澤東認為國民黨是中國共產黨的群眾組織，甚至是中國共產黨的另一個名字。

其次是農民問題。雖然農民和一些黨員要革命，但黨的領導層不是這樣：

當我未到長沙之先1926年12月，對黨完全站在地主方面的決議無由反對，及到長沙後仍無法答覆此問題，直到在湖南住了三十多天，才完全改變了我的態度。我曾將我的意見在湖南作了一個報告，同時向中央也作了一個報告，但此報告在湖南生了影響，對中央則毫無影響。

黨中央甚至還有一些反對革命的嫌疑。「這個意見是農民指揮着我成立的。我素以為領袖同志的意見是對的，所以結果我未十分堅持我的意見。我的意見因他們說是不通於是也就沒有成立，於是黨的意見跟着許克祥走了。」

因此，黨中央像許克祥一樣，誇大了長沙暴動期間被起義農民損毀的軍官房屋的數量。

最後，毛澤東談到軍事問題：「從前我們罵中山專做軍事運動，我們則恰恰相反，不做軍事運動專做民眾運動。」

　　然而，蔣介石和唐生智是拿槍桿子起家的。「現在雖已注意，但仍無堅決的概念。比如秋收暴動非軍事不可，此次會議應重視此問題，新政治局的常委要更加堅強起來注意此問題。湖南這次失敗，可說完全由於書生主觀的錯誤，以後要非常注意軍事。須知政權是由槍桿子中取得的。」

　　「須知政權是由槍桿子中取得的」，這句話伴隨着毛澤東的整個職業生涯，毛澤東用這句話結束了生命中的第一個階段。1919年，他滿懷激情地投入五四運動。在十多年的政治培訓中設想以「偉大的民眾大聯合」這種民主形式進行政治鬥爭。1925年，他把政治鬥爭從城市擴展到農村。政治鬥爭的形式是街頭遊行示威、罷工、請願、集會，佔領行政辦公室或知名人士的家，用語言和毛筆做武器。在這近十年間，毛澤東已被證明是一個出色的記者，一個優秀的辯手，甚至是機智和靈活的政治家。但是1927年春天，中國中部發生的針對農民運動的殘酷鎮壓改變了毛澤東的想法——從此他認為人民的暴力行為是必要的，必須應對有產者的暴力，不能讓他們壟斷武器。革命需要軍人，它必須依賴農民建立自己的軍隊，正如他7月20日寫的那樣，不再依賴「代表地主階級的反動軍官」。

　　毛澤東認為必須給最可能繼續革命的貧苦農民以土地，可以不惜任何代價，因為結果可以解釋手段。在這個春天，毛澤東已經開始籌劃每個村莊要逮捕和處死的土豪劣紳的指標：沒有任何證明這樣的鄉紳是否存在，但仍然必須找到。8月7日，毛澤東再次談到這個問題。[12]他建議應該沒收50畝以上的土地，並說：

　　小地主問題是土地問題的中心問題，困難的是在不沒收小地

主土地，如此，則有許多沒有大地主的地方，農協則要停止工作，所以要根本取消地主制，對小地主應有一定的辦法，現在應解決小地主問題，如此方可以安民。

自耕農問題，富農、中農的地權不同，農民要向富農進攻了，所以要確定方向。即這種背景下，我們必須讓農協有穀子可以磨，從富農那裏取得部分土地。

8月9日，羅米那茲在中共中央臨時政治局第一次會議上任命毛澤東、彭公達和其他九人組成新的湖南領導班子。[13]根據蘇聯駐長沙領事馬也爾(Mayer)[14]的報告，羅米那茲認為湖南省委內沒有無產階級，其維護的是大地主的利益。因此，他委託澤東同志向這些「右傾機會主義」負責人解釋八七特別會議的決定。

因此毛澤東作為莫斯科的代言人，在鐵路工人的幫助下，於8月12日上午乘上一列開往長沙的貨運火車。他被任命為中共中央特派員，負責準備秋收起義。[15]幾天前，他拒絕了瞿秋白請他去上海中央機關工作的建議，說：「不願去大城市住高樓大廈，願到農村去，上山結交綠林朋友。[16]」

準備秋收起義[17]

8月12日，毛澤東抵達長沙，但是直到18日才去中國共產黨湖南省委。在他缺席的情況下，彭公達主持建立了新的湖南省委。[18]彭公達比毛澤東早一天抵達長沙，並取代了易禮容。在8月9日的中共中央臨時政治局會議上，毛澤東為易禮容辯護過。他是不是想避免像易禮容那樣被當作「右傾機會主義」分子而受排擠？12日到18

日這一週，官方傳記作者向我們肯定毛澤東在長沙郊區的板倉[19]岳父家度過了五六天，讓妻子和他的三個兒子在這裏安頓下來。這是他最後一次見到楊開慧。[20]他利用這個機會在兩天內見了五位農民、一位篾匠和一位小學教師，並重新調整了土地革命的計劃。

8月16日，彭公達在長沙市郊的沈家大屋召開湖南省委領導會議。[21]他向與會者通報了中央的決定，他被任命為秘書，還公布了其他八個負責人的任命，其中三分一是農民或工人。毛澤東之後才與他的戰友們會面，為制訂起義的計劃進行了激烈的辯論。[22]19日，計劃得到通過並上報中央。20日，毛澤東以中共湖南省委名義給中共中央寫信。起義的方案考慮到了最近軍事事態的發展。許克祥佔領了從衡山開始的湘南地區，唐生智派遣部隊防範許克祥。必須區分長沙附近的中心起義點和湘南的起義點，使長沙成為運動的中心，進而向西和向南蔓延。

毛澤東在信中顯示出他對成功毫不懷疑，並熱情地說明了兩點。[23]第一點是蘇維埃的問題：「某同志來湘，道及國際新訓令，主張在中國立即實行工農兵蘇維埃，聞之距躍三百。中國客觀上早已到了俄國革命1917年，但以前總以為這是在1905年。這是以前極大的錯誤。工農兵蘇維埃完全與客觀環境適合。」

第二點是起義者打的旗幟問題：和南昌起義不同，不應該再打國民黨的旗幟，因為蔣、唐、馮、閻等新軍閥的大屠殺，它已經成為一面黑色的旗幟，應該立刻樹起紅旗。最後，毛澤東總結了湖南省委兩天來剛剛進行的辯論，提出土地革命的方案。他說自己親自在省委開會的清泰鄉進行了調查，並與來自韶山的五個農民進行了討論，已經應農民的要求對方案進行了調整。

這個計劃非常激進,不符合共產黨的正式路線。它預計沒收所有富農和中農的土地,農協根據家庭的勞動力和消費需要進行再分配,人口過多和人口過少的各鄉鎮之間進行遷移。貧瘠的土地分給被徵用土地的地主。

8月22日,中共中央臨時政治局在瞿秋白和周恩來的主持下召開常委會,會議聽取了湖南省委代表何資深[24]的彙報。他介紹了起義的計劃和毛澤東的信。23日,中共中央覆信湖南省委。領導們幾乎對所有問題都提出了批評,除了在長沙開始起義這一點。他們尤其強調了「兩個錯誤」。第一是過於依賴軍事力量來奪取長沙,忽略了農民起義的準備。他們認為這是軍事冒險。不應該依賴毛澤東提到的兩個團來支持農民起義。結果中央取消了長沙起義的第一次號召。第二是只注重長沙,而忽略湘南等省內其餘地方。

中央的覆信還批評了幾個細節,並強調了另外兩點。首先,蘇維埃的和紅旗的問題還為時過早,因為中國仍然處於資產階級民主革命的階段,沒有達到1917年俄國十月革命的水平。[25]無產階級的發展才能導致社會主義的要求。關於土地問題,口號仍然是「沒收大地主土地」,減少小地主和富農所收的田租。這封覆信大約在8月底,即28或29日到達長沙。

戰略分歧

在此期間,湖南省委繼續根據自己的計劃準備起義,同時根據當地條件的變化進行調整。在土地問題上,絕大多數負責人都贊同毛澤東的意見——他是權威的中央特派員,而且去年冬天在湖南進

行過調查，是土地問題的專家 —— 必須在經濟和政治方面消滅地主階級，不論是大地主還是小地主，取消地租，依靠貧農，「應當是貧農領導中農，拿住富農」。在起義這個問題上，毛澤東認為應該根據實際情況，把暴動範圍縮小到長沙周邊地區，[26]這一建議也得到了大多數幹部的支持。

此外，8月30日中共湖南省委接到安源市委的一份報告，肯定了他們的方向。湖南和江西邊界地區的平江、瀏陽、醴陵和安源，歷來是農民、土匪和礦工起義的地點，例如1905至1906年的起義。這些地方被視為「相對有利」於進行首先起義。省委的據點是安源附近的一個前敵委員會，毛澤東任書記，易禮容指揮一個行動委員會領導農民起義，協助軍事行動。在上任前，毛澤東以書面形式向中央作出回應。他在當地更了解情況，而瞿秋白則在遠距離指導一個幾天前已經宣布的運動。他認為，必須奪取長沙進行農民暴動，兩個團的支援是必不可少的。[27]

毛澤東認為中央的意見「實在是不明了此間情形，是不要注意軍事又要民眾武裝暴動的一個矛盾政策」。省委的計劃忽略了省內其餘地方，這是錯誤的說法。毛澤東繼續說，力量分散，不能把衡陽作為第二個出發點會導致失敗，因為當地缺乏軍事力量。

9月5日，中央聽取了彭公達的口頭彙報之後再次回信：起義的計劃不好，因為它不依賴廣大人民群眾，而依賴假想的軍事支援。在湘南沒有做任何準備，長沙起義勝利時將無法抵抗來自南方的反攻，湖南近代的軍事歷史已經證實了這一點。應該「把暴動的主力建築在農民身上，毫不許猶疑」。

這封信大約在8日或9日到達長沙，當時一切都如同毛澤東和他

的朋友們計劃的那樣準備好了。8月31日黎明，毛澤東裝扮成農民乘火車到達安源，進行一次沒有受到中央批准的運動。他在株洲轉車，從英國軌距的鐵路換成米制軌距的鐵路。在株洲他見到了當地的共產黨負責人，聽取了他們的報告，要求他們破壞株洲—安源白石港的鐵路橋，四天後有一名專家從安源趕來幫助他們，與此同時他們需要採取措施讓團防局保持中立。

9月初，毛澤東到達安源。他立即在張家灣組織軍事會議。到會的有瀏陽縣委書記潘心源，[28] 安源市委書記蔡以忱，贛西農民自衛軍總指揮兼安福縣 (江西) 農軍負責人王興亞。毛澤東傳達了八七會議的決定，湖南省委的改組和秋收起義的計劃。經過一番討論後，他決定正式組建工農革命軍第一軍第一師，下轄三個團，余灑度為師長，余賁民為副師長。

毛澤東終於見到了這支數週來他口中的為革命服務的軍隊。但是，這支軍隊成分複雜，不怎麼可靠。[29] 只有第一團是真正的軍事單位。[30] 這原是張發奎著名的國民革命第二軍的警衛團，因為耐力不俗和軍事素質優良而號稱「鐵軍」，它駐紮在武漢，由共產黨員盧德銘指揮。他們接到中共中央開赴南昌參加八一起義的命令，但是到達時為時已晚，錯過了南昌起義，於是南下。後來，盧德銘不再聽命於張發奎，與包括廣東人組成的偵察連在內的一些人叛逃，途中與余賁民領導的湖南平江當地農民武裝會合。這支武裝剛剛攻打武寧重鎮失敗，想尋求裝備更好的軍隊幫助。在奉新發生的叛變迫使盧德銘將領導權交給一個營長余灑度——一個年輕的共產黨員，黃埔軍校畢業生，在北伐奪取武昌的戰鬥中發揮了作用。為了維護顏面，盧德銘被派往武漢請求中央指示。此時，余灑度再次率部往

西南方向朝湖南湖北邊界前進，到達重兵把守的修水城。這裏駐紮着丘國軒的一個團，5月份他們拒絕一位共產黨師長攻打武漢的命令。從8月份開始，團長丘國軒和南昌的國民黨軍隊取得了聯繫。余灑度機智地收編了這個團，獲得了糧食和彈藥，將隊伍人數從700人增加到1,300人。安源前敵委員會要求他奪取平江，發展農民起義，然後奔赴長沙。第一團必須和第三團配合行動。

第三團駐紮於江西的銅鼓鎮，在修水以南約50公里。這是一支農民軍，有一千新兵，加上丘國軒帶來的餘部。除了丘國軒帶來的數百條槍，大部分人都以長矛或鐮刀做武器。招募的新兵來自瀏陽、醴陵和平江，這些村莊生產鞭炮，很容易製造炸藥，1905至1906年馬福益的反清起義在這裏找到了最好的支援。這支隊伍還吸收了長沙馬日事變的倖存者，他們由曾是哥老會首領的蘇先俊帶領，自5月份之後就流竄掠奪。起義計劃要求第三團奪取瀏陽，在周邊的四個鄉掀起農民起義，然後奔赴長沙。

第二團在安源地區集合。王興亞任指揮，包括安源工人糾察隊，自1925年閉井以來失業的安源礦警隊，江西的安福、永新、蓮花和湖南的萍鄉，醴陵農民自衛武裝。第二團有一千人，能夠使用炸藥，有500枝步槍，後來變成1,210枝。第二團的任務是攻取萍鄉和醴陵，留下部分力量防止敵人的反攻切斷後路，奔赴長沙形成夾擊，包圍城市。毛澤東補充説，隨着三個先遣隊的勝利，長沙可能爆發起義，主要參加者是人力車夫，郊區的農民和在醫院休養的500名受傷士兵。

9月5日，一封來自安源的信到達彭公達和長沙湖南省委的手中。毛澤東在信中提議11日在安源開始起義，18日攻打長沙。然

而，省委的起義計劃原定9月10日暗殺三個長沙的主要官員，但是該計劃被警衛團截獲，並於8日登載在當地報紙上。必須加快計劃的實施：9月9日開始破壞鐵路，11日各縣起義，15日長沙暴動。馬也爾提醒前敵委員會和中央之間必須消除分歧，至少在文件上是如此。

9月6日，毛澤東與從長沙坐火車來的使者見了面，命令他的三個團將計劃付諸行動。在確保安源的一切按計劃進行之後，他和潘心源步行到銅鼓指揮第三團——第三團是部署的中心。他打扮成一個來安源採購煤炭的商人，穿着白色的裇子和長袍。種種跡象表明，這一天他仍然堅信起義能成功。

慘敗

失敗來得很快。

如預期一樣，起義的信號從第一團開始傳出。9月9日黎明，第一團離開修水，沿着礫石路前往80公里以西的平江。部隊打着鐮刀和錘子標誌的紅旗，這是夜裏請居民特別趕制的。傍晚到達30公里以外的渣津，第一團的指揮部設在這裏。

同時，60名游擊隊員在南面和北面破壞長沙至岳陽和長沙至株洲的鐵路，破壞不大——9月12日各處恢復交通。9月8日，毛澤東從瀏陽去銅鼓，在離銅鼓40公里處的張家坊被當地巡邏的清鄉隊逮捕。他們迫他脫了鞋，並押送到民團總部。他知道憑自己的身高很容易被認出來，在這段日子裏，他會被就地處死。於是他拿着從一個同志那裏借的十幾塊錢，求押送他的士兵讓他逃脫，但是隊長

不同意。在離總部不到200米的地方，孤注一擲的毛澤東閃到一旁，奔過田野——那一天，也許是在師範學校嚴格的體能訓練救了他的命。他躲在一處草叢裏，避開了被民團強迫來搜尋他的農民。趁着黃昏，毛澤東連夜趕路，赤腳走出了血。他遇到了一個農民，被收留住了一晚，並被送上路。途中，他用剩下的7塊錢買了一雙鞋、一把雨傘和吃的東西。當他到達銅鼓附近的蕭家祠時，口袋裏只剩兩個銅板。[31]瀏陽的民兵駐紮在銅鼓，剛剛改編成工農革命軍第一師第三團。根據《毛澤東年譜》的記載，這次集會是在9月10日晚上，毛澤東向聚餐的游擊隊員傳達了戰鬥的部署和八七會議黨的決議。[32]

同一天，盧德銘從武漢返回，任駐紮在渣津的第一師總指揮。[33] 11日，第一團想攻打距離平江一天路程的龍門廠，但是後衞部隊遭到丘國軒的攻擊。幾天前，他的部隊被收繳了糧草和大部分槍枝。叛亂部隊有一百多枝槍，第一團擁有1,300枝槍，卻慌亂四散。盧德銘和余灑度艱難地重新集合隊伍，派人通知前敵委員會書記毛澤東。[34]

同一天黎明，第二團（主要由安源礦工組成）強攻重鎮萍鄉失敗。此處盤踞着國民黨一個團的總部，負責監督江西邊界，另有一個三千人的團留在長沙，唐生智的主力位於東面，夾在控制武漢的桂系軍閥和來自南京的寧波軍閥蔣介石之間。礦工們搭上火車，輕易拿下醴陵。之後因敵軍反撲，放棄醴陵，因為沒有接到命令，而向瀏陽方向前進，16日佔領瀏陽。一支六十餘人的農民武裝控制了重要的鐵路樞紐株洲，但無法堅守這座城市。不過，這一短暫成功的消息於12日晚在長沙引起劇烈反響。第二團離開瀏陽，當日陷入

埋伏，被數量遠勝於自己的部隊包圍。17日，第二團潰逃。同一天，余灑度成功撤退到江西邊界的文家市。

9月11日天剛亮，蘇先俊的第三團也朝瀏陽進發。12日，奪取了東門市——一個土匪們想掠奪的地方，沒有警惕毛澤東預先提醒的反攻。[35]14日，第三團被西邊來的敵人包圍。蘇先俊艱難撤退到瀏陽市和文家市之間的高地，在那裏他得知第一團失敗的消息。晚上，毛澤東致信湖南省委（彭公達），要求放棄在長沙的起義。

9月15日，省委撤銷原定16日上午的起義，馬也爾非常憤怒。幾天前長沙郊區的警察局或政府民團受到農民的攻擊。馬也爾稱這次攻擊是「鬧劇」，農民解除了300個民團士兵的武裝，但當其中一人笨拙地操縱步槍走火，打倒了自己的一個同伴時，這些農民嚇得逃跑了。馬也爾在報告中還說，彭公達和翻譯竊竊私語議論馬也爾，為自己的懦弱辯護：「他甚麼也不懂，這是個學究，書呆子……客觀條件很不好，我們不會成功的。」

17日，第一團和第三團從不同途徑撤退到瀏陽孫家墩會合。在離文家市不遠的孫家墩，毛澤東召集了前敵委員會的成員。他分析了軍事形勢，建議放棄繼續起義的計劃。余灑度不同意，堅持遵守前往長沙的計劃。19日，第一團，第三團及第二團餘部合編，組成1,500人左右的一個團。晚上在文家市里仁學校的操場上，毛澤東提議放棄攻打長沙，奪取兩省交界處幾個防禦薄弱的城鎮，讓戰士們休整幾日。余灑度仍然反對，不過這個建議得到了盧德銘的贊同。毛澤東似乎已經得知長沙取消起義的消息，湖北南部的秋收起義以失敗告終。[36]湖南有一個團的敵軍準備從瀏陽出發，江西的一個團從銅鼓向萍鄉出發追擊起義軍，「共產黨首領毛澤東」的腦袋標價五千元。

撤到山上去

事實上,接下來的幾週非常驚心動魄。不過,和他一生中的其他機遇一樣,這次敗北反而體現出毛澤東的優點。雖然失敗似乎是致命的,但是運氣和才華使他能夠好好利用失敗的機會。

20日,毛澤東在里仁學校操場上對1,500個疲憊、沮喪、受傷或生病的士兵[37]發表了慷慨激昂的演説:

> 中國革命沒有槍桿子不行。這次秋收起義,雖然受了挫折,但算不了甚麼。

> 勝敗乃兵家常事。我們的武裝鬥爭剛剛開始,萬事開頭難,幹革命就不要怕困難。我們有千千萬萬的工人和農民群眾的支持,只要我們團結一致,繼續勇敢戰鬥,勝利是一定屬我們的。我們現在力量很小,好比是一塊小石頭,蔣介石好比是一口大水缸,總有一天,我們這塊小石頭,要打破蔣介石那口大水缸!

在這段話中看出「持久戰」戰略的雛形似乎為時過早,[38]這不過是對嚴酷現實聰明的適應,為了讓一直潰敗的軍隊能夠倖存下來。大約是在此時,毛澤東寫了一首關於這次起義失敗的詞,以鼓舞士氣:

> 軍叫工農革命,
> 旗號鐮刀斧頭。
> 匡廬一帶不停留,
> 要向瀟湘直進。
> 地主重重壓迫,

農民個個同仇。

秋收時節暮雲愁，

霹靂一聲暴動。[39]

　　詞中沉重的憂慮減弱了表面上的熱忱。可能毛澤東意識到自己是軍事問題的門外漢，他自己和起義的所有領導剛剛證明了這一點。部隊之間缺乏協作，溝通不良，不能知己知彼，不善打仗，這些都導致了災難的發生。9月16日，馬也爾給中共中央提交了一份報告，9月30日刊登在《中央政治信息》上日期為9月16號，17號的兩封信抨擊了彭公達的懦弱和無能，沒有提到毛澤東的名字，還肯定起義在前兩天取得的勝利。

　　暴風雨的陰雲圍繞着詩人，説明他產生了更深層次的幻滅。九個月前，他在一篇著名的報告中頌揚的農民的革命美德，在這次起義中幾乎消失殆盡：一切還需要等待。中共中央負責調查失敗原因的領導人任弼時[40]在一篇很有説服力的文章中引用了湖南領導之一夏明翰的話：「當我們的軍隊和當地農民取得聯繫時，他們已經感覺不到北伐時同樣的熱情。大部分農民被嚇怕了，不敢動。白色恐怖的災難懸在他們頭上。」

　　這是十分出色的診斷。但是，這樣的診斷應該在毫無希望的冒險開始之前進行。

受難

　　接下來的幾天，南下撤退步步驚心：雨下個不停，道路濕滑，追兵就在身後。毛澤東的腳被草鞋的帶子割傷，戴着竹斗笠難以擋

雨，步履艱難。人們放棄傷員和病人。糧食短缺，各個鄉鎮都嚴防死守。開小差的人很多。晚上害怕敵人的偵察而不敢生火。9月25日黎明，在前往江西蓮花的路上，毛澤東得知幾天前發生了一起農民暴動，負責後防的第三團偵察不力，[41]陷入埋伏，損失了包括盧德銘在內的兩三百名士兵。當天晚上，毛澤東從當地負責人口中得知，9月18日當地起義遭到保安隊的進攻，於是決定清晨進攻蓮花縣。因為突襲和人數上的優勢，蓮花縣很快被攻克——保安隊潰逃；救出被關押的農民七十餘人，繳獲的錢和糧食分給農民，士氣大振。毛澤東聽取了一個叫朱亦岳的人的彙報，得知1927年1月當地的永新和寧岡發生過暴動。共產黨領導的起義軍得到了井崗山兩支武裝的幫助。其中一支武裝有200人，50枝槍，被稱為「農民自衛軍」，設在茅坪——一個700人的村莊裏，靠近寧岡縣。首領叫袁文才，是馬刀會成員，他和另一支佔領高地的隊伍首領王佐有聯繫。不過毛澤東1927年四五月間在武漢時已經聽說過這些「井崗山土匪」，當時他主持最後一期農民運動講習所，其中一個學員陳慕平是袁文才的左右手。

確實，袁文才不是一個普通的匪徒。[42]他出身富裕農民家庭，曾在中學讀過一年書，1927年初夏加入共產黨。他了解外面的世界，與當地客家人[43]有接觸，他的機智和政治素養——這些從他給隊伍定的名稱中可以看出一二——影響了另一個匪徒。[44]王佐是客家人，出身窮苦農民家庭，是個粗俗的文盲。他住在井崗山南的大井村一個逃跑地主的大房子裏，有三個內院，十二間屋子。為了南部贛州附近三個縣的分割問題，他與一個叫尹道一的人不合。井崗山海拔500到1,500米，密林叢生，缺少耕地，易守難攻，幾百年來

都是亡命之徒的藏身處，只有2,000居民——土匪們得擴大活動範圍到遠方尋找戰利品。

此時毛澤東隱約從江西井崗山這塊「水泊梁山」[45]中看到了出路，但是他和余灑度之間的不和使情況變得複雜起來。毛澤東作為前敵委員會書記領導隊伍，而余灑度是這支隊伍名不副實的師長。在奪取蓮花縣的當晚，余灑度召開參謀部會議，毛澤東嚴厲批評他放走了保安隊隊長，這個草率的決定威脅到大家的安全。余灑度氣急敗壞地質問他：「你怕死。你死了，我輕而易舉就能取代你！」第二天，毛澤東沒有徵求他的意見，決定每天行軍延長十幾里地，他抱怨說：「我是甚麼師長，我的權力都影響不了十里路！」毛澤東贏得了這場小小的「戰鬥」。28日，部隊朝永新三灣方向前進，這裏沒有駐軍。紅軍到達時，當地群眾以為來了土匪，逃到山裏去了，這支一千人的部隊筋疲力盡，終於可以稍事休息。

重新掌權

在三灣的五天時間裏，毛澤東重新掌權。29日晚，他主持召開中共前敵委員會擴大會議。會議決定對部隊進行整編，同時考慮大量縮編，將一個師縮編為一個團，陳浩任團長，下設兩個營，第一營和第三營，共700個人，再加上一個特務連，一個軍官隊和一個衛生隊——在一週之內，人員減少了一半。支部建在連上，營團設黨委，由毛澤東統一指揮。部隊內部實行民主制度，官長不准打罵士兵，士兵有開會說話的自由。30日，毛澤東重新召集戰士，動員說：

敵人只是在我們後面放冷槍，這有甚麼了不起？大家都是娘生的，敵人他有兩隻腳，我們也有兩隻腳。賀龍兩把菜刀起家，[46] 現在帶了一軍人。我們現在還不止兩把菜刀，我們有兩營人，還怕幹不起來嗎？你們都是起義出來的，一個可以當敵人十個，十個可以當他一百。我們現在打這樣幾百人的隊伍，還怕甚麼？沒有挫折和失敗，就不會有成功。

同一天，毛澤東寫信給袁文才和寧岡的共產黨負責人龍超清，希望得到他們的邀請前往寧岡。10月初，毛澤東通過陳慕平與袁文才取得聯繫，陳慕平曾是農民運動講習所學員，同時又是袁文才的親信。紅軍可以駐紮在離寧岡15公里的古城。袁文才贊同毛澤東的政治思想，但是對外省來的陌生人有些疑慮。10月3日，毛澤東在古城一座破爛的宮殿裏召集當地負責人，舉行前敵委員會擴大會議。會議為期兩天，討論當前的形勢，與土匪的合作以及在茅坪的部署。茅坪坐落在一個小山谷中，有一條小河，有一條沙子路經過這裏通往井崗山，共有居民700人。大家討論在茅坪建立後方留守處：一間商店，一個彈藥庫和一所後方醫院，在周圍的三個縣（湖南酃縣、寧岡和江西遂川）發展游擊隊。會議沒有決定是否長期停留，因為這需要兩位「山大王」袁文才和王佐的同意。

10月6日，毛澤東帶了少量隨員到大倉村與袁文才會面。毛澤東送給他100枝槍，而袁文才贈送了幾百塊銀元，一些糧食，允許他們在茅坪安置下來，建立一個小型野戰醫院。十天後，毛澤東派了三個共產黨幹部幫助袁文才對下屬進行政治教育。袁文才分別委任他們為連長、副連長、排長等職。10月7日，陳浩領導的團在茅

坪落腳。接下來的一個星期內，他組織了數次游擊戰。毛澤東住在
當地一個祠堂內一間朝院子的房間裏，那裏有一個奇怪的八角燈籠
塔，被他用來當作辦公桌。

與此同時，他委派何長工[47]去長沙和衡陽向湖南省委和湘南特
委報告他領導的部隊的情況，希望打聽南昌起義的後續情況並請求
上級指示。何長工歷經艱難才完成任務。鎮壓破壞了湖南省接連幾
屆黨委，黨委領導由沒有經驗的年輕人擔任。我們不清楚毛澤東是
否知道9月28日的中共中央臨時政治局會議上，當討論長江局五位
人選時，瞿秋白堅持毛澤東入選。[48]無論如何，這個決定從來沒有
實行過，因為政治局常委在羅米那茲的壓力下很快改變了態度：從
11月9日和10日的會議[49]開始，他肯定「不斷革命」的戰略，批評湖
南、湖北和廣東的失敗是因為「機會主義」。11月14日的紀律處分撤
銷了毛澤東政治局候補委員和湖南省委委員職務。[50]然而，11月底
或12月初，當何長工最終能向這些因為被追捕而四處躲藏的領導彙
報時，他們也許還沒有收到這些處分的通知。於是何長工繼續他的
任務，輾轉周折，終於在12月，在回湖南的路上發現在廣東北部附
近的村莊裏留着南昌起義的幾百人，由陳毅和朱德領導。他馬上和
這些人取得聯繫，回到茅坪後，毛澤東派他做王佐的軍事顧問。

第一塊紅色根據地

直到1928年3月初，中共湘南特委派代表周魯才到井崗山 ——
這一匪巢已經成為一塊紅色根據地 —— 帶來去年11月政治局撤銷毛
澤東的職位的決議，還有開除出黨的假消息。[51]如果這個處分傳達

及時的話，結果可能是災難性的，而當時沒有甚麼影響：1928年3月份的時候，局勢已經得到恢復幾個星期了。

1927年10月13日，被毛澤東批評的余灑度和蘇先俊藉口向省委彙報脫離了紅色革命隊伍。蘇先俊陷入埋伏造成盧德銘的犧牲，余灑度在蓮花放走了保安隊隊長，他們倆一直拒絕承認錯誤。為了消除這一事件的不良影響，10月15日毛澤東隆重舉行了六位新黨員的入黨儀式。共產黨員開始調查當地社會的組成情況，和人民群眾建立聯繫。10月中旬，毛澤東率團部、第三營、第一營一連和特務連大約三分之二的總兵力去湘贛邊界解決給養問題。10月23日凌晨在大汾鎮突遭地主武裝三四百人的襲擊，隊伍被打散。第三營往南前進，與團部失去聯繫，毛澤東率剩下的戰士撤退，艱難聚集失散人員，到達井崗山腳下。當這一小隊人馬到達荊竹山下時，王佐派人接應。10月27日，毛澤東贈送給王佐70枝槍表示感謝，王佐資助工農革命軍五百擔稻穀和一些銀元。[52]

這段插曲顯示出毛澤東還不習慣做一名戰鬥中的軍官。根據羅榮桓的回憶，[53]逃脫了10月23日致命的伏擊之後，倖存的戰士筋疲力盡，紀律鬆散。他們用手抓着泡菜、辣椒和從農民那裏買來的糧食狼吞虎嚥時，毛澤東突然站起來，讓羅榮桓「立正」，可能這重新給了逃兵們軍人的感覺。毛澤東雙腳流血，行走困難，拄着拐杖。到達山頂之後，他向部隊作動員講話：「行動聽指揮，不拿群眾一個紅薯，打土豪要歸公。」也許毛澤東永遠不會忘記這次危險的經歷和體驗到的興奮。

在和袁文才、王佐形成更加信任的關係之前，毛澤東已經能夠結束隨軍的生活。11月9日和10日，在遠方的中共中央決定剝奪他

所有的權力。這一天,他在茅坪象山庵裏召集蓮花、寧岡和永新三個縣的負責人開會:決定在井崗山建立根據地,增強黨的力量。他把根據地比作人坐下來需要的「屁股」。同時決定招收戰士,沒收土豪的土地和財產。幾天之後的 11 月 18 日,陳浩攻克了 50 公里以外的茶陵縣。毛澤東在那裏建立了工農兵政權,譚震林[54]任主席。11 月底,在寧岡創辦軍官教導隊,為 100 名學員辦了為期一個半月的學習班。毛澤東作了一場政治講座。

12 月,因為何長工的聯繫,朱德和陳毅到達江西南部的上猶地區。他們馬上派毛澤覃與毛澤東聯繫:大家準備在井崗山迎接流浪了幾個月的戰士。此時被打散的第三營終於聯繫上第一營,回到茶陵。隨着軍事力量的恢復和加強,毛澤東以前敵委員會的名義給湖南省委寫了一封信,提議由七人重組前敵委員會,包括他自己、「朱德同志、陳毅同志和袁文才同志」。

但是毛澤東面臨新的叛變威脅,這讓他想起根據地基礎薄弱。12 月下旬,國民黨湘軍第八軍和地主武裝的十幾個連進攻茶陵,陳浩的部隊與敵軍力量懸殊,本應該退回井崗山,但是他命令向南撤退,企圖投靠國民黨第十三軍。12 月 27 日,毛澤東得知這一消息,在茶陵湖口讓部隊回頭,將他們帶回寧岡礱市,將茶陵 200 名赤衛隊員編為第一團第二營,再次改編了他的隊伍。[55]

當晚召開的前敵委員會揭發了陳浩叛變投敵的行為,並下達了新的任命。會議期間,毛澤東再次證明了自己的溝通能力,講起從前井崗山有個「山大王」,同官方的兵打了幾十年交道,通過繞圈子避免接觸。毛澤東改了這句話:既要會打圈,又要會打仗,即「避實就虛」。毛澤東的游擊戰術開始露出雛形,用一句大白話說:「賺

錢就來，蝕本不幹。這就是我們的戰術。」[56]也許剛剛和毛澤東聯盟的土匪就是這麼說的。

一個革命的土匪

很多作者把這個剛剛過了34歲的毛澤東描寫成井崗山的「第三位山大王」。少年時期他熱衷於《水滸傳》英雄豪傑的故事，現在不得不打游擊，在城市裏經歷了政治失敗的毛澤東變成一位傳統的「綠林好漢」。雖然衣服又髒又打着補丁，個人衛生也叫人懷疑，但是他身上散發着自然的威嚴，其智慧和能言善辯又增強了這一點。他的風度吸引了很多人。他的頭比很多同伴的大，裸露的額頭和不整齊的厚實頭髮讓人印象深刻。他不帶武器，如果注意觀察，則能夠看到他從脫線的口袋裏拿出一本唐詩或一冊經典。因為毛澤東不願意只成為一個好打抱不平的土匪——這個叛逆的人已經成了一位革命者。

當然，他已經不是十年前去北京的湖南小學教員——感覺自己智慧超群，急切地想一展抱負。第一次的北京之行令人失望。1919年五四運動期間，對民主的渴望使他成了長沙報紙上最優秀的論戰者之一、一個傑出的民眾組織者、一個維護苦力和婦女的名流。他再也不是湖南省的一個小鄉紳、學校的負責人、社團的組織者，住在舒服的房子裏，娶一個上流社會的妻子，和當權者關係良好——如果不是提早加入中國共產黨，這一切就都可能實現。但是這位陳獨秀和李大釗的追隨者在共產黨內的生涯很快就走入了死胡同，他先是一位積極的書商，後來成為工人階級的組織者，更傾向於行會

主義而不是革命,最後為農民在解放戰鬥中沒有起到先鋒作用而感到幻滅。至於他在國民黨中的生涯,雖然更有前途,但是國民黨的反革命轉變把這樣的生涯結束了。

　　少年時他反叛父親,想脫離農民的世界。青年時他反叛孔子,想打倒令人窒息的傳統。自從國民黨轉而鎮壓人民運動,毛澤東成了一位革命者。從此以後,他曾經相信過的民主漸進的改革道路在他看來已經行不通了。也許他對革命的概念仍然是1919年時願望的延續。事實上,正如斯圖爾特・施拉姆所說,這位革命者更像是民粹主義[57]者,而不是馬克思主義者,他拒絕把城市無產階級看作先鋒,面對摧毀他價值觀的資本主義,他頌揚抱成團的農民的作用,更何況資本主義來自國外。

　　20世紀末的歷史證明民粹主義未必革命,因為通常民粹主義都伴隨着對傳統盲目的欣賞,變成沙文和排外的民族主義。這是20世紀初中國義和團的情況。1919年時,毛澤東和陳獨秀的看法[58]不同,他只看到號稱反對帝國主義的民眾運動中積極的部分。毛澤東的民粹主義在20世紀20年代初是改良主義的,當時他支持湖南的一部分精英推動湖南自治運動。在1925–1927年他變得激進,但仍然守法。國民黨軍官在城市和鄉村鎮壓民眾運動,尤其是1927年五六月在湖北和湖南的鎮壓造成了針對農民的大屠殺。這些教給他在中國,革命必須以農民為基礎,但是權力只有通過槍桿子才能獲得。從此,對毛澤東而言,革命和軍事鬥爭聯繫起來,也和一支紅色軍隊的存在息息相關。他很清楚對於一個土匪而言,即使他有時能充滿社會正義感,也是一個損害農村居民利益的捕獵者。隨着閱歷的增加,他也同樣清楚,一個將軍哪怕在口頭上自稱革命,以人民的

名義代替人民行動，更吸引他的其實是手中握有進行革命的工具。

　　毛澤東想成為一個真正的革命者，即使在1927年秋天軍事撤退最困難的時刻，也仍然注意和黨中央重新聯繫。1928年3月初，他得知黨中央對他的處分，感到很意外。[59] 很快他就建立了一個活躍的機構，能讓他對當地社會進行分析。雖然獨自遠在偏僻的山區，但他仍與自己的關係網保持聯繫，首先是家人，然後是「家鄉」、父親和母親的家鄉、長沙第一師範的同學、新民學會，以及在北京和上海遇到的知識分子。[60]

　　他在一生中遇到很多機會，他知道如何最好地利用這些機會。他堅持接觸和分析，很早便顯露出卓越的策略預見能力，這讓他能最好地適應形勢的變化。隨着當時中國共產黨和共產國際領導人的失敗，毛澤東不再相信他們的遠見卓識，正如瞿秋白所言，毛澤東成了少數能進行獨立思考的共產黨領導人之一。雖然他已經顯露出不能容忍自己競爭對手的苗頭，不過他仍帶着全然的政治天真投入勇敢戰鬥的新階段。而這種天真，他很快就會失去。

註　釋

相遇——繁體中文版序

1　Blaise Pascal, *Les pensées*, fragments 822–593, de l'Édition de Port-Royal.

2　Cicéron, *De oratore* II 15, "Ne quid falsi audeat, ne qui veri non audeat historia."

前言

1　「歷史不會撒謊，或者對真相保持沉默。」1876年古斯塔夫·莫諾（Gustave Monod）在《歷史雜誌》（*La revue historique*）創刊時將西塞羅的這句話寫在封面上。

2　20世紀70年代在讓·謝諾（Jean Chesneaux）的指導下，阿捷出版社推出了一本鴉片戰爭後中國歷史的書，此為該書第四卷的副標題。

3　張戎（Jung Chang）和喬·哈利戴（Jon Halliday）的《毛澤東：鮮為人知的故事》（*Mao: L'histoire inconnue*）於2005年在台灣和香港出版，在中國大陸通過互聯網艱難地流通。

4　該研討會題為〈歷史研究的對象毛澤東〉（"Mao objet historique"），是2007年6月在法國社會科學高等研究院（EHESS）和法國國立東方語言與文化學院（INALCO，通常被稱為「O語言」）舉行的國際研討會，由

蕭小紅和我組織。我的發言借用了同樣的題目，發表在2008年1月發行的《二十世紀》期刊上。這次發言主要受到本書的前言和我的另一篇文章〈毛澤東：在神話和歷史之間〉（"Mao: Entre mythe et histoire"）的啟發。後者收錄在賈斯汀・羅蘭（Justine Faure）和丹尼斯・福雷（Denis Rolland）的《法國之外：68個國家的歷史和歷史編纂學》（*68 hors de France: Histoire et constructions historiographiques*）一書中，於2007年由斯特拉斯堡政治學院出版。

5 我在這本書中大量參考了他們的著作。

6 逢先知第二天做了長時間的發言，主要從正面評價毛澤東，可能在他看來這樣洗清了受到的侮辱，當被問起他在「文革」中遇到的麻煩時，他將之歸因於「四人幫」。

7 Marc Bloch, *Apologie pour l'histoire ou métier d'hisorien*. Ecrit en 1942, publié en 1949, in Marc Bloch, *L'Histoire, la guerre, la résistance*, Collection Quarto, Gallimard, 2006, pp. 849–985.

8 Ismail Kadaré, *Le concert*, Paris, Arthème Fayard, 1989, pp. 26–44.

9 Li Zhisui, *La vie privée du Président Mao*, Paris, Plon, 1994, pp. 473–474.

10 在我之前，斯圖爾特・施拉姆在他的《毛澤東》一書中已經做了同樣的事，我不知道如何表達對他的崇敬之情。在1968年企鵝書店的重印版中，我們可以在第183、188、244、294、298、299、304和376頁找到毛澤東的詩詞。

11 這本偽日記所謂的翻譯版由一個叫白克豪斯（Backhouse）的人完成，古文版存放在大英博物館內。該翻譯版由海涅曼出版社在上海出版，合著者為J. O. P. 布蘭德（J. O. P. Bland），書名是《慈禧統治下的中國》（*China Under the Emperor Dowager*）。見Lo Hui-min, "The Ching-shan Diary: A Clue to Its Forgery," *East Asian History*, Canberra, June 1991, pp. 98–124. 在20世紀40年代，共產黨領袖鄧力群還引用這本書作為歷史來源。1998年該書的中文版在重慶出版，署名惲毓鼎，屬於「外傳」。

12 我們通常把外史翻譯成非官方史、傳聞史、邊緣史。張復蕊（Tchang Fou-jouei）提出翻譯成「外史」，以呼應吳敬梓的著名小說《儒林外史》，此書的法文名為*La forêt des lettrés*（《學者之林》），1976年伽利瑪出版社（Gallimard）出版。需要指出的是，在這種情況下，稱為「史」的小說是純粹的小說。

13 這種寫作風格的一個很好的例子是青野和方雷的《鄧小平在1976》(瀋
陽：春風文藝出版社，1993)。兩位歷史學家接觸到的資料來源和質量
都很高，他們引入書中的事件雖然很少提到來源，但可信度很高。

14 關於這次對毛澤東的採訪和這本暢銷書，參見本書相關章節。1965年
該書才在法國斯托克出版社(Stock)出版，名為《紅星照耀中國》。

15 Mao Tsé-toung, *Poésies complètes*, Paris, Seghers, Collection "Poètes
d'aujourd'hui," 1976. Traduction Hu-ling Nieh Engle et Paul Engle en 1973,
revue par Jean Billard, p. 71.

16 該書1973年在紐約科利爾叢書出版社(Collier Books)以口袋書的形式
出版，從未翻譯成法語。

17 1977年在華國鋒主持下出版的第五卷(1949–1957年)具有特殊的地位。

18 阿蘭‧巴迪烏(Alain Badiou)堅持在他的小冊子《文革是最後的革命
嗎？》(*La révolution culturelle: La dernière révolution?,* Les conderences du
Rouge-Gorge, 2002)中捍衛新（？）毛派的立場，在搜集文獻時特別看重
亨利‧博壽(Henry Bauchau)的書(註8，頁28)，並否認西蒙‧利思
(Simon Leys)的批評視角(註3，頁5)。這讓他能解釋毛澤東的悖論(掌
握權力的叛逆者)，革命者既是「弓箭手」又是「靶子」，偉大舵手操縱
群眾，將階級鬥爭的概念工具化，最終所有自給自足的農民和嘗試改
善生產條件的工程師變成了「要打倒的剝削者」，更別提知識分子了，
他們是「依附於反動階級的『臭老九』」。

19 相關錯誤可以參考下列文獻。Frederik Teiwes, *The China Quarterly*, no.
145, march, 1996; *The China Journal*, no. 35, January, 1996.

20 Frederik Teiwes, *Politics at Mao's Court: Gao Gang and Party Factionalism in
the Early 1950s*, M. E. Sharpe, 1990.

21 法語版，pp. 482–483.

22 該書第162頁將1927年3月上海的「黑衣殺手」説成是「共黨恐怖分子」。
這是當時非常反動的報紙《華北日報》的説辭，該報的主編將這份報紙
定義為「英國在遠東利益的捍衛者」。事實上，共產黨的工人武裝糾察
隊的行為並不總是妥當的，周恩來也曾在一份報告中抱怨此事，然
而，這些殺手是青幫僱用的，青幫是主要由杜月笙掌控的一個秘密社
團，控制鴉片貿易。杜月笙採取了渾水摸魚的慣用手法：為了恢復秩
序，「剿滅」共產黨，必須製造混亂！肖特在書中第249頁説，向忠發

被「共產黨所殺」。向忠發是斯大林強加給中國共產黨的書記，非常無能，其唯一的優點是工人階級出身。事實上，他在法租界被警察隊長菲奧里逮捕，押送到龍華，被國民黨草草審判後槍決。

23 當高華教授想從香港返回他居住的中國大陸時，海關扣押了他的書。這個奇怪的海關監管着兩個飄着同樣旗幟的地區之間的內邊界，如此行為並沒有法律依據。高華贏得了他的第一次審判，海關被要求退回沒收的書。但檢察官對判決提出上訴，高華選擇了撤回投訴。(編注：實際上並非高華，而是一位律師。律師不服一審判決維持首都機場海關沒收該書的決定，向北京市高級人民法院提起上訴。最終法院判決撤銷海關沒收《紅太陽》一書的處罰決定。)

24 毛岸青，毛澤東的兒子。毛岸青的妻子邵華和他們的兒子毛新宇在1992年出版了31卷題為《中國出了個毛澤東》的書。借着毛澤東誕辰一百週年紀念，一個叫毛岸龍的人利用其與毛澤東和楊開慧在四歲時死去的兒子同名，在內蒙古人包頭民出版社和香港世紀出版社出版了《毛澤東之子》一書，講述他按照父親的遺志過着隱居的生活，但這個騙局已經被拆穿。

25 特別是張玉鳳：《毛澤東軼事》(長沙：湖南人民出版社，1989)。

26 肌萎縮性側索硬化症。

27 Gregor Benton, *Mao Zedong and the Chinese Revolution*, London, Routledge, 2007: Chapter I, *Politique et stratégies, 1919–1949*; Chapter II, *Politique et stratégie, 1949–1976*; Chapter III, *Marxisme, théorie politique et culture*; Chapter IV, *Opinions et jugements.*

28 黎安友(Andrew Nathan)在2005年11月17日的《倫敦圖書評論》(*London Review of Books*)，史景遷(Spence Jonathan)在2005年11月的《紐約書評》(*New York Review of Books*)，潘文(John Pomfret)在2005年12月28日的《華盛頓郵報》(*Washington Post*)，班得瑞(Gregor Benton)、齊慕實(Timothy Cheek)、羅德明(Lowell Dittmer)和白傑明(Geremie Barmé)在2006年1月《中國期刊》(*The China Journal*)第55期的一篇長文中，都得出這樣的結論：張戎和喬・哈利戴的書從歷史角度看是不可靠的。

29 該文章於2005年10月8日發表在《年代》上。

30　陳永發對此作了很好的總結：Chen Yung-fa, "The Futian incident and the Anti-Bolshevik League: the 'terror' in the CCP revolution," in *Republican China*, 1994, vol. 19, no. 2, pp. 1–51. 他早就發現陝北「邊境地區」的鴉片貿易為共產黨的活動提供了重要資金。見 Chen Yung-fa, "The Blooming Poppy under the Red Sun: the Yan'an Way and the Opium Trade," in Tony Saich and Hans van de Ven ed., *New Perspectives on the Chinese Communist Revolution*, Armonk (NY), M. E. Sharpe, 1995.

31　此書的書目非常奇怪：缺少一些優秀的書籍，卻有大量沒有任何意義的書籍。

32　Stephen Averill, "The Origins of the Futian Incident," in Tony Saich and Hans van de Ven ed., *New Perspectives on the Chinese Communist Revolution*, M. E. Armonk (NY), Sharpe, 1995. 以及 "Party, Society and Local Elites in the Jiangxi Communist Movement," in *The Journal of Asian Studies*, may, 1987.

33　玄奘 (公元 600–664) 是一個偉大的探險家和語言天才。他於公元 627 年從長安 (今陝西西安) 出發，沿着絲綢之路，穿過塔里木盆地、大夏 (今阿富汗)、興都庫什的山坳，到達印度，在恆河平原生活了十年。他走訪了很多佛陀曾經到過的遺址，在著名的佛國那爛陀寺 (比哈爾邦) 學習了兩年，並獲得了一大批佛教經典文本。公元 645 年回到長安，受唐太宗之命負責將這些經文從梵文翻譯成中文。這些佛經都保存在唐高宗皇帝所建的西安大雁塔內。

34　最好的法文版是雷威安 (André Lévy) 翻譯的版本，有許多珍貴的註釋。該書 1991 年由伽利瑪出版社出版，屬於七星文庫系列，標題為《通往西方的朝聖之路》(*La périgrination à l'ouest*)。

序：長沙 (1925 年秋)

1　1924 年 12 月，毛澤東向國民黨請了病假，住在韶山。1925 年 9 月下旬，他在回廣東繼續開展國民黨活動的途中經過長沙。在寒冷的秋風中，他坐在河中心的橘子洲頭，面對着古老的城市，引起對往昔生活

的追憶，也是在這樣美麗的季節，他和意氣風發的同學們乘船到橘子洲上聚會遊賞，在江心搏擊風浪。蕭瑜覺得島上的果實成熟時，這個長長的小島看着像「浮在水面上的紅色和金色的雲」，長沙的名字就得自橘子洲──「長的沙洲」。

2　Stuart Schram, *Mao's Road to Power*, vol. 2, pp. 225–300. 他認為毛澤東此時不是老朋友蕭瑜在《我和毛澤東行乞記》中描述的野心勃勃又粗俗的樣子。見 Yu Siao, *Mao Tse-Tung and I Were beggars*, New York, Collier Books, 1959, pp. 159–164. 在這首詞中，毛澤東展現了一個投身於危險的政治活動的英雄形象。這首詞的詞牌名是〈沁園春〉，它所描述的情況、引用的「同學少年」這四個字，都讓我們想起杜甫的名詩〈秋興八首〉。年老的詩人已經到了生命的盡頭，思索自己一生坎坷，年輕時的朋友們大都獲得了世俗中的成功──「同學少年多不賤，五陵衣馬自輕肥」。此時的毛澤東年輕許多，但當他回到曾經求學的城市，將要重新開始軍旅生涯的時候，也許會自問這樣做是否明智。他本可以和蕭瑜等朋友一樣，成為一個湖南的鄉紳。但他選擇了更危險的命運，在生命結束的時候，也許也會有某種挫敗感。面對剛剛萌生的這種擔憂，毛澤東的回答顯得非常隱晦。答案在「揮斥方遒」這句詩中，尤其是最後兩個字，讓人想起道家經典《莊子》第21章〈田子方〉：戰國時魏國的一位智者邀請近乎完美的弓箭手登上高山，踏着險石，對着百仞深淵射箭。弓箭手驚懼拒絕。道家聖人説：「夫至人者，上窺青天，下潛黃泉，揮斥八極，神氣不變。今汝怵然有恂目之志，爾於中也殆矣夫！」

3　我引用的毛澤東詩詞部分來自 Guy Brossolet, *Poésies complètes de Mao Tsé-toung*, Paris, L. Herne, 1969. 一部分選自 Hua-ling Nieh Engle, Paul Engle tr., *Mao Tsé-toung: Poésies completes*, Paris, Seghers, 1973，以及 Stuart Schram, *Mao's Road to Power: Revolutionary Writings 1912–1949*, New York, M. E. Sharpe 中的英文翻譯。在巴黎第七大學的講師王曉苓的幫助下，我也參考了1957年1月發表在中文《詩刊》上的文章。王曉苓在2008年的 *Etudes chinoises* 第28期上介紹了〈詩歌構思的條件〉（"Les conditions de la gestation du poème"）和這首詩的發表引起的反響。

4　毛澤東和他的兩個弟弟澤民（1896年出生）、澤覃（1905年出生）以及收養的妹妹澤建（1905年出生）的名字裏都有一個「澤」字，它的意思是「潤

滑有光」、「帶來益處」，出自《易經》六十四卦中的第五十八卦，指「喜悅，溫柔和快樂，天人合一的時候」(《利瑪竇詞典》)。這個名是由一個風水先生在毛澤東出生三天後起的。當時，幾乎每個讀書人在青春期結束時會獲得一個「字」，它通常是老師起的，意思或寫法與出生時的名字密切相關。毛澤東曾經用過一個字叫詠芝(金沖及主編：《毛澤東傳(1983–1949)》〔北京：中央文獻出版社，1996〕，頁1，〔《金》〕)，後改為潤之，「用善行施惠」。因此，他的長沙朋友們一輩子都這樣稱呼他。

第一章　不可能的上升之路 (1910–1919)

1　關於毛澤東的青年時代，主要傳記中1893年至1921年這一階段常常有重複的資訊，其中埃德加·斯諾的《紅星照耀中國》是不可或缺的參考資料(*Snow* 1)。此外還有幾本專門關注青年毛澤東的專著：Nora Wang, *Mao: Enfance et adolescence*, Paris, Autrement, 1999 (*Wang*); Xiao Yu, *Mao Tse-tung and I Were Beggars*, Syracuse, Syracuse University Press, 1959, new edition in 1973 by Mac-Millan/Collier Books, New York (*Xiao Yu*); Siao Emi, *Mao Tse-tung: His Childhood and Youth*, Bombay, People's Publishing House, 1953; 李銳：《毛澤東同志的初期革命活動》(北京：中國青年出版社，1957)；Stuart R. Schram, *Mao's Road to Power: Revolutionary Writings, 1912–1949*, vol. 1: *The Pre-Marxist Period, 1912–1920*, New York, Sharpe, 1992; Vol. 2: *National Revolution and Social Revolution, December 1920–June 1927*, 1994 (*Mao's Road* 1 and 2).

毛澤東認石頭做乾娘的故事來自李相文的《毛澤東家史》(北京：人民出版社，1996)，頁61。毛澤東喜歡「石三伢子」這個乳名，1959年6月40年後回到韶山，村裏的老人宴請他，他開玩笑地提到「石頭奶奶」沒有來。

2　此名的意思是「韶樂之山」：傳說中舜繼承了堯的帝位，「九韶」乃舜時的樂名。韶山隸屬湖南高山區，海拔800至1,000米。湖南的丘陵位於洞庭湖以南。洞庭湖面積6,000平方公里(實際上夏季漲水時為10,000

平方公里，在寒冷的冬天只有數百平方公里）。洞庭湖以南和湘江兩岸是全省人口最多的地區，省會長沙也在那裏。湖南簡稱「湘」，全省主要城市都處於南北軸線上，通過韶關連接廣東省，通過桂林到達廣西。湘江奔流幾天後就能達到北江和珠江。在鐵路建成之前，從廣州到長沙需要15天。南部和東南部的南嶺山脈形成了其與廣東省和江西省的邊界，海拔1,600至2,000米。沿着長江往東可以到達大海，距離1,500公里。

3　中國被劃分為省、市、縣和鄉。當時全國約有2,000個縣。這是行政架構的最低級，由基層官員管理，這導致法國人把縣翻譯成子縣（sous-préfecture）或區（arrondissement）。一個縣的平均人口為20萬人左右。我更傾向於用district（縣），更合適。

4　湖南位於北緯31度，和摩洛哥阿加迪爾或西班牙加那利群島處於同一緯度。湖南的冬天相當寒冷，經常在2月和3月下雪，1月的平均溫度為攝氏3度。夏季炎熱高溫，有兩個雨季。年降水量為1,200毫米，適合大米和茶葉的生長，但只有210天可以耕作，即從3月下旬到10月下旬。因此，人們很早便開發了早熟稻和晚稻，一年兩熟。農村每年有兩個青黃不接的時期：一個是4月至5月，上一年的收成已經吃完，新的糧食還沒有收割；第二個是秋收，9月下旬到10月初，地主收取佃農一半的收成，有時甚至更多。

5　毛澤東一家每人每天吃大米平均880克。毛澤東對斯諾説：「我家吃得很節省，但總是夠飽的。每個月15號，他總是給僱工（除了一個長工，有時他會僱一到兩個短工）吃雞蛋和米飯，但從來沒給過肉。」（Snow 1, p. 111）

6　如今的韶山成了旅遊味越來越重的朝聖地，導遊會請遊客聚集在毛家屋子後面的池塘邊，然後介紹毛澤東曾給斯諾描述過的場景：有一天，他和父親發生爭吵，父親當着鄰居的面罵他是壞蛋和懶鬼，當時13歲的毛澤東跑到池塘邊，威脅要跳下去。他的父親則要求他磕頭認錯，這是孝順的標誌，但最後父親讓了步，讓他的兒子曲一膝下跪。

7　*Mao's Rood* 1, pp. 92, 317, 419-420. 1916年6月24日，毛澤東致蕭瑜（蕭子升）的信中説自己是「遊子」，他生病的母親請求他回到身邊。1919年4月28日，毛澤東寫信給七舅父、舅母和八舅父、舅母，解釋母親

病重時他不在身邊是有理由的。他補充説4月6日他趕到母親身邊，給母親服藥，母親抱怨喉嚨痛，之後一直受胃潰瘍之苦。然而，當文七妹死在長沙的醫院時，毛澤東並沒有替她送終。1975年，他在自己的生命行將結束之時，對他的護士吳旭君説：「我母親死前我對她説，我不忍心看她痛苦的樣子，我想讓她給我留下一個美好的印象，我要離開一下。母親是個通情達理的人，她同意了。」(*Mianhuai* 2, p. 663, in *Terrill* 1, p. 434)

8　毛澤東在1936年和斯諾談到父親時，突然説：「我已經學會恨他。」在這篇著名文章的中文版中，寫的是「我學了恨他」。當時的中國人聽到這樣的話，就跟西方人聽到褻瀆上帝的話一樣。

9　三綱：君為臣綱，父為子綱，夫為妻綱。

10　毛澤東的私人醫生之一李志綏在《毛澤東私人醫生回憶錄》(*Vie privée du président Mao*, Paris, Plon, 1994, p. 401)中説1962年主席經過上海時，讓人找這個給他帶來第一次性經驗的女人到他的住所來，給了她2,000元錢讓她回家，説：「她變了這麼多！」。

11　*Wang*, p. 42, 由愛德華・比奧 (Edouard Biot) 在《中國公立教育史》(*Essai sur l'histoire de l'instruction publique en Chine*, Paris, Duprat, 1867, pp. 498–499) 一書中引用：「每天孩子們學習四個字，後來是五或六個字，一天中在老師面前背誦幾次。與此同時，他們通過臨摹學會寫字。」

12　Shi Naian et Luo Guanzhong, *Au bord de l'eau*, Paris, Gallimard, Bibliothèque de la Pléiade, 2 vol., 1978, pp. 1233, 1356. 由譚霞客 (Jacques Dars) 翻譯註釋。

13　*Les Trois Royaumes*, Bulletin de la Société des études indochinoises, collection Unesco d'œuvres représentatives, série chinoise, traduction, notes et commentaires de Nghiêm Toann et Louis Ricaud, Saigon, 1960, 8 vol., pp. 440–450. 這些寫於16世紀的通俗小説被改成白話文。

14　關於毛澤東1910年至1914年的經歷，最近兩本西方著作王楓初和史景遷中使用的中文資源在日期上有較大差異。我參考的是1993年逢先知主編在北京出版的三卷本《毛澤東年譜 (1893–1949)》。

15　蕭子升 (1894–1976)，也叫蕭旭東、蕭瑜，出生於湘鄉，他與蔡和森是毛澤東在長沙湖南省立第一師範學校最好的朋友。他是李石曾的秘書，新民學會第一任會長，赴法勤工儉學的主要組織者之一。他認為

教育能救中國。加入國民黨後，他成為毛澤東堅定的敵人。見 *Mao and I Were Beggars* (*Xiao Yu*).

蕭子暲（1896–1983），也叫植蕃、天光、蕭三、埃彌・蕭（紀念讓・雅克・盧梭的《愛彌兒》）。出生於湘鄉，蕭瑜的弟弟，勤工儉學運動的成員。1919年赴法，是少數加入法國共產黨的中國人之一。曾長駐蘇聯，積極參加共產國際的活動。

16   他最喜歡吃的菜是紅燒肉，一生只吃湖南菜。

17   很多中文資料和史景遷（*Spence*, p. 25）的書中都寫道毛澤東穿着破草鞋，肩上挑着包裹走到長沙。這很浪漫，但真實性不高。蕭瑜認為毛澤東在東山的幾個月期間有了某種責任感，開始從一個破落的農民變成一個「外鄉的學生」。那麼僅僅半年後的1911年秋天，他會用微薄的軍餉請一個挑水工替他和長官挑水嗎？新軍中的同伴自己挑水，他不幹這種苦差事是因為他覺得這樣的雜役「辱沒了學生」？（*Spence*, p. 30）

18   *Wang*, pp. 61–81; Joseph Esherick, *Reform and Revolution in China: The 1911 Revolution in Hunan and Hubei*, Berkeley, University of California Press, 1976.

19   1917年京漢鐵路修到湖南北部的岳州（今岳陽）。

20   江亢虎（化名徐安成），出生於1883年，在歐洲時與無政府主義雜誌《新世紀》合作。1911年，他回到中國開始了一系列講座，宣揚工業國有化和廢除私有財產，於1912年在中國上海成立中國社會黨。毛澤東可能在這些講座的發言稿中了解了社會主義。他於1954年去世。

21   *Mao's Road* 1, pp. 5–6.

22   《史記》，約公元前100年由司馬遷所著，有十卷。前四卷由愛德華・沙畹（Edouard Chavannes）翻譯，《司馬遷歷史回憶錄》（*Mémoires historiques de Sse-ma Ts'ien*, 1re éd, Pari, 1895–1905, reed. E. Leroux, 5 vol., 1967）。雅克・班巴諾（Jacques Pimpaneau）出版了《歷史記憶：中國名人的生活》（*Mémoires historiques: Vies de Chinois illulstres*, Pairs, Picquier poche, 2002），他翻譯了其他六卷中的傳記。

23   Shang Yang, *Le livre du prince Shang*, Paris, Flammarion 1981. 讓・利維（Jean Lévi）翻譯註釋。

24   參見著名的《鹽鐵論》，它是公元前81年儒家和法家在漢昭帝面前討論

治國之道的記錄，法文版 *Dispute sur le sel et le fer* 1978 年由巴黎的朗茲曼和西格斯出版社 (Lanzmann et Seghers, Paris) 出版。

25 中國的《社會契約論》從日文版翻譯而來，而日文版則從英語版翻譯而來，有很多錯誤。

26 達爾文主義社會理論家之一，將達爾文的物種選擇、適者生存理論應用於各個國家的歷史。這樣的理論讓當時中國的未來成為難題，因為當時的中國就像一頭龐大的政治恐龍。

27 蔡元培 (1868–1940)，接受經典國學教育之後，學會了德語和法語，赴法國和德國留學。他曾任中華民國教育部部長，1913 年二次革命失敗後被袁世凱驅逐。1916 年年底任北京大學校長、哲學家，主張自由主義的意識形態，甚至可以說是自由意志論者。

28 下面幾頁我使用的毛澤東信件來自英文翻譯。*Mao's Road* 1.

29 毛澤東對第一師範的教育不熱衷。1915 年 11 月 9 日，他寫信給他的一位老師，新入職北京大學的黎錦熙：「弟在學校，依兄所教言，孳孳不敢叛，然性不好束縛，終見此非讀書之地，意志不自由，程度太低，儔侶太惡，如此等學校者，直下下之幽谷也。」受過教育的讀者能注意到此語出自《詩經》「出自幽谷」，而後面半句是「遷於喬木」。《詩經》(*Livre des odes*)，第 9 卷，頁 253，翻譯自理雅各 (J. Legge) 著名的英文版。

30 毛澤東估計他在第一師範五年中花費了 160 元 (*Snow* 1, p. 138)。

31 *Xiao Yu*, p. 38; *Wang*, p. 94.

32 *Xiao Yu*, p. 38. 蕭瑜寫得一手好毛筆字，一個方格寫兩個字，毛澤東需要兩個方格寫三個字。我們知道中國的信紙劃成格子，便於布局。蕭瑜說，隔一定的距離看去，「毛澤東的字像一堆雜草」(*Wilson*, p. 53)。

33 *Mao's Road* 1, p. 60.

34 Ibid., pp. 73–74.

35 Ibid., pp. 94–98.

36 毛澤東本人在 1920 年 6 月 23 日寫的一封信中，自己也這樣稱呼他。

37 彭德懷：《一個中國元帥的回憶錄》(北京：外文出版社，1984)，頁 19–29。彭德懷出生於 1898 年，這位元帥也是土生土長的湘潭人，在 1959 年敢於挑戰毛澤東。他是「中農」的兒子，童年非常艱辛，只讀了

兩年書。一家八口人種八畝（約0.5公頃）地。父親抽鴉片上癮生病，母親在他只有8歲的時候就去世了。彭德懷不得不和奶奶出去乞討，下煤窰做工。15歲時參加饑民鬧糧，被官府通緝，逃到洞庭湖當堤工。16歲時，入湘軍當兵。

38　我們可以參考很有名的四個人的自傳。據陳獨秀（1879–1942）寫於1937年的《實庵自傳》（由卡根〔Kagna〕翻譯，發表在1972年4–6月《中國季刊》〔*The China Quarterly*〕第50期上，1972），他出身書香門第，祖父抽鴉片壞了身體，對家人很苛刻。他在母親和當高官的哥哥的幫助下讀書，成績出眾。郭沫若（1892–1978）出版的自傳（1970年翻譯成法文由伽利瑪出版社〔Gallimard〕出版《*Autobiographie: Les années d'enfance*》）是一個「守規矩的兒子」的故事。瞿秋白（1899–1935）在1935年被國民黨處死前幾個星期寫了《多餘的話》。此書有一個有註釋的翻譯本（魯汶出版社〔Louvain〕，2005年，魯林和王曉苓翻譯）。他出身破落的知識分子家庭，母親以自殺抗議父親的無能。彭述之（1895–1983）出身地主家庭，家裏人自己也勞動，但僱用了很多人。年輕的彭述之在不識字的母親的幫助下，向父親要求到新學堂去讀書。這和毛澤東的情況非常接近。彭述之的女兒映湘、女婿卡達爾（Claude Cadart）把老人的口述翻譯成法文《彭述之回憶錄：中國共產主義的騰飛》（*Mémoires de Peng Shuzhi: L'envol du communisme en Chine*, Paris, Gallimard, 1983）。艾格尼絲‧史沫特萊（Agnes Smedley）曾對朱德進行了長時間的採訪，並寫了一本書，該書後翻譯成法文《長征：朱德元帥回憶錄》（*La longue marche: mémoires du Maréchal Chu Teh*, Presses de L'imprimerie nationale, 2 vol., 1969）。朱德的情況並不典型。朱德出生於一個貧窮的家庭，但宗族團結，允許他學習經典。他如果不是選擇成為體育教習，後來成了軍官，則可能通過科舉考試打開仕途。

39　Alain Roux et Wong Xiaoling, *Qu Qiubai, Des mots de trop*, pp. 77–78.

40　*Terrill*, p. 66, note. 根據李璜的回憶，《明報月刊》，香港，1969年6月。

41　*Mao's Road* 1, pp. 62–63. 這封信寫給一個叫「湘生」的人，意為「湖南人」。這不是一個人名，可能是一個化名，身份不明。

42　見Alain Roux, *La Chine au XXe siècle*, Paris, Armand Colin, 2001, p. 35. 1915年1月18日，日本提出「二十一條」，妄圖使中國成為日本的保護

國，5月17日下了最後通牒。袁世凱為了恢復他的帝國，不得不低頭，同時對一些要求進行了調整。

43　毛澤東一生都嘗試學習英語，但從來沒有脫離初學者的水平。1972年是他最後一次嘗試。

44　該信未寫年份。1915年「夏假後」毛澤東作「徵友啟事」，信中談及此事，故應為1915年。

45　楊昌濟（1871–1920），出生於長沙，在北京逝世。1902年至1913年留學日本（弘文學院和東京高等師範學校），1909年赴英國阿伯丁大學（蘇格蘭）繼續深造，並在那裏他取得學士文憑，然後去德國考察。受伊曼努爾・康德（Emmanuel Kant）影響成為新儒家。1915年至1916年，他在《新青年》和《甲寅雜誌》上發表文章，批評中國的家庭和傳統的婚姻，提倡女子接受教育。

46　陳昌（1894–1930），又名陳章甫，1915年畢業，1917年任小學教師，加入新民學會，後加入中國共產黨。熊光祖，出生於1886年，於1913年從師範學校畢業，成為師範學校圖書管理員，1917年被湖南高等師範學校錄取，重新加入新民學會赴法，直到1940年去世。他和蕭瑜一樣敵視中國共產黨。

47　王船山學社。王夫之（1619–1692），也被稱為王船山，船山是明亡時他隱退時用的山名。我們在毛澤東的筆記中發現（*Mao's Road* 1, p. 19）毛澤東抄了王夫之的一句話：「有豪傑而不聖賢者矣，未有聖賢而不豪傑者也。」

48　「士」，是政治家必須感受到的力量。如果符合其世界觀，他就必須儘快促成這種力量的誕生。這不是機會主義的頌詞，而是我們所說的戰略想像力。毛澤東不缺少這種東西。關於中國的這個政治概念，見François Jullien, *Traité de l'efficacité*, Grasset et Fasquelle, 1997.

49　*Mao's Road* 1, pp. 9–56.

50　Ibid., pp. 174–311. 蔡元培在1909年或1910年根據日語版將此書翻譯成中文，日語版譯自英語版，但蔡元培懂德語，查考了原文。

51　斯圖爾特・施拉姆（Stuart Schram）翻譯，巴黎，海牙綿羊出版社（Mouton Paris-La Haye）1962年出版。

52 這段話來自其關於泡爾生的課堂筆記和書上的評註。*Mao's Road* 1, pp. 9–56, 174–311.

53 *Xiao Yu*, p. 49.

54 「絕對的自私自利和完全不負責任是毛澤東世界觀的核心。」「這些在24歲清楚表達的思想成了毛澤東一生思想的核心。」(*Jung*, pp. 13–15)這種說法顯然是不正確的。

55 *Mao's Road* 1, p. 85.

56 我曾介紹過這篇文章,並將它放在《二十世紀的中國》(*La Chine au XXe siècle*)一書的開頭。巴黎,阿爾芒科林出版社(Paris, Armand Colin, Campus, 2003, pp. 146–150)。

57 *Mao's Road* 1, pp. 114–117.

58 毛澤東名字繁體的筆劃數。

59 *Mao's Road* 1, p. 250.

60 Ibid., p. 111.

61 蔡和森(1895–1931),出生於湘鄉一個沒落的鄉紳家庭。

62 *Xiao Yu*, p. 50.

63 *Snow* 1, p. 134. 毛澤東說他收到了三個半回應,半個指李立三模棱兩可的回信,毛澤東不喜歡他,我們稍後會在多個場合提到他。

64 *Mao's Road* 1, pp. 137–140.

65 譚嗣同(1865–1898),湖南人,是1898年的「戊戌六君子」之一。慈禧驅逐了康有為,軟禁光緒皇帝後下令處死譚嗣同等人。《仁學》的作者,反儒家學說,持從完全的唯物史觀出發的進化論。讚嘆太平天國,傾向於在中國成立共和國。1897年,他參加了湖南巡撫陳寶箴的改革,促進了湖南現代學堂的發展。

66 現在的嶽麓山。

67 這和後來惱人的「文化大革命」沒有關係,而是上了袁仲謙(「袁大鬍子」)的課的結果。袁仲謙考證經典,並試圖通過被扭曲或肢解的選集,找到原來的文本。我們知道毛澤東和這位老師有各種各樣的衝突,但是他給毛澤東留下了深刻的印象,1936年接受斯諾採訪時,毛澤東說:「我能寫古文,頗得力於袁吉六先生。」1952年,毛澤東為袁仲謙的墓題詞。

68　*Wang*, p. 134, 141–144.

69　Xiaohong Xiao-Planés, *Éducation et Politique en Chine: Le rôle des n et Politique en 1905–1914*, Éditions de l'École des Hautes Études en sciences sociales, 2001.

70　向警予（1895–1928），1895年出生於湖南漵浦縣，在長沙上了三年小學，後在家鄉創辦了一個女子小學。1918年回到長沙，加入新民學會，結識了蔡和森。1921年與蔡和森結為夫妻，在法國蒙達尼舉辦了著名的婚禮，其結婚照為二人捧着一本翻開的馬克思的《資本論》。

71　陶毅（1896–1931）或陶斯詠，出生在湘潭，被楊昌濟認為是湖南女子師範學校最優秀的學生之一。她是第一批新民學會的成員，1919年幫助毛澤東管理進步書店。蕭瑜確認她是毛澤東愛上楊開慧之前的初戀（*Xiao Yu*, p. 44）。她從來沒有加入共產黨。人們完全忽略了這假設的初戀。1936年毛澤東對斯諾說那個階段，他和他的朋友們「沒有時間談戀愛或『羅曼史』，他們以為在國家如此危急，如此急迫需要知識的時候，是不能討論女人或私事的」。然而，在泡爾生的《倫理學原理》這本書的批註中，我們發現一句玩世不恭的話：「食欲所以善生存，性欲所以善發達，皆根於自然之衝動」（*Mao's Road* 1, p. 256）。

72　張靜江（1876–1950），又名張人傑，出身江南絲商巨賈之家，祖籍安徽，飽讀詩書。1902年與好友李石曾（或李煜瀛，1881–1973）赴法，任駐法商務參贊一職。曾開始在國外經商，尤其是古董交易。曾和吳稚輝（1865–1953）在倫敦相遇，共同建立了一家出版社，1907年利用企業的利潤出版了《新世紀》。他的公司在歐洲和美國銷售古董、絲綢和茶葉。他是同盟會成員，後加入國民黨，是蔣介石的政治導師。生病後癱瘓，坐輪椅出席會議。滿頭白髮，消瘦的臉上有一雙洞察世事的眼睛，給他的對話者們留下深刻的印象。張靜江、李石曾、吳稚輝是無政府主義者，與蔡元培並稱為「國民黨四大元老」，是支持蔣介石的右派。這些矛盾的無政府主義者都親法，認為教育可以解放民眾，他們傾向於主張中國學生赴法勤工儉學，但他們須接受獨裁政府一段時間的監督。留學生們必須在一家工廠勞動以避免成為傳統的精英學者。

73　Marilyn Levine, *The Found Generation: Chinese Communists in Europe during the Twenties*, University of Washington Press, 1984; Nora Wang,

Émigration et politique: Les étudiants ouvriers chinois en France, 1919-1925, Paris, Les Indes savantes, 2002. 法國的吸引人之處在於1789年大革命、法國科學家（路易‧巴斯德、馬塞蘭‧貝洛特等）、空想社會主義者、反教權主義，以及高等教育的低學費等。

74　在1918年8月初寫給舅父母的信中（*Mao's Road* 1, p. 174），毛澤東談到他「乘船」前往北京，而所有的傳記都寫他乘火車去北京。京漢鐵路在1917年修到岳州北部100公里，1918年9月才建到長沙，即毛澤東此行兩到三個星期後。因此，毛澤東和他的朋友們應該是乘船到達岳州，甚至武漢，從這兩個城市中的其中一個乘火車。

75　這可能是一名鄉村醫生的診斷。毛澤東的母親開始喉嚨痛，這是某些類型結核病的晚期症狀。

76　Li Rui, *The Early Revolutionary Activities of Comrade Mao Tse-tung*, White Plains, New York, M. E. Sharpe, 1977, p. 52; *Terrill*, p. 60.

77　羅學瓚（1893-1930），湘潭人。

78　*Mao's Road* 1, pp. 172-174. 1936年，毛澤東告訴斯諾他決定去北京而不是去歐洲，因為「他不夠了解自己的國家，在中國能更好地利用他的時間」。

79　本小節的最後部分參考了 *Wang*, pp. 146-158, *Spence*, pp. 49-53 等，但主要是《金》，頁40-45。

80　李維漢（1896-1984），字羅邁，醴陵人。

81　羅學瓚1918年10月16日給祖父的信中寫道：「潤之接待了來自長沙的學生，舉辦預科班，並花了大量的精力。」《金》，頁41。

82　《金》，頁41。下文有解釋。

83　關於1919年至1930年北大學生的生活，可以參見 Yeh Wen-hsin（葉文心），*The Alienated Academy: Culture and Politics in Republican China 1919-1937*, Cambridge, Harvard University Press, 1990, pp. 7-48. 1929年，一個學生每年的預算是500元，其中糧食100元，學費100元，住房40元和「用於購買外國書」40元。自從離開長沙，毛澤東完全沒有經濟資助，只有從各處借了幾十元。

84　也許毛澤東不擅長外語對他考大學失敗也有影響，楊昌濟對此很失望。關於這個階段，英語在中國大學生學習中日益重要的作用，我們

可以從葉文心書中找到有價值的資料。學生花一半以上的時間學習英語，80%的人學不好，因為缺乏教師。但是，大學教育中很大一部分是用英語教授的。4,890位大學教授中有3,544人（1934年）掌握一門外語，90%是英語，444人是外國教師，都講英語。此外，材料經常用英文寫。在北京大學的入學考試中，英語測試是必考的。雖然它的難度一般，但毛澤東不可能通過。

85　應該指出的是，陳獨秀此時四十多歲，蔡元培五十多歲。李大釗（1889-1927）只比毛澤東年長五歲，胡適和毛澤東幾乎同齡。他們的地位高，讓毛澤東更痛苦。

86　當時北大教授每月工資200元至300元，是工人的10至20倍。

87　其中包括蕭瑜、羅章龍和蔡和森。

88　舍利塔，尼泊爾建築師於1651年建造，這座石制的聖物讓人想起達賴喇嘛來北京接受皇帝冊封。

89　胡適（1891-1962），約翰・杜威（John Dewey）在紐約哥倫比亞大學的學生，1917年獲得博士學位，他是第一個獲得美國博士學位的中國人。1917年6月回到中國，開學時被任命為北大教授。《新青年》編委，推動白話的推廣。

90　邵飄萍（1886-1926），《申報》和《時事新聞》駐北京記者，不久後創辦《京報》。生活方式奢侈，有敏銳的洞察力，彈劾軍閥，與馮玉祥結為摯友。1926年4月26日，被當時控制北京的張作霖以蘇聯間諜的名義處決。

91　從入韶山沖的私塾到1918年在長沙獲得小學教員文憑。*Wilson*, p. 77 轉引，來源：聯合出版物研究服務處61269第2部分（JPRS 61269 2e partie）。《毛澤東思想萬歲（1949-1968）》譯本，*Wan sui: Miscellany of Mao Tse-tung Thought (1949-1968)*, p. 385.

92　Arif Dirlik, *Anarchism in the Chinese Revolution*, Berkeley, University of California Press, 1991, p. 173;《金》，頁43。

93　Maurice Meisner, *Li Ta-chao and the Origins of Chinese Marxism*, Cambridge, Harvard University Press, 1976, pp. 56–70, reprint New York, Atheneum, 1979. Arif Dirlik, *The Origins of Chinese Communism*, Oxford University Press, 1989, pp. 43–52.

94　Lee Feigon, *Chen Duxiu: Founder of the Chinese Communist Party*, Princeton, Princeton University Press, 1983, pp. 137–152.

95　*Mao's Road* 1, p. 317. 1936年毛澤東接受斯諾採訪時混淆了1920年他第二次到北京和1919年第一次北京之行，請所有使用這個基礎文本的人注意。*Snow*, pp. 141–142.

96　Chow Tse-tsung, *The May Fourth Movement: Intellectual Revolution in Modern China*, Cambridge, Harvard University Press, 1960, reprint 1967, Stanford, Stanford University Press.

第二章　一個湖南的民主主義者（1919–1921）

1　在毛澤東的著作，尤其是延安時期的文章中，阿Q這個苦力形象象徵着沒有在中國歷史上留下痕跡的異化小人物。這本經典之作最好的翻譯版本是埃梅里·瓦萊特（Valette-Hémery）的譯本，1975年由巴黎第七大學（Editions Orientaliste）出版社出版。

2　關於這些事件，參見如下文獻。Lucien Bianco, *Les origines de la révolution Chinoise 1915–1949*, Paris, Gallimard, 1997[1967]; Alain Roux, *La Chine au XXe siècle*, Paris, Armand Colin, 1998; Marie-Claire Bergère, Lucien Bianco et Jürgen Domes, *La Chine au XXe siècle*, Paris, Fayard, 1989–1990, I, "D'une révolution à l'autre, 1895–1994."

3　Marie-Claire Bergère, *Sun Yat-sen*, Paris, Fayard, 1994.

4　*Mao's Road* 1, pp. 318–406. 斯圖爾特·施拉姆只翻譯了確定是毛澤東寫的文章，即其中的五分之四。該雜誌有一個完整的意大利版：喬治·曼提斯（Giorgio Mantici）翻譯 *Mao Zedong, Pensieri del fiume Xiang*, Roma, Editori Riuniti, 1981. 斯圖爾特·施拉姆翻譯註釋了毛澤東在第2、3和4期雜誌上的重要文章，題為〈民眾大聯合〉，發表在《中國季刊》（*The China Quarterly*）第49期上，1972年2–3月，頁76–106。

5　平民主義、民本主義、庶民主義和民主主義，最終採用的是民主主義，前三種表達方式可以分別翻譯為「人民的權力」、「人民大眾的權力」和「普通人的權力」。

6　經過數十天的牢獄之災，他直到9月16日才被釋放。

7　陳獨秀在1904年發表在《安徽俗話報》上的文章中用了同樣的言辭形容「女子的牢獄」。

8　劉師復（1884–1915），廣東人，中國主要的無政府主義者之一，1912年建立心社，和李石曾的進德會一樣是最有影響力的無政府主義學會。受克魯泡特金的影響，同一年他創立了無政府共產主義同志社。

9　署名申長，此文可能不是毛澤東所寫，儘管他愛好用筆名。不過，這篇文章無疑得到了他充分的肯定。

10　事實上是1897年在巡撫陳寶箴的推動下建立的，毛澤東可能想隱瞞這件事。

11　譚延闓（1880–1930），出生在杭州一個高官家庭，祖籍湖南，他是最後一批中舉、被任命為翰林的人。他仕途順利，並於1909年被推舉為湖南諮議局議長，1912年任湖南省都督，1913年敗於袁世凱，1916年再次督湘，1918年春被得到吳佩孚軍隊支持的張敬堯取代。

12　黃興（1874–1916）和孫中山一樣是1911年革命之父。1905年同盟會在日本的創辦人之一。他參加了多次反抗清朝的起義，1916年10月31日在上海逝世。1917年4月15日厚葬於長沙。

13　前額碰地面的禮拜。康熙《聖諭十六條》（1670）是一篇含有16條聖諭的文章，以儒家思想的三個基本關係為內容：君為臣綱，父為子綱，夫為妻綱。郭沫若在他的自傳中描述他在四川親眼目睹一個「灌輸場景」：集市那天，鄉紳向群眾介紹聖諭，然後由人來演示。

14　毛澤東之所以認為1917年俄國革命發生在1918年，是因為李大釗介紹俄國革命的第一篇文章寫於1918年10月。

15　彼得·克魯泡特金（Peter Kropotkin）（1842–1921），無政府主義者，贊成在自由結社的基礎上建立一個新社會。1917年回到俄國後支持克倫斯基政府，後支持布爾什維克政府，但很快就譴責其專政。1921年5月廣州慶祝五一活動有兩個獨立的遊行隊伍，一個抬着馬克思的巨幅畫像，一個抬着克魯泡特金的巨幅畫像。

16　哥老會是一個反清秘密社團，在士兵中有影響力，活躍在從四川到東海的長江流域，毛澤東並沒有提及同盟會，顯然，他把同盟會算作海外學生組織。

17　毛澤東用了一個譴責舊式起義的傳統術語，避免了「革命」這個適用於現代的詞。洪憲皇帝的名號是袁世凱企圖恢復帝制期間使用的。

18　在福建。

19　毛澤東大略提了一下。1913年，進步黨在梁啟超的領導下集合了議會中除國民黨以外的所有各方，但這個應勢而生的聯盟很快就瓦解了。

20　如果說北京的燕京大學是中國的哈佛大學，長沙的這所美國大學就是中國的耶魯大學。中國的撥款是為了賠償義和團起義期間外國人被殺和物資被破壞。

21　新郎剛失去第一任妻子，但似乎這椿婚事是兩個家庭在第一任妻子去世之前締結的，新娘被看作是妾，這讓她未來的地位更低下。

22　*Mao's Road* 1, pp. 421–449; Roxane Witke, "Mao Tse-tung, Women and Suicide," in Marilyn B., *Young Women in China: Studies in Social Change and Feminism*, Ann Arbor, University of Michigan Press, 1973, pp. 7–31; Charles Eric Rosemblaum, "The Last Lie-nü (heroine), the First Feminist: Miss Zhao's Use as An Icon during the May Fourth Period: An Analysis of the Nature of Femal Suicide in China," Senior Thesis, Department of East Asian Studies, Harvard College, 1992.

23　事實上，吳家人難以給兒子準備第三次婚禮，因為這椿婚事已經花費不小，尤其是當局迫使吳家為死去的新娘舉行體面的葬禮，他家不得不賤賣房子。至於趙家，嫁妝收不回來，又借了一大筆錢為他們的兒子娶親，不得不賣掉房子還債。這足夠讓人相信有鬼。

24　*Mao's Road* 1, pp. 407–413；《金》，頁51，註釋1。關於鄧中夏，此處寫的是鄧凱，見 Daniel Y. K. Kwan, *Marxist Intellectuals and the Chinese Labor Movement: A Study of Deng Zhongxia (1894–1933)*, Seattle, University of Washington Press, 1997 (*Kwan*).

25　發表在《湖南教育月刊》上。

26　《金》，頁54。

27　在 *Mao's Road* 1, p. 47. 可以找到名單。大部分成員是第一師範的老師、學生和新民學會會員。

28　*Wilson*, p. 92.

29　*Mao's Road* 1, pp. 457–486.

30 *Spence*, p. 59; *Mao's Road* 1, pp. 487–489.

31 關於毛澤東的試婚，參見 *Snow*, p. 165。史景遷寫毛岸英出生於 1922 年 10 月 (Spence, p. 51)。特里爾依據 1967 年 3 月香港《明報月刊》的一篇文章認為毛岸英出生在 1920–1921 年冬季 (*Terrill*, pp. 75, 499 note)。毛澤東贊成試婚，或者説贊成向警予和蔡和森的自由結合，參見 1920 年 11 月 26 日致羅璈階 (羅章龍) 的信 (*Mao's Road* 1, pp. 608–609 et note 5)。

32 *Mao's Road* 1, pp. 498–500. 在毛澤東的簽名旁有陳獨秀、張國燾和譚延闓有關係的湖南名人、新民學會的兩位主要成員、天津的回族女學生劉清揚、新加坡教師李思安。

33 *Mao's Road* 1, pp. 504–507.

34 *Kwan*, p. 19. 作者參考了張國燾的回憶錄《中國共產主義的興起》(*The Rise of Chinese Communism*, pp. 69–70) 和羅章龍的中文回憶錄。Arif Dirlik, *The Origins of Chinese Communism*, pp. 181–182. 姜濟寰 (1879–1935)，被譚延闓任命擔任長沙知事，積極支持驅逐張敬堯運動，1920 年成為湖南省財政廳廳長，並參與了毛澤東的文化書社。

35 *Mao's Road* 1, pp. 501–530.

36 6 月 11 日和 18 日發表數個聲明，23 日給一個名叫曾毅的記者寫了一封信。*Mao's Road* 1, pp. 522–530.

37 趙恒惕 (1880–1971)，湖南衡山人，畢業於東京士官學校，自 1913 年以來任譚延闓的師長，1920 年 11 月取而代之成為湖南省省長。

38 據 1959 年 4 月 20 日《工人日報》記載，李大釗在他的週刊評論中寫道：「發現一個如此高質量的期刊非常高興。」

39 《金》，頁 173。金沖及參考的是黎錦熙的回憶和 1949 年春天毛澤東在西柏坡的一次講話。1936 年，毛澤東告訴斯諾 (*Red Star*, p. 145)，他「在 1920 年夏天成為馬克思主義者」，而不是三四個月前。

40 Arif Dirlik, *The Origins of Marxism*, Chap. 3, "The October Revolution and Marxism in China: The Case of Li Dazhao," pp. 43–52. 德里克尤其建議重讀兩篇證明李大釗接受馬克思主義的文章〈我的馬克思主義觀〉，發表在 1919 年 5 月《新青年》關於馬克思主義的特刊上，以及〈階級競爭與互助〉，7 月初發表在《每週評論》上。德里克指出 5 月的特刊 9 月才印發，尤其是李大釗對馬克思主義仍有保留，所以他建議將第一篇文章

的標題改為〈我對馬克思主義的一點看法〉，李大釗和日本第一批馬克思主義者一樣，只看到馬克思主義是一種經濟達爾文主義和狹窄的意志決定論，這種決定論弱化了人在歷史上的作用。他認為階級鬥爭從史前就存在了，只有克魯泡特金建議的互助才算進入真實的歷史。

41 劉仁靜，1902年出生在湖北，李大釗馬克思主義小組的成員。後來成為中國的托洛茨基主義者，1949年歸附新政權。

42 何孟雄（1898–1931），出生於湘潭一個小康家庭，北大學生。

43 有趣的是，列寧和托洛茨基把這位馬克思主義先驅稱為「叛徒」。一年之後⋯⋯考茨基在青年毛澤東發現階級鬥爭這一主題時起了作用，柯卡普的書像是一本教科書，體現不出任何政治立場。

44 Arif Dirlik, *The Origins of Marxism*, pp. 99–103.

45 *Mao's Road* 1, pp. 518–520.

46 彭璜，毛澤東主要的朋友。

47 特里爾認為他賣了冬季的大衣買火車票（*Terrill*, p. 77）。

48 現在的蓬萊公園，蓬萊是傳説中神仙居住的地方，也是山東一座著名的道觀的名字。它還是一個歷史古跡，這在上海是很罕見的。毛澤東的奇異旅程似乎是從一個月前攀登泰山開始的。

49 《金》，頁58，1920年12月（？），毛澤東在長沙作新民學會的第一份報告。*Mao's Road* 2, pp. 18–32.

50 王楓初在1981年採訪了他。根據他的説法（*Émigration et politique: Les étudiants-ouvriers chinois en France 1919–1925*, p. 170），此時他仍對無政府主義感興趣，直到7月在蔡和森的影響下，他才選擇馬克思主義。

51 位於現在的南昌路。那裏也是《新青年》的編輯部所在地。陳獨秀剛剛在此會見了共產國際派來的吳廷康（Gregory Voitinsky），討論的結果是5月在上海建立一個共產黨的核心 —— 馬克思主義研究小組，籌建共產黨。戴季陶（1891–1949），最早對馬克思主義感興趣的中國人之一，經常參加以陳獨秀為首的共產主義小組，贊同1920年8月創建一個中國的共產黨，後來成為中國共產黨最激烈的對手之一。

52 1936年，毛澤東告訴斯諾（*Étoile rouge*, p. 143）他在北京第二次遇到了陳獨秀，他向陳獨秀提出計劃建立一個委員會，推進湖南的改革。金沖及確認並補充説：「在這次會面中自然會談到馬克思主義」（《金》，頁59–60）。

53　*Mao's Road* 1, p. 531. 在這封從長沙寄出的信中，毛澤東提到他給胡適寫
　　的第一封信沒有回應。那封信還沒有被找到。

54　斯圖爾特‧施拉姆（*Mao's Road* 1, p. 519, note 2）指的是李思安、李鳳
　　池、陳書農。金沖及（《金》，頁59）認為是彭璜和張文亮。

55　*Terrill*, p. 77. 特里爾甚至認為這種為富人和商人服務的吃力不討好的差
　　事是毛澤東對工人的條件感興趣的原因之一。

56　毛澤東在此次旅途中可能順道登上了南岳衡山，中國的五岳之一。

57　當時的教育部很大程度上參考了法國的師範學校體制，這是一個「實習
　　學校」，師範生在經驗豐富的教師帶領下上課。

58　易禮容，1898年出生於譚湘，曾在長沙技術高中就讀，是湖南省學生
　　聯合會的領導者之一。新民學會會員，和毛澤東走得很近，積極參與
　　了驅逐張敬堯的運動。他是文化書社經理和長沙湘江中學校長。

59　*Mao's Road* 1, pp. 583–592.

60　尤其是海克爾關於「進化一元論」的著作。

61　《孫文學說》，這本1918年的彙編被翻譯成英文，標題為 *The Memoirs of a
　　Chinese Revolutionary*，也被翻譯成法文。Pascal d'Elia, *Le Triple Démisme
　　de Sun Wen*, Shanghai, Bureau sinologique de Zi-ka-wei, 1930.

62　但不是《共產黨》。《共產黨》是在上海發行的理論機關報，為中國共產黨
　　的建立打下基礎，雖然在中文標題的旁邊還有英文「The Communist」，
　　但迴避了政黨的概念。

63　方維夏（1880–1936），曾留學日本，當時是第一師範的教師和學監主
　　任。

64　第一師範畢業生，1917年夏天，毛澤東和蕭瑜步行穿過湘西時去拜訪
　　過他。

65　C. C. Nieh 是聶其傑的英文發音，他又名聶雲台。

66　Chow Tse-tsung, *The May Fourth Movement: Intellectual Revolution in
　　Modem China*, Stanford, Stanford University Press, 1967; Marie-Claire
　　Bergère, *L'âge d'or de la bourgeoisie chinoise*, Paris, Flammarion, 1986.

67　《金》，頁76。

68　這段話的措辭很尷尬，作者好像不好意思介紹毛澤東是一家之主和地
　　主，這在20世紀50年代屬「黑五類」，特別在同一時間，他還是一個小
　　資本家。

69 *Mao's Road* 1, pp. 526–530. 關於爭取湖南自治的其餘資料，見同一本書（pp. 543–582）。Mac Donald Angus, "Mao Tse-tung and the Hunan Self-Government Movement 1920: An Introduction and Five Translations," *The China Quarterly*, no. 69, December 1976, pp. 751–777. 斯圖爾特・施拉姆的書和麥克唐納在文章中列出的毛澤東寫這篇文章的時間有 10 天差異。我選擇了施拉姆的日期，因為他的資料來源更直接，他是唯一可以訪問中國共產黨中央檔案館的人。

70 1920 年湖南人口。

71 熱河，和承德一樣現在是河北省的一部分。察哈爾和綏遠組成內蒙古。蒙古的邊界地區是下文要提到的外蒙古，首都烏蘭巴托市，後在蘇聯的壓力下毛澤東接受了它的獨立。

72 第一次出現在毛澤東的文章中。

73 在這個建議中能看出原始的反帝國主義的思想。毛澤東指的「外省人」包括中國北方人、英國人和日本人。

74 彭璜指的擺脫外國勢力，是批判帝國主義的開端。

75 我們確定了其中的八個人：兩名上流人士包括譚延闓的親信袁家普，還有兩名學生、兩名教師和兩名記者。

76 章炳麟（1869–1936），反清的學者，他參加了孫中山的同盟會，1918 年隱退，保護他認為受到西學威脅的傳統文化。

77 *Mao's Road* 2, pp. 40–42.

78 *Mao's Road* 1, p. 611.

79 Ibid., pp. 595–596.

80 Ibid., p. 593.

81 11 月 25 日給羅璈階的信，參見 *Mao's Road* 1, pp. 599–600. 其他信參見 pp. 603–614, 620, 622.

82 易白沙（1886–1921），第一師範的教師，他企圖在北京暗殺一名軍閥失敗，自殺抗議軍國主義，仿傚為了抗議日本政府的反華政策而自殺的陳天華（1875–1905）。

83 *Mao's Road* 2, p. 87. 端午節在 6 月初，紀念公元前 278 年詩人屈原反抗暴政，投汨羅江自殺。

84 如果想要查看這個主題的最新信息，參見如下文獻。Steve Smith, *A*

Road is Made: Communism in Shanghai 1920–1927, Richmond, Curzon Press, 2000; Hans van de Ven, *From Freud to Comrade: The Founding of the Chinese Communist Party, 1920–1927*, Berkeley, University of California Press, 1991; Tony Saich, *The Rise to Power of the Chinese Communist Party*, Armonk, M. E. Sharpe, 1996.

85 Marilyn Levine, *The Found Generation: Chinese Communists in Europe during the Twenties*, Seattle, University of Washington Press, 1993; Nora Wang, *Émigration et politique: Les étudiants-ouvriers chinois en France, 1919–1925*, Paris, Les Indes savantes, 2002; *Xiao Yu*, pp. 223–238. 我們可以在《蔡和森文集》(北京：人民出版社，1980) 中找到這封信。

86 哈欽森位於沙萊特，這是一個非常靠近蒙達尼的小鎮，特產是木底皮面套鞋。

87 關於這些年輕中國人當時對法國的看法，可以閱讀白而曼 (Genevieve Barman) 和尼克爾·杜里斯特 (Nicole Dulioust) 的〈中國鏡中的法國〉("La France au miroir chinois")，《現代》(*Les temps modemes*)，1988 年 1 月。

88 例如鄧希賢，後來叫鄧小平 (1904–1997)。這個年輕的四川人 1920 年 10 月抵達法國，很快就放棄了學業，在克勒索當冶金工人，在沙萊特當工人……和「戰爭寡婦」一樣在巴黎製作紙娃娃——後再次在布洛涅比揚古的雷諾當工人。不久，他成為一名政治活動家。

89 包括向警予和蔡和森。

90 *Mao's Road* 2, pp. 5–14.

91 *Xiao Yu*, pp. 239–250. 兩人之間的分歧是顯而易見的，然而他們之間的友誼仍然繼續，他們保持通信直到 1925 年。

92 張太雷 (1898–1927)，俄語翻譯和共產國際聯絡官，陪同共產國際代表籌備中國共產黨成立大會。

93 第一期於 1920 年 11 月 7 日出版，紀念俄國十月革命三週年。該雜誌到 1921 年 5 月共出版了七期。標題是拉丁字符和英語翻譯「The Communist」，共產黨的「黨」的概念只保留給中國讀者。

94 *Mao's Road* 1, pp. 605–609：毛澤東 1920 年 11 月 26 日致羅學瓚的信。羅學瓚 (1893–1930)，也叫羅榮熙，出生於湘潭。他是毛澤東第一師範的同班同學。最早加入新民學會的成員之一，第一批赴法學生，1921 年

11月被法國驅逐出境。中共黨員，活躍在湖南的勞工運動中。1930年，被國民黨在杭州處死。性情非常樂觀，他是新民學會赴法成員中給毛澤東寄了最多信件和明信片的人。

95　李中，1897年出生於湖南湘鄉，本名李聲澥，1913年考入第一師範，並幫助毛澤東組織舉辦在長沙的工人夜校。畢業後他見到了陳獨秀，陳鼓勵他到上海江南造船廠做鉗工，他在那裏舉辦互助小組幫助工人掃盲。1920年8月加入社會主義青年團，1920年11月21日創立上海機器工會，創辦刊物《機器工人》，第二年秋天成為最早的共產黨員之一。他積極參加1925年的五卅運動，1927年4月12日被國民黨警察逮捕，保釋後他脫離了共產黨，回到家鄉地區成為一名教師。1951年8月9日，他在洞庭湖以北的南縣因病去世，此時他正準備應毛澤東的邀請去北京。他的長子是一名解放軍戰士。參見《中國工運史辭典》中他的傳記，由北京勞動人事出版社1990年出版，頁737–738。讓・謝諾（Jean Chesneaux）提出李中是第一個成為共產黨的中國工人，並翻譯和評論了李中1920年9月20日發表在《勞動界》上的一篇文章。《勞動界》是上海共產主義小組的機關報，文章呼籲工人們在工人階級的基礎上組織起來（Jean Chesneaux, *Les syndicats chinois,1919–1927*, Mouton, Paris La-Haye 1965, pp. 108–112）。

96　1920年8月他加入社會主義青年團之後，這個團隊成為同年11月21日成立的上海機器工會的核心，工會章程由陳獨秀執筆。

97　*Mao's Road* 1, p. 594.

98　位於株洲—萍鄉鐵路線上的村莊。

99　由他的朋友何叔衡帶領。

100　*Mao's Road* 2, pp. 44–58.

101　新的門店分布為：東北方有平江、西鄉和瀏陽，西南方有武鋼，西方有寶慶（現在的邵陽）、寧鄉和漵浦，南方有衡陽，都是湖南除了長沙之外最早有共產主義活動的地方。文化書社對共產黨的支持在於為早期活動家提供了生計支持和能讓他們同時發展革命活動的社會身份。

102　*Mao's Road* 2, pp. 59–86. 這些報告的日期是1921年的夏天，是毛澤東參加中國共產黨在上海的成立大會之後撰寫的。

103 *Xiao Yu*, p. 239.

104 即五月初五端午節、七月十五中元節和八月十五中秋節。中元節，大家扔一些紙船，然後燒毀，借此幫助淹死的人、沒有被掩埋的或沒有家庭的孤魂野鬼渡過苦海。中秋節，吃月餅，進行詩歌比賽。我們可以看到這些要打破傳統的年輕人受到傳統的強烈影響。

105 是20世紀前15年在美國流行的一種無政府工團主義運動，對新移民的工人有一定的影響。

106 李大釗：〈青年與農村〉，載於《晨報》，1919年2月。由白吉爾（Marie-Claire Bergère）和張復蕊（Tchang Fou-rouei）翻譯和評論，*Sauvons la Patrie!: Le nationalisme chinois et le mouvement du 4 mai 1919*, Paris, POF, 1977, pp. 35–46.

107 熊瑾玎（1886–1973），長沙人，第一師範畢業生。他是一名教師，在文化書社工作。何叔衡的湖南通俗教育館主辦報紙，任命熊瑾玎為主編。

108 第一本書未知。第二本是司馬遷的《史記》第129卷，名為〈貨殖列傳〉。華茲生（Burton Watson）翻譯為《賺錢的人》（Money-makers），見 *Records of the Great Historians of China*, New York, Columbia University Press, 1961, XI, pp. 476–499.

109 這個建議是非常具體的。我們已經知道毛澤東想辦一個自己的棉紗廠。在2月20日的討論中，何叔衡提出新民學會成立一個印刷廠。毛澤東不同意，說這已經是文化書社的計劃，一個書社成員說自己是負責人。

110 *Mao's Road* 2, pp. 36–39.

111 此處用的是17世紀的法國學者賦予這個表述的意思。

第三章　鬥士（1921–1925）

1 關於這些激進的共產黨人，參見 Lucien Bianco et Yves Chevrier, *Dictionnaire biographique du mouvement ouvrier international: La Chine*, Paris, les Éditions ouvrières/Presses de la Fondation nationale des sciences politiques, 1985 (*Dicobio*).

關於彭湃，費爾南多·加爾維亞蒂（Fernando Galbiati）出版了一部巨著《彭湃與海陸豐蘇維埃》（*Peng P'ai and the Hai-Lu-Feng Soviet*, Stanford, Stanford University Press, 1985）。

2　Keith Schoppa, *Blood Road: The Mystery of Shen Dingyi in Revolutionary China*, Berkeley, University of California Press, 1955.

3　Hélène Carrère d'Encausse et Stuart Schram, *Le Marxisme et l'Asie, 1853–1964*, Paris, Armand Colin, "Collection U," 1965, Chap. 3, "Le IIe congrès de l'Internationale," pp. 195–222.

4　顧維鈞先與越飛（Adolph Joffe）和加拉罕（Lev Karakhan）進行了漫長的談判，直到1924年，中國才和蘇聯建立外交關係。

5　正如我們已經看到的那樣，長沙的運動將布爾什維主義和新民學會結合在一起。

6　關於中國共產黨的成立有許多文獻，但有許多問題仍然不清楚，特別是因為一大期間警察的突然檢查造成許多文件丟失，大部分保留下來的資料只有俄文版本。1980年中國社會科學院現代史研究室和中國革命博物館黨史研究室出版的《「一大」前後》中的文章大都是當事人三四十年後寫的。陳公博的文章特別令人感興趣，因為這是他1924年撰寫、1925年在哥倫比亞大學答辯的博士論文的一部分。見Ch'en Kung-po, *The Communist Movement in China: An Essay Written in 1924*, New York, Octagon Books, 1966.

自從莫斯科的共產國際檔案部分開放，俄羅斯重新整理了各國共產黨在莫斯科的檔案，發現了許多新的文獻。最近有三本書使用了這些新的文獻，分別如下。Tony Saich, *The Rise to Power of the Chinese Communist Party*, Armonk, M. E. Sharpe, 1996 (*Saich*), pp. 4–6, doc. pp. 11–27; Hans van de Ven, *From Friends to Comrades: The Founding of the Chinese Communist Party 1920–1927*, Berkeley, Berkeley University of California Press, 1991; Tony Saich, *The Origins of the First United Front in China: The Role of Sneevliet (alias Maring)*, Leiden, Brill, 1991.

7　馬林（1883–1942），亨德立克斯·斯內夫利特（Hendricus Sneevliet）的化名，別名孫鐸。他出生於荷蘭鹿特丹，是一個激進的社會主義者，在爪哇促成印度社會民主黨和當地穆斯林精英組成的伊斯蘭教聯盟（薩

拉喀特回教會）合併。作為第二共產國際的代表，他反對印度人羅易（Manabendra Roy），支持列寧的主張。他當選為共產國際的執行委員，被派到中國。後來成為托洛茨基主義者。他在荷蘭組織抵抗運動時被蓋世太保逮捕殺害。

8　《金》，頁78。陳公博很有錢，和他年輕的妻子住在東方大酒店；李漢俊住在哥哥家裏，即開會的地點。

9　貝勒路樹德里是現在的黃陂南路，望志路是用上海法租界公董局一位局長的名字起名，現在叫興業路。

10　《金》，頁78。

11　董必武和毛澤東分別於1975年4月和1976年9月在北京去世，享盡哀榮，而王盡美則於1925年8月19日在青島病逝，時年27歲，當時他領導膠濟鐵路工人地下運動。

12　1934年哈羅德‧艾薩克斯（Harold Isaacs）撰寫名著《中國革命的悲劇》（*La tragédie de la révolution chinoise*）時，劉仁靜是主要的中國合作者。

13　*Dicomo*, pp. 709–710. 包惠僧，1894年出生於湖北，張國燾形容他是一個愛講笑話的人。後來他曾以「栖梧老人」的化名發表了一些關於中國共產黨第一次代表大會的回憶文章。畢業於武漢的湖北第一師範學校，曾是《新聞報》記者，參加了五四運動。加入共產黨後，他是京漢鐵路總工會的檢查員之一。1923年2月7日吳佩孚發動「二七慘案」後，包惠僧在黃埔軍校任政治部主任，北伐期間任武漢中央軍事政治學校籌備主任。他退出中共後，1931年任國民黨武漢行營參議，後任內政部戶政司司長。1950年後中共當局任命他為該部門「研究員」。也許他是一個「地下黨員」，他重新加入國民黨是內戰初期就決定的。

14　李啟漢，1898年出生於湖南，在1925年至1926年期間，這個革命學生在香港海員大罷工和上海紗廠工人運動中特別活躍。1927年4月27日被國民黨殺害。*Dicobio* 與 Dicomo.

　　李震瀛生於天津，畢業於南開大學附屬中學，他與同學周恩來參加了五四運動。加入共產黨後，他成為京漢鐵路總工會秘書長。1927年3月與周恩來一起在上海成功組織工人起義。1929年，成為激進的「赤色工會」分子，他在莫斯科參加了國際赤色工會的各種會議。與羅章龍一起反對李立三的冒險主義，1931年作為右派被開除出黨。被捕

後不久，他公開宣布放棄革命鬥爭，成為天津一位絲綢商人的僱員。然後，我們失去了他的軌跡。*Dicobio* 與 Dicomo.

許白昊，1899 年出生於湖北應城，1921 年年底赴莫斯科出席遠東各國共產黨及民族革命團體第一次代表大會。在 1923 年 2 月的武漢工人運動和北伐時期非常活躍。從 1927 年 6 月開始，擔任中華全國總工會執行委員，從事地下工作，瞿秋白指責他犯了機會主義錯誤，將他派到基層。他在派發宣傳單時被認出而遭逮捕，1928 年 6 月 6 日被國民黨殺害。*Dicomo.*

15 張國燾在《中國共產黨的崛起》中提道：「馬林認為，東方一旦開始工人運動，就可以走上革命的道路」。Zhang Guotao, *The Rise of the Chinese Communist Party*, p. 175.

16 但在 1922 年 7 月 11 日給共產國際的報告中（斯內夫利特〔Sneevliet 別名馬林〕第 225 號檔案，文件 F1，Tony Saich, *The Origins of the First United Front in China: The Role of Sneevliet [alias Maring]*, p. 310），馬林承認上海工人的秘密社團是一個問題，以至於勞動組合書記部一直未能建立一個現代化的組織。

17 *Xiao Yu*, pp. 256–258.

18 劉仁靜：《中國共產黨第一次代表大會的回憶》，1979 年 3 月 14 日和 17 日，《一大前後》（中國社會科學院現代史研究室和中國革命博物館黨史研究室出版，1980），第二卷，頁 215。另見《金》，頁 78。

19 他似乎還說了一句，「如果他們努力，三五十年後，共產黨就能夠領導中國」。

20 Zhang Guotao, *The Rise of the Chinese Communist Party, I*, pp. 140–141; *Wilson*, p. 105; 李昂：《紅色舞台》（重慶：勝利出版社，1942），第一章，頁 8。李昂是朱其華的化名，共產黨軍事幹部，江西蘇維埃末期加入國民黨。這個李昂沒有參加中國共產黨成立大會，但自稱是第一批共產黨員，可能於 1920–1923 年在上海認識了毛澤東。

21 蘇格拉底的問話是試圖幫助他的對話者認識自己，而毛澤東則為了動搖對方、反駁對方。

22 《金》，頁 78。

23 這個明朝的名流 1644 年後拒絕投降清朝，隱退山林，以船山為筆名，

寫了著名的《春秋解説》。Anne Cheng, *Histoire de la pensée chinoise*, Paris, Le Seuil, 1997 中提到麥穆倫（Ian McMorran）、謝和耐（Jacques Gernet）和弗朗索瓦‧于連（François Jullien）關於王夫之的文章和著作（pp. 542–544）。

24 我選擇了最常用的還原性翻譯。「修」是一個儒家概念，在《論語》中聖人定義「君子」為修身治國、完善自己統治的國家的人。新儒家朱熹解釋為修己治人，完善自我，以能夠管理別人。因此，它超越了單純的教育，還包括道德和政治。施維葉（Yves Chevrier）在《毛澤東和中國革命》（*Mao et la révolution chinoise*）中建議把「自修大學」翻譯成「自學大學」（p. 57）。

25 由改革學者王光祈發起的具有民族主義傾向的團體。毛澤東受到學會秘書長、古生物學家楊鐘健的推薦。*Mao's Road* 2, p. 105.

26 *Mao's Road* 2, pp. 88–92 et 160.

27 這個詞用得很重。「閥」意味着能夠濫用權力，本意指一些名門望族在門口為表家族榮耀而立的柱子。人們用這個詞來形容軍閥或財閥。

28 *Saich*, pp. 323–324. 各省負責人對起義的批評分析都收錄在 1927 年 10 月 9 日彭湃向中共中央委員會提交的報告裏。夏明翰贊同毛澤東的態度。

29 《金》，頁 80。金沖及的這個數字包括第一師範附屬補習班畢業生。自修大學的畢業人數好像共為 24 人，是非常少的。

30 *Wilson*, p. 106 (cite Wansui, II, p. 359).

31 主要來源是彭述之的女兒程映湘、女婿卡達樂對彭述之的採訪，以及 1983 年畢仰高對彭述之的採訪。參見 *Dicobio* 中的「賀民範」詞條。斯圖爾特‧施拉姆在著作《通向權力之路》（*Mao's Road*）中忽略了這個人。

32 他們都是未來重要的中共領導人。劉少奇（1898–1969 年 11 月 12 日）的悲慘結局，他和毛澤東之間的衝突將在本書中常常提到。

任弼時（1904–1950）在延安發揮了重要作用。見第七章。

蕭勁光，出生於 1902 年，在蘇聯得到了極高水平的軍事培養，從 1950 年開始掌控中國海軍。

33 他後來成為湖南省西南地區寶慶的教育負責人。他招募共產黨員做小學學監，讓他們傳播中國共產黨的理論機關刊物《嚮導》，選擇顛覆書籍作教材，開辦書店傳播革命著作，行為舉止像傳統的「古怪」文人。

1927年的反共鎮壓中被捕，在南京被監禁五年。1933年釋放，他去探望坐牢的彭述之和陳獨秀，似乎在那時皈依佛門。然後，我們失去了他的軌跡。

34　*Snow*, p. 149. 毛澤東對斯諾説打算出席本次會議，但他忘了地址，沒有遇到任何同志做嚮導。

35　對於這份棘手的資料，我參考了托尼・塞奇的兩本書，尤其是《中國共產黨的崛起》(*The Rise to Power of the Chinese Communist Party*, pp. 11–100)。

36　關於這一點，在斯內夫利特的檔案中 (*Saich*, doc. D4, p. 229) 有一份協議草案，本來應該是孫中山統一中國後將簽署的。

37　然而，它的兩個主要的領導者蘇兆征和林為民都來自秘密社團，並沒有加入國民黨，而是於1925年加入了中國共產黨。

38　他在第二次黨代會上被驅逐出黨，因為他領導的廣州共產黨不守紀律。

39　關於這一點，參見 Harold Isaacs, "Documents on the Comintern and the Chinese Revolution," *The China Quarterly*, no. 45, January-March 1971, p. 104. 不過，馬林的回憶相當模糊：「主要參與者 (杭州中央委員會) 是陳獨秀、李大釗、張國燾和一個非常有能力的湖南學生，我忘了他的名字……」當時，毛澤東還沒有進入歷史。

40　*Saich*, pp. 214–216.

41　中文是「切實」，即「切合實際的」。

42　李立三，1899年出生於湖南，1967年在「文化大革命」期間死於獄中。毛澤東1937年對斯諾説他與李立三的友誼「從來沒有發展起來」。1921年11月因里昂事件被驅逐出法國後，1921年至1922年冬季應楊開慧的邀請，李立三到清水塘拜訪了毛澤東。根據文人的傳統，毛澤東送給他一句詩「洞庭有歸客」，李立三隨即應對「瀟湘逢故人」。事實上，李立三的口才和組織工會的能力都很強，毛澤東的口才則相對要欠缺。毛澤東很快就疏遠了他。

43　郭亮 (1901–1928)，1920年考入第一師範，新民學會成員，很有才幹，艱難地組織了粵漢鐵路北支工人工會。1927年春天，任湖南省工團聯合會主席，該組織共有350,000名成員，負責湖南—湖北—江西交界的三角地帶。1928年5月27日他被國民黨逮捕殺害，鐵路工人鳴笛哀悼。

44 《金》，頁80–81。

45 1920–1921年冬，他一直任臨時負責人。1922年6月17日經省社會主義青年團代表大會正式批准為第一責任人，李立三任助理（*Mao's Road* 2, p. 107）。

46 1965年至1969年「無產階級文化大革命」期間，毛澤東這一時期的生活被「改造」。毛澤東被證明是一個真正的工會領袖，而劉少奇和李立三篡奪了這一稱號。人們畫了很多油畫，畫面上毛澤東和工人們在一起熱情交談。於是，誕生了一個奇特的神聖形象：毛澤東穿着藍色的長袍，右臂下挎着一把舊雨傘，朝安源煤礦走去。1968年7月22日（第29期）的《人民日報》加上了綠樹如茵、太陽將要穿透雲層的背景。特里爾說這幅畫出現在1969年梵蒂岡的一次展覽中，標題是〈一位年輕的中國傳教士〉（*Terrill*, p. 88, note 2）。1991年，中共黨史資料出版社出版了兩卷《安源路礦工人運動》，共1,472頁。

47 黃愛（1897–1922）和龐人銓是長沙甲種工業學校的畢業生。1920年9月，他們成立了湖南勞工會，這是一個地方主義的社團，還沒有從行會的模式中脫離，因為它吸收公司董事、工頭、關心時事的知識分子和工人。他們信奉雜亂的無政府工團主義。見*Dicobio*。

48 *Mao's Road* 2, p. 106.

49 Lynda Shaffer, *Mao and the Workers: The Hunan Labor Movement 1920–1923*, Armonk, M. E. Sharpe, 1982; Lynda Shaffer, "Mao Zedong and the October 1922 Changsha Construction Workers' Strike: Marxism in Pre-industrial China," *Modern China*, IV, October 1978, pp. 379–418; Angus MacDonald, *The Urban Origins of Rural Revolution: Elites and Masses in Hunan Province, 1911–1927*, Berkeley, University of California University Press, 1978; Li Rui, "The Early Labor Movement in Hunan led by Comrade Mao Tse-tung," *The Early Revolutionary Activities of Mao Tse-tung*, White Plains, M. E. Sharpe, 1977, chap. 4, pp. 178–272 ——原版，（北京：人民出版社，1957）。最後，我用了1921年至1923年毛澤東在各個罷工中的講話稿，*Mao's Road* 2, pp. 106–265.

50 *Mao's Road* 2, pp. 174–177.

51 Ibid., p. 108.

52 這句話引自《詩經》，意思是和暴君殷紂一樣，任何獨裁者都會被打倒，影射趙恒惕。

53 *Mao's Road* 2, p. 111.

54 毛澤東的電報發表在9月10日、12日和14日的《大公報》上。*Mao's Road* 2, p. 121.

55 《金》，頁85–86。

56 1925年10月，安源—萍鄉工會被鎮壓，礦井被關閉。一些工會領袖和教師被槍殺，工會解散，礦工們被驅散。

57 對襟是區別於長袍的短外套，紐扣在前面。需要注意的是「文革」時期慶祝毛澤東到安源的油畫上，毛澤東穿的不是對襟而是長袍。這是畫家有意識的顧忌，還是下意識的行為？

58 *Mao's Road* 2, p. 146; Li Rui, *The Early Revolutionary Activities of Mao Tse-tung*, White Plains, M. E. Sharpe, 1977, pp. 259–273. 這一系列文章的標題是〈各工團代表與趙省長、吳政務廳長、石警察廳長、周長沙縣知事交涉的實在情形〉。這是毛澤東寫的一份報告，上面還有其他工人代表的簽名，這份報告旨在否認關於這次交涉各種有利於趙省長的傳聞。

59 毛澤東把這個聰明的戰術稱為「以子之矛，攻子之盾」。

60 1924年10月10日，趙恒惕對湖南憲法進行審查，聲稱擴大總督的權力以維持秩序。看來毛澤東的意見已經被聽進去了。

61 「極端派」這個詞也被用來翻譯「布爾什維克」。

62 「子曰：『吾十有五而志於學，三十而立』」。

63 關於這一點，陳獨秀寫了一篇文章，即發表在1923年4月25日《嚮導》上的〈資產階級的革命與革命的資產階級〉。他認為資產階級革命還沒有完成。國民黨的歷史任務是完成這項資產階級民主革命。為了達到這個目的，必須依靠被軍閥和帝國主義夾擊的革命的資產階級。無產階級沒有強大到足以依靠其自身基礎進行這場革命，但它和革命的資產階級有共同的敵人，因此可以與後者達成妥協。新民主主義革命的勝利是資產階級的勝利，但無產階級將獲得自由，將使自己更加強大。後來他的這種說法在論戰中被歸納為無產階級是革命的苦力。

64 他在非常危急的情況下被一直支持他的軍閥陳炯明驅逐。

65 Tony Saich, *The Origins of the First United Front in China: The Role of Sneevliet*

(alias Maring), doc. L, pp. 443-451. 馬林這次提到了毛澤東的名字（p. 448）。

66　項英（1898-1941），出生在武昌（湖北），是少數出身工人階層的共產黨領導人之一。他與毛澤東的關係不好。長征初期和陳毅留在江西，是1941年1月皖南新四軍事件的受害者之一。

67　指1922年5月顯然受到趙恒惕操縱的憲法選舉。

68　Tony Saich, *The Origins of the First United Front in China: The Role of Sneevliet (alias Maring)*（引用斯內夫利特〔*Sneevliet*，別名馬林〕的檔案編號277，第11和第12條）.

69　六名湖南代表和六名湖北代表投了反對票。張國燾在他的自傳中説只有17位投票者，而且陳獨秀的一票可以定乾坤。很難解釋投票者人數的差異，代表的身份很複雜：只有其中的一部分人有投票權，其他人只有諮詢，或作為觀察員參加會議的資格。斯內夫利特（即馬林）的檔案似乎最可信，因為他是那個時代的人。

70　當時稱為中央局。我更傾向於使用法國最常見的表述。

71　*Saich*, pp. 83-84.

72　*Mao's Road* 2, p. 164.

73　Ibid., p. 183. 這篇文章名為〈紙煙税：中國政府是洋大人的帳房〉。英國和美國政府抗議中國當局對進口香煙收税，英美煙草公司很容易便得到了有利的妥協。

74　Ibid., p. 184. 毛石山（毛澤東）給林伯渠的信，日期為1923年9月28日。

75　《年譜》1，頁115。

76　這件逸事通常被認為發生在1923年（*Terrill*, pp. 95-96; Robert A Bickers and Jeffrey N. Wasserstrom, "Shanghai's 'Dogs and Chinese Not Admitted' Sign: Legend, History and Contemporary Symbol," *The China Quarterly*, no. 142, June 1995, pp. 444-466.）毛澤東穿着他永恒的藍色中山裝和稻草鞋，見到一個從國外回來穿着西服的朋友，後者勸他換一身衣服。毛澤東帶他到位於外灘和蘇州河入口處的公共租界公園，指給他看「華人與狗不得入內」的牌子，他的朋友很尷尬。事實上，那裏自1913年以來有兩個標誌：「這些花園僅限外籍人士入內」和「狗或自行車不得入內」。對於中國人來説，這已經是一種恥辱了。1928年6月，這個公園

向所有人開放，只要買一張門票就可以。在1973年的一部著名的功夫電影《精武門》中，著名的李小龍在公園入口被上海巡捕房的一個印度門衛攔住，背景是穿着和服的日本人和牽着狗的歐洲人。憤怒的李小龍飛起一腳踢碎了禁止華人與狗入內的著名標誌，雖然這樣的牌子從來沒有存在過。

77　廖仲愷（1877–1925），這位偉大的資產階級革命家出生在舊金山，是同盟會和國民黨的元老，曾經在孫中山為首的廣州國民政府任財政部部長。他是積極促成國民黨和共產黨接近的人之一。1925年3月孫中山去世後，為了阻止他成為繼任者，他被不明人士暗殺。

78　《金》，頁93–94。

79　覃振（1884–1947），生於在湖南桃源的一個農民家庭，他是一位資深的反清人士，參加了1906年曾感動了年輕毛澤東的萍鄉暴動。先後啟用湖南共產黨員劉少奇和夏曦，後成為國民黨「西山會議派」的首領之一，主張驅逐共產黨。

80　林伯渠（林祖涵，1886–1960），湖南臨澧一個地主的兒子，曾學習四書五經，後去日本留學，1905年在日本加入了孫中山的同盟會。他和譚延闓一起參加了1911年革命，1921年加入中國共產黨，同時仍是孫中山和三民主義的支持者。在1923年至1924年中國共產黨和國民黨的合作中自然起到巨大的作用，作為國民黨中央執行委員會委員，他曾擔任農民部部長，副手是彭湃和毛澤東。1926年7月，他把部長職位讓給了甘乃光，成為黃埔軍校政治指導員。北伐時任第六軍政治部主任，軍長是湖南人程潛。

81　*Mao's Road* 2. 在9月28日給林伯渠的信中，毛澤東要求每月100元的撥款，用於在長沙租一個國民黨的辦公地，並和夏曦討論了在長沙建立一個國民黨分部的事宜。夏曦也是共產黨和國民黨的雙重黨員。

82　《年譜》1，頁119。

83　參見1923年11月中國共產黨各地區遞交給黨中央的報告（*Saich*, doc. A28, pp. 88–89），以及湖南和政治局遞交給黨中央的報告（doc. A27, pp. 84–86）。我認為關於湖南的情況可能是李維漢寫的。不過，史景遷（Spence, p. 89）認為報告中關於農民運動的一段是毛澤東寫的，雖然他缺席了會議，但作為中央政治局的五位成員之一，他撰寫了中國共產

黨第三次全國代表大會關於農民問題的決議。有趣的是，這一決議為衡山(湖南)和惠州(廣東)農協中共產主義青年團成員的混亂感到遺憾。每一個農協都有10,000名成員，他們極端的經濟要求引起了革命落後勢力中農的反對。

84　乘火車到漢口，坐船到南京，乘火車到上海，乘船從海路到廣州。

85　*Spence*, pp. 90–91. (全譯本) 史景遷選擇的版本是蕭永義的《毛澤東詩詞對聯輯註》(長沙：湖南文藝出版社，1991)，頁10–13。這個版本要優於施拉姆(*Mao's Road* 2, pp. 195–196)選擇的1978年9月9日發表在《人民日報》上的修訂版。唯一的區別是，毛澤東後來加上三句詞，使其在政治上正確：「憑割斷愁絲恨縷。要似昆侖崩絕壁，又恰像颱風掃環宇。重比翼，和雲翥。」

86　今威海衛路583號。這房子位於租界的中心小區。國民黨的上海總部就在不遠處的環龍路44號。

87　米哈伊爾・馬爾科維奇・鮑羅廷(Mikhail Grusenberg dit Borodine)(1884–1951)。丹尼爾・雅各布斯(Dan Jacobs)的書《鮑羅廷：斯大林派到中國的人》(*Borodin: Stalin's Man in China*, Harvard University Press, 1981)中沒有提到鮑羅廷可能跟毛澤東有什麼關係。在O・維迪米洛夫(O. Vladimirov)和V・列耶辛斯夫(V. Ryazantsev)的書《毛澤東：一個政治畫像》(*Mao Tse-tung: A Political Portrait*, Moscou, Éditions du Progrès, 1976, p. 47)中鮑羅廷說「毛澤東似乎過於自信」。事實上，毛澤東似乎不喜歡鮑羅廷自負的講話，後者意識到他並沒有說服他的對話者。同樣，毛澤東發現他青年時的英雄孫中山不接受別人批評他的思想，而且很專制。

88　毛澤東做了會議記錄，不久後該會議記錄得到出版。《中國國民黨全國代表大會會議錄》，於1971年由華盛頓哥倫比亞特區的中國研究中心再版。我們可以在*Mao's Road* 2, pp. 185–190找到翻譯。見《金》，頁95–96；Marie-Claire Bergère, *Sun Yat-sen*, pp. 369–377.

89　《金》，頁94。

90　《金》，頁97。引用羅章龍：《椿園摘記》(北京：三聯出版社，1984)，頁302。

91　謝持(1876–1939)，四川人，熟讀四書五經，約1909–1910年成為同盟

會的反清志士。因刺殺袁世凱失敗被迫流亡日本。在那裏，他與孫中山取得聯繫，1918年任廣州政府部長。他不贊成國民黨按照布爾什維克模式改組。1924年1月成為國民黨中央監察委員會的五名成員之一。他是最激烈要求驅逐共產黨的人之一。

92　署名在中文文章中以拉丁語的形式出現。張繼和謝持從《社會主義青年團日報》中找到的這篇文章，在1924年6月引起了國民黨的憤怒，但事實上這份文獻沒有説什麼。鮑羅廷6月25日認定「共產黨是『國民黨內的政黨』」，他補充説蘇聯的援助是代價（Marie-Claire Bergère, *Sun Yat-sen*, pp. 378–384）。第15號通告被翻譯成英文，收錄在 *Mao's Road* 2, pp. 215–216。下文提到的通告都是如此。

93　這就是説共產黨脱離國民黨。

94　和上海一樣，沙面島是租界不是殖民地。中方當局擁有主權，外國人可以在租界內自由定居。在中國的領土上使用護照意味着中國領土變成外國殖民地。

95　1923年9月2日至11月29日的蘇聯之行結束後，蔣介石取代了孫中山，與托洛茨基舉杯慶祝世界革命的勝利。蔣介石受到蘇聯和共產黨的指責。

96　《金》，頁98。

97　《年譜》1，頁131–132。

98　Marie-Claire Bergère, Lucien Bianco et Jurgen Domes, *La Chine au XXe siècle*, Paris, Fayard, 1989, pp. 146–160.

99　《金》，頁107–113。金沖及使用的是參與者和老農民的回憶集《湖南農民運動資料選編》。因為政治上自發的人是不存在的，我們可以把這些資料看作是可靠的：1925年毛澤東在家鄉進行的農民運動在很大程度上解釋了他1927年1月的成功，因為他在當地已經建立了一個信息網絡，召集了一些活躍分子。

100　*Wilson*, pp. 116–117;《萬歲》2，頁389。

101　因為害怕趙恒惕的警察，賀爾康在他的日記裏稱國民黨為「民校」，稱共產黨為「世校」。

102　《年譜》1，頁132–135。

103　王淑蘭是毛澤東的弟弟毛澤民的妻子，根據她的《六十年的回憶》。

第四章　選擇了這個命運（1925–1927）

1　1921年9月29日，毛澤東加入了這個學術團體（*Mao's Road* 2, p. 105）。
我們在《通向權力之路》（*Mao's Road*）中可以找到這張表格，日期是
1925年11月21日（*Mao's Road* 2, pp. 237–238）。表上注明當天收到毛澤
東從長沙寄來的表格。毛澤東填的常住地址是長沙的文化書店，最近
的地址是國民黨在廣州的總部。

2　孫中山政策的三個基本原則（三民主義）由耶穌會神父德禮賢（Paschal
M. D'elia）翻譯，白吉爾的介紹是最佳的（*Sun Yat-sen*, chap. X, pp. 400–
450）。三民主義即民族主義、民權主義、民生主義——有些大膽的人
把民生主義翻譯成社會主義。

3　*Mao's Road* 2, pp. 227–237 et 263–274. 中國共產黨的歷史學家掩蓋了毛澤
東在國民黨內起到的重要作用。由於鄧小平開始有限地「去毛澤東
化」，我們能夠更好地評估這種重要性，尤其是當一些匿名文章的作者
身份得到確認後，我們知道哪些文章出自毛澤東之手。費約翰（John
Fitzgerald）確定「毛子任」是毛澤東的化名，參見 John Fitzgerald, "Mao
in Mufti: Newly Identified Works by Mao Zedong," *The Australian Journal of
Chinese Affairs*, no. 9, janvier, 1983, pp. 1–16.

4　我翻譯為《政治週報》。

5　那一天，蔣介石聲稱一艘炮艦駛入黃埔即他的住處附近，行動可疑，
艦長是共產黨員。蔣介石當時任黃埔軍校校長，他命令軍警逮捕了中
山艦艦長，監視十幾個蘇聯顧問和包括周恩來在內的共產黨人。他懷
疑有人將他綁架到海參崴甚至要謀殺他。當時的情況現在仍然難以解
釋。蔣介石似乎巧妙地利用了共產黨和國民黨左派軍人的疏忽。事情
迅速降溫，被捕的人很快被釋放。鮑羅廷接受了遣返包括季山嘉在內
的三名蘇聯顧問的條件。當時季山嘉已經與汪精衛建立了聯繫，反對
蔣介石在國民黨內的崛起。汪精衛沒有把握好時機，被迫流亡法國，
直到1927年4月才返回中國，國民黨左派失去了他們的領袖。當然，
1926年3月20日，蔣介石發出了一個信號，包括上海大資產階級在內
的敵視共產黨的各路人馬心領神會。他已經毀滅了自己「紅色將軍」的
形象。

6　今河北省。

7　他們更傾向於在當地深化革命，尤其是怕蔣介石借助北伐擴張勢力。請注意這句話的意思，通常翻譯為「北伐」的詞，其更確切的意思是「抗擊北方人的遠征」，「伐」意味着嚴懲，以武力興師問罪。

8　斯圖爾特·施拉姆在他的《毛澤東》(*Mao Tse-tung*)一書中引用了這一篇文章，並在註解中補充劉少奇在同一時間面對同一批公眾宣布「工人拉着農民的手，帶領他們鬥爭」(《政治週報》〔*Politique hebdo*, no. 14, 5 juin, 1926〕)。劉少奇把農民看作小孩，有「意識」的工人（也就是共產黨員）要引導他們。從演講的層次來說，蔣介石似乎比劉少奇更激進。

9　*Mao's Road* 2, pp. 305–392.

10　11月27日《政治週報》上關於直系（吳佩孚）和奉系（張作霖）之間戰爭的文章；12月5日在同一期刊上發表關於宣傳問題的文章；12月4日在廣州《民國日報》上發表面向全體黨員的告示；12月，陳炯明的副手控制的惠州被收復，日報上發表了一些檄文；12月13日，關於招收147名廣東學生組成莫斯科中山大學的第一屆學生的文章；12月20日，反對葉楚傖的小冊子和上海的《民國日報》的文章。在此期間，毛澤東曾多次對香港的報界強調蔣介石不是「紅色革命者」的事實。在這一點上，事實很快證明他是對的。

11　影射海外中國人的突出作用。

12　第4期（*Mao's Road* 2, p. 330）。

13　*Mao's Road* 2, pp. 315–318.

14　*Shram*, 1968, p. 86.

15　由蘇聯的斯大林研究者完成。

16　《毛澤東選集》(*Mao Tsé-toung: Œuvres choisies*, Paris, Éditions sociales, 1955, I [1926–1937], pp. 11–22；法語版從俄語版翻譯而來，俄語版從中文1951年修訂版翻譯而來。中文修訂版頁3–11)。最初的版本在1981年再版（《黨的文獻》卷一，頁143）。斯圖爾特·施拉姆翻譯了原始版本，並將原版和1951年修訂後的版本進行了比較。*Mao's Road* 1, pp. 249–262.

17　這一段平庸的文字在1951年的修訂版中消失了。

18　位於河南的煤礦，1925年7月1日至8月9日爆發了一次重大罷工。

1922年10月，唐山開灤煤礦發生了一起煤礦工人罷工，共產黨沒有參與。參見 Jean Chesneaux, *Le mouvement ouvrier chinois de 1919 à 1927*, Paris, Éditions de l'EHESS, 1998（再版），pp. 402–403（安源鎮壓），pp. 278–280（開灤罷工），p. 390（焦作罷工）。毛澤東沒有提到安源，似乎有點不可思議，不過這反映了他在1925年工人俱樂部遭到鎮壓後的失望之情，也許他對劉少奇和李立三在1922年至1925年建立礦工俱樂部的活動持否定態度。

19　這些細節在1951年的修訂版中被刪除，只是簡單地說，這些事件「容易造成破壞性的行為」。

20　閩粵的「三合會」、湘鄂黔蜀的「哥老會」、皖豫魯等省的「大刀會」、直隸及東三省的「在理會」、上海的青幫和紅幫。Stuart Schram, "Mao Tse-tung and Secret Societies," *The China Quarterly*, no. 27, July–September, 1966.

21　Fernando Galbiatti, *Peng Pai and the Hailufeng Soviet*, Palo Alto, Stanford University Press, 1985, pp. 245–247.

22　蕭楚女（1891–1927），出生於湖北，自學成才，成為一名教師。曾積極參加五四運動，先後任湖北襄陽第二師範學校和四川瀘州師範學校教師。社會主義青年團的成員，受惲代英邀請去上海，與許多共產黨幹部一同任教於上海大學。被任命為黃埔軍校政治教官後，他在那裏結識了在廣東地區建立第一批農協的彭湃。1925年，他到達海豐。1926年1月在國民黨第二次全國代表大會期間，他加入了以毛澤東為首的宣傳部和中央執行委員會的農民部。在第六屆農民運動講習所培訓期間，他成為毛澤東主要的合作者，教授「帝國主義」、「中國民族革命運動史」和「社會問題與社會主義」三門課。他也在廣東大學（後來的中山大學）教「歐洲社會思想史」。他似乎曾試圖與毛澤東合作將農民運動講習所變成一所農民大學，不但具有良好的學術水平，而且重視理論（*Dicomo*, pp. 678–680）。

23　這段話出自加爾維亞蒂（Galbiatti），《彭湃與海陸豐蘇維埃》（*Peng Pai*, pp. 243–247）。

24　李銳的《毛澤東同志的初期革命活動》一書的序言，關於1926年9月的「農民問題叢刊」，請參見 *Mao's Road* 2, pp. 306, 386–392. 事實上，這篇文章於1926年9月21日刊登在國民黨農民部機關刊物《農民運動》第八

期上，至今還沒有找到。施拉姆採用了1927年5月下旬上海商務印書館出版的版本，附加了一封毛澤東的介紹信，信的日期為1927年5月14日。這套叢刊共四卷800頁，其中包括1926年9月後的文章，特別是1926年12月關於湖南農民運動的文章。

25　*Mao's Road* 2, pp. 301–303. 此文刊登在1926年《中國農民》卷1第1期上。

26　Benjamin Schwartz, "The Legend of the Legend of Maoism," *The China Quarterly*, no. 2, April–June, 1960.（對卡爾・魏特夫〔Karl Wittfogel〕一篇文章的回應）。

27　指畢業生。不包括講習所第七期的500名學生，第七期1927年3月在武漢開學，毛澤東再次擔任所長。因為政治局勢的惡化（Galbiati, *Peng Pai*, pp. 243–247），毛澤東不得不中斷了他的政治活動。

28　《金》，頁113–118。斯圖爾特・施拉姆在《劍橋中國史》（*Cambridge History of China*, XII, pp. 811–818）中做了出色的總結。同樣可參考如下文獻。*Schram*, 1966, pp. 72–103; *Wilson*, pp. 119–126; *Spence*, pp. 93–95; *Terrill*, pp. 105–108; *Dicomo*（彭湃、羅啟元和阮嘯仙的傳記）。

29　*Saich*, doc. A18, pp. 56–60.

30　《嚮導》，第34期，1924年8月；《新青年》，第4期，1924年。斯圖爾特・施拉姆在《毛澤東》中援引了這部分內容。

31　Pierre Broué, *La question Chinoise dans I'Internationale communiste* (*1926-1927*), Paris, Études et documentation internationales, 1976, pp. 61–83; Alexander Pantsov, *The Bolshevicks and the Chinese Revolution 1919–1927*, Richmond, Curzon Press, 2000, pp. 127–151.

32　其中85人來到湖南，在那裏他們與65名農民運動幹部會合，這些湖南籍幹部是毛澤東領導農民運動講習所之前培養的。

33　以下文字來源於《金》，頁118–120。援引的信息來源於 *Mao's Road* 2, pp. 393–410. 國民黨中央執行委員會於1926年10月的報告被吳文津在國民黨台灣檔案中發現，交給斯圖爾特・施拉姆。歷史背景參見 *CHOC* 12, pp. 575–603.

34　甘乃光（1897–1956），美國新教大學的學生，芝加哥大學的畢業生，堅定的民族主義者，曾是胡漢民的秘書。他容忍共產黨因為他們有助於將國民黨改造成一個有牢固基礎的政黨，但1927年後追隨蔣介石，因

為他認為中國革命是民族革命，不是社會革命。

譚延闓是毛澤東的舊識。

徐謙（1871-1940），科舉應試及第，負責晚清的司法系統改革。1911年後支持孫中山，祈禱袁世凱去世，如願後皈依基督教。贊同國民黨和共產黨的合作，與馮玉祥交往甚密，是北伐時期國民黨武漢臨時政府的領導人之一。被蔣介石訛病同情共產黨，但支持馮玉祥與共產黨決裂。1927年11月退出政壇，除了1934年福建事變的幾個月，一直居住在香港。

張人傑（張靜江）（1877-1950），參見前面註釋。

丁惟汾（1874-1954），出身於山東的一個書香門第，同盟會創始人之一，反對袁世凱。親近國民黨右派，反對李大釗，並領導廣州國民黨青年部。

35 侯紹裘（1896-1927），出生於松江。1923年這名大學生加入中國共產黨，上海的工人運動先驅之一，國共合作中在江蘇省建立國民黨的創始人之一。他也是反對蔣介石的國民黨領袖，1927年4月10日在南京被捕，後被殺害。

36 《中央政治通訊》，第12期，1926年11月；《金》，頁119，注釋1。引用孫科找的這四位「調解員」都是在國民黨中非常活躍的共產黨員。

37 團防局或保衛局，具有官方性質。我們把局翻譯為「民事辦公室」，但更常見的稱呼是民團。

38 *Mao's Road* 2, pp. 411–413.

39 Ibid., pp. 414–419.

40 Marie-Claire Bergère, *L'âge d'or de la bourgeoisie chinoise*, Paris, Flammarion, 1986, p. 161.

41 《1926年7月至1927年6月林伯渠日記》（中共中央出版社，1981），頁48–49。

42 《金》，頁119–120。作者此處表述有誤。郭沫若和毛澤東的第一次見面是在1926年3月23日，地點在廣州林伯渠的家裏，郭沫若將此次見面記錄在《創造十年續篇》中。

43 當時武漢是一個有二三百萬居民的大城市，長江以南是武昌，周圍環繞着高大的城牆，是政府和學術機構所在地，外國人在這裏覺得不自

在；長江以北是漢口，距離一公里，只有渡輪才能到達，是租界、主要的商業金融機構和市場的所在地；漢水（源自北方，流入長江）以西是漢陽，有中國漢冶萍公司的鐵廠和兵工廠。

44 *Saich*, doc. B22, pp. 219–223.

45 李維漢：《回憶與研究》（北京：中共黨史資料出版社，1986），卷一，頁106（引自《金》，頁122）。

46 湖南省委由李維漢領導，認為應該借助全省農民運動的不斷發展進行土地改革。

47 《金》，頁123（引自湖南博物館編：《湖南全省第一次工農代表大會日刊》（湖南：湖南人民出版社，1979再版），頁87和338–340）。

48 鮑里斯·弗里爾（Boris Freyer）。見*Jung*, p. 41, note 681，引自可查考的蘇聯檔案中1927年1月18日蘇聯代表鮑里斯·弗里爾提交給共產國際遠東辦公室的一份報告。

49 不知名的人。

50 *Rong*, p. 41（引述蘇聯代表鮑里斯·弗里爾提交給共產國際遠東辦公室的一份報告）。弗里爾認為毛澤東講話「還可以」，就是太溫和。

51 戴為國民黨湖南省黨部監察委員。

52 關於這個著名的報告，參考金沖及的書，他利用了保存在湖南博物館的海南農民運動資料（《金》，頁123–127）。我援引的報告是斯圖爾特·施拉姆書中英文版的節選（*Mao's Road* 2, pp. 429–464）。施拉姆採用了1944年至1947年出版的《毛澤東選集》第一版。我們知道1951年的版本在蘇聯列寧主義專家的影響下，加入了大量原來的文本沒有的諸如強調「工人階級領導作用」的相關語句。此外，毛澤東本人或者其近親刪除了肯定社會邊緣人的革命性的段落，並刪除了「貧民具有相對的性自由，三角或多角關係普遍存在」的評論。

53 毛澤東走過的這一圈的圓心是衡山，它海拔1,290米，中國的五岳之一。

54 《金》，頁123。

55 *Mao's Road* 2, pp. 478–483. 中文版由斯圖爾特·施拉姆在《毛澤東農村調查文集》中找到（pp. 28–34）。文章標註的日期是1927年3月，是中共中央文獻研究室出版的一本小冊子，為廣東農民運動培養幹部之用。毛澤東何時有時間進行如此細緻長久的調查？我認為可能是1927年1月

毛澤東在湘潭調查期間，這也證明了他不願意僅僅只對農協負責人進行採訪。文章中提到1926年，也許是農曆，毛澤東一生中經常使用農曆。這一年的農曆新年是2月2日，毛澤東可能將1927年1月的採訪看作1926年臘月發生的。

56　岳陽和華容在洞庭湖北部，益陽在資水尾閭，毛澤東沒有到過這些地區，所以對這些縣的情況都是聽說的。但其他三個地區，他可能看到一些處死的情形。

57　張戎揭示了毛澤東對梭鏢的迷戀，這是一種標槍，末端是雙刃匕首，是湖南農民民兵的主要武器（*Jung*, p. 43）。張戎也強調毛澤東嗜血，她認為此時毛澤東已經表現出這樣的傾向，整個一生都如此（*Jung*, p. 41）。

58　*Mao's Road* 2, pp. 425–427.

59　參見共產國際第七次代表大會通過的決議。「擔心農村階級鬥爭的惡化會削弱反帝國主義戰線是毫無根據的。因害怕中國部分資產階級的不確定性和不徹底性，而拒絕促進農業革命是錯誤的。」

60　因此1951年修訂版中刪掉了毛澤東拉伯雷式的斷言：「即使農協領導在會議上放了一個屁，也是神聖的……」

61　孔子周遊列國時，因為他具備這五種德行，總能預知這些國家的政事。這是他的弟子子貢回答子禽的提問時說的（《論語》〔*Entretiens de Confucius*, traduction Anne Cheng, I. 10. 2, Paris, Le Seuil, 1981, p. 31〕）。毛澤東受到農民鬥爭的激勵，重新找到了20歲時反儒的戰鬥精神。

62　毛澤東列舉了14件由反對迷信的教師和學生在各地領導的革命行動，他在評論第七次行動時反對破壞農神的塑像。在原則上他持同意態度，強調有朝一日要消滅這些偶像，但是應當由農民自發進行，而不是由外部強加。

63　參見毛澤東報告中農協的人員編制表，在1926年至1927年的初冬，僱農175,431人，佔所有成員總數的14.33%，農民574,407人（實際上相當於佃農），佔46.91%，因此超過一半（61.24%）的農民沒有自己的土地，如果加上180,982名有部分土地的農民（14.75%），貧民在這些農協中佔75.99%。如果我們考慮到93,962名鄉村工匠（7.67%），農協中貧困人口佔總數的83.66%，只有103,178名中農（佔總數的8.43%）加入了農協。整個中國（不包括偽滿洲國和國家周邊的殖民地）貧困農民的數量在

1945年約為68%，中農為23%。Lucien Bianco, *les Originges de la révolution chinoise, 1915-1949*, Gallimard, "Folio-Histoire," rééd. 1987 [1967], p. 164. 括號中的百分比是我計算出來的，但不是以表格中的總數1,367,726名成員為基數，而是將每一列的總數相加，合共1,263,752人為基數，因為某些縣沒有標明總勞動人口。

64 Roy Hofheinz, *The Broken Wave: The Chinese Communist Peasant Movement, 1922-1928*, Cambridge, Harvard University Press, 1977, pp. 10–136.

65 Lucien Bianco, *Peasants without the Party: Grass-roots Movements in Twentieth-Century China*, Armonk, M. E. Sharpe, 2001, pp. 25–31.

66 農協中幾乎沒有女性（女性成員1,585人，佔勞動人口的0.12%，主要集中在長沙和醴陵），這證實了農協具有傳統的特點，毛澤東舉了一個難得一見的女性參政的例子作為典型。

67 Clarence Martin Wilbur and Julie Lien-ying How, *Missionaries of Revolution: Soviets Advisers and Nationalist China, 1920-1927*, Cambridge, Harvard University Press, 1989, document 75, p. 804, point 6a. 這是1927年4月6日張作霖在蘇聯駐北京大使館繳獲的文件之一。其真實性是毋庸置疑的。此文原是中文，後翻譯成俄文，源於中國共產黨的一次政治局會議。

68 Ibid., document 76, pp. 80–809.

69 Hans van de Ven, *From Friends to Comrades*, 1991, pp. 180–198.（引自上海人民出版社出版的革命歷史資料中的一個報告。）

70 *CHOC* 12, p. 647. 縣長李賢培的報告，國民黨漢口檔案館。這篇文章顯然含有惡意，但不能忽略，因為它得到了許多當代資料的佐證。安格斯‧麥克唐納（Angus Mac Donald）根據他能夠查考的檔案，估計1927年春天湖南省約有119個「土豪劣紳」被草草處決。（《農村革命的起源》〔*The Urban Origins of the Chinese Revolution*, p. 312〕）。李立三的父親是一個鄉村教師，買了土地被判處死刑，儘管有共產黨領導的介入，仍在醴陵被處死。119這個數字並沒有引起真正的爭議，即使像蔣永敬這樣敵視共產黨的學者也沒有提出質疑（《鮑羅廷與武漢政權》〔台北：中國學術著作獎助委員會，1964，頁57-264〕）。這個數字不是個大數目，1927年5、6月起農協遭到白色恐怖造成的死亡人數百倍於此。但

處決的隨意性已經體現了這種「人民司法」的盲目和殘酷，之後的內戰中這樣的例子很多。

71　參見毛澤東〈湖南農民運動考察報告〉。

72　南湘在洞庭湖以北。

73　李立三領導了此次運動。1926 年 11 月 23 日，天津英租界的巡捕房在法租界巡捕房的幫助下逮捕了 17 名國民黨和共產黨員，其中 7 人被交給軍閥，並被槍殺。李立三借助了此事激起的極大憤慨。

74　Marie-Claire Bergère, *L'âge d'or de la bourgeoisie chinoise*, Paris, Flammarion, 1986, pp. 239–243.

75　*Mao's Road* 2, pp. 466–476.（主要引述漢口的《民國日報》）

76　瞿秋白為這本小冊子寫了熱情的序言，到 4 月初才發表。毛澤東、方志敏和彭湃在起義的農民中享有權威。這可能也是共產國際領導的意見。1927 年 5 月 27 日和 6 月 12 日，毛澤東的這份報告被翻譯成俄文和英文，先後在共產國際和各國的共產黨報刊中全文發表，包括法國的《人權報》。這是毛澤東在中國以外為人所知的第一篇文章。共產國際第八次執行委員會上，布哈林說：「有些同志已經讀過這篇感人的湖南農民運動報告，發人深思。」

77　1927 年 6 月關於土地問題的討論一直是蔣永敬研究的對象，〈鮑羅特與武漢政權〉於 1963 年 12 月在台北發表。作者查考了國民黨檔案館，尤其是國民黨第三次全國代表大會和土地委員會的報告和討論。斯圖爾特・施拉姆在《毛澤東》（*Mao Tse-tung*）一書中關於這段動盪歲月中毛澤東思想的經典介紹是基於這本書的內容。*Mao Tse-tung*, Penguin Books (Grande-Bretagne et Australie), 1966, pp. 95–103. 後來斯圖爾特・施拉姆可以親自查考這些檔案，並在《通向權力之路》中發表了這些資料的英文版，*Mao's Road* 2, pp. 466–517。這些相同文本的兩個版本存在着細微的差別，毛澤東在反共的蔣永敬筆下更加教條和宗派主義。我一如既往地選擇了斯圖爾特・施拉姆的版本。

78　鄧演達（1895-1931），出生於惠陽（位於廣東）一個一貧如洗的農民家庭，和蔣介石一樣是保定陸軍軍官學校的畢業生，曾是陳炯明的舊部，領導國民黨中央土地委員會。他深信土地改革的需要，1927 年夏天的白色恐怖期間逃到了莫斯科。返回中國後，他的目的是建立一個

第三方政黨，因為他拒絕列寧主義，但認為需要一個激進的土地改革。1931年8月17日，他被上海公共租界巡捕房逮捕，交由軍事法庭審判，1931年11月29日在南京被槍殺。

79　3月6日，蔣介石在江西贛州槍殺了一個共產黨工會領袖陳贊賢。

80　我無法鑒定陽新事件的真偽。

81　張發奎 (1896–1980)，出生於廣東省北部一個貧苦的農民家庭，進入武昌軍官學校學習，曾任孫中山的侍衛。「北伐」期間，他領導的第四軍戰士英勇善戰，贏得了「鐵軍」的稱號，堪比英國內戰期間克倫威爾的士兵。1927年春張發奎領導第四軍，支持汪精衛。

82　唐生智，1890年出生在湖南一個官宦商人家庭，受古典文化教育，完成了輝煌的軍事生涯。三十歲任旅長，反對趙恒惕成為湖南的主人，支持「北伐」以擺脫他的對手。1927年春，國民黨左派和陳獨秀把反對蔣介石的希望寄託在這個神秘的佛教徒身上。見俄國漢學家卡沙寧 (Marc Kasanin) 翻譯的 (*China in the Twenties,* russe aux éditions de Moscou, Littérature orientale, 1973, p. 228.) 甚至把他描寫成軍國主義者的典型「既是封建主義殘餘，又進行資本原始積累，把戰爭當作買賣」。蘇聯駐漢口副領事巴庫林為唐生智做了一幅生動的肖像：「他管理一些佛教的寺廟，擁有土地，與外國使團做房產買賣。他參與長沙各種工業和包括妓院在內的商業公司。他在長江上有自己的蒸汽船，在長沙有幾家旅館」。1955年，他成為湖南省副省長，1958為全國人大常務委員會成員。

83　Stuart Schram, *Mao Tse-tung*, p. 101. 一個叫彭澤湘的人要求立即沒收所有的土地進行再分配。而毛澤東在新民學會時期的朋友夏羲則認為毛澤東的建議自相矛盾，無法實施。

84　〈黃鶴樓〉，*Mao Tsé-toung,* Poésies Complètes, Paris, Seghers, 1976, p. 45. 我稍微修改了翻譯。1985年6月11日，黃鶴樓自223年建成以來第16次重建開放，《人民日報》刊登了毛澤東對此詩的評價。《金》，頁133，注釋1。傳說八仙之一呂洞賓曾騎着一隻黃鶴在此地休息，他裝扮成流浪者，此地一個小酒館的主人招待了他。

85　指九江，在長江下游。英國不得不將這塊租界還給中國當局。

86　指京漢鐵路和粵漢鐵路。在河南南部的駐馬店鐵路沿線，南方軍隊的

先鋒部隊曾與吳佩孚的軍隊數度苦戰。從軍事上講，北伐是為了控制這條中心線路上主要的棧道和鐵路樞紐的一系列戰鬥。

87　季風轉換期開始了，河流泛濫。

88　也許毛澤東對農民革命何去何從存有疑問，農民革命已經不符合他在著名報告中的期望。

89　譚平山（1887-1956），廣東一個碼頭工人的兒子，曾就讀於北京大學，在那裏他加入了同盟會。他積極支持共產黨員加入國民黨，1924年1月成為國民黨執行委員會成員，1926年11月作為共產黨代表參加了在莫斯科舉行的共產國際執行委員會第七次擴大全會，他在會上報告農民革命是中國革命的中心。他努力適度平息農民運動，使之被國民黨左派接受，無果，遂參加了南昌起義，但拒絕為當時共產國際和中國共產黨執行的冒險主義政策的失敗承擔責任。1927年11月9日，被開除出共產黨。他與鄧演達等第三黨的支持者取得聯繫。1937年重新加入國民黨，反對蔣介石，再次接近共產黨。1949年後，他作為民革副主席，在北京任多項副職。

90　斯圖爾特・施拉姆主要使用的是《毛澤東文集》卷一（頁24-45）和《毛澤東集補卷》卷九（頁233-234）。

91　北部的閘北區和南部的南市區。關於1927年上海的革命與反革命，參見我的書，《上海的罷工和政治：幻滅（1927-1932）》（*Grèves et politique à Shanghai: Les désillusions [1927-1932]*, Paris, Éditions de l'EHESS, 1995, pp. 47-69）。

92　Jaques Guillermaz, *Histoire du Parti communiste chinois*, I, p. 117; *CHOC* 12, pp. 65-66. 武漢政府和中國共產黨將這次「南京暴行」歸咎於流氓和北伐軍的逃兵，日本和蔣介石則歸咎於第四軍中的共產黨員。後來蔣介石處死了第四軍中的40名士兵。第四軍的政委是1926年11月26日與毛澤東有一面之緣的林伯渠。我同意紀業馬（Guillermaz）的觀點，看不出共產黨人採取這樣的行為有任何益處，這可能會引起他們忌憚的外國列強的軍事干預。

93　羅易（Manabendra Nath Roy，1887-1954）是孟加拉的一位婆羅門，在共產國際第二次代表大會上反對列寧關於「第三世界人民」的不合時宜的提議。在1926年12月6日的共產國際執行委員會第七次擴大全會

上，他和斯大林一同起草了關於中國問題的決議，並被派到中國，以糾正維金斯基、鮑羅廷和陳獨秀的「機會主義」錯誤。

94　還有汪精衛、譚延闓、孫中山的兒子孫科、陳公博、唐生智、鄧演達、宋子文、張發奎、朱培德（另一位將軍）與孫中山的遺孀宋慶齡。

95　這個春天，共產國際中斯大林主義者和托洛茨基主義者之間的爭辯加劇。見 Alexander Pantsow, *The Bolshevicks and the Chinese Revolution, 1919-1927*, Richmond, Curzon Press, 2000, pp. 125–160. 毛澤東不懂外語，和共產國際內相關的代表沒有任何聯繫，對於這些辯論可能只有一些模糊的概念。他對羅易的印象模糊，1936年夏天對埃德加・斯諾說羅易是個「蠢貨」，站在陳獨秀的左邊一點點，只有口頭功夫，而鮑羅廷是「冒失鬼」，站在陳獨秀右邊一點點，陳獨秀是「不自覺的叛徒」（*Snow*, p. 156）。

96　《金》，頁127。

97　這項調查是1926年進行的，根據一位當事人的回憶，1927年4月張作霖的士兵搜查蘇聯大使館的時候可能毀掉了調查報告。Vishnyakona-Akimova, *Two Years in Revolutionary China, 1925-27*, translated from Russian by Steven Levine（Cambridge, Harvard University Press, 1971, p. 222). 事實上，卡爾・魏特夫（Karl Wittfogel）1931年出版的《中國的經濟與社會》（*Wirtschaft und Gesellschaft Chinas*）中使用了一份調查報告的複印件。列福・狄留申（L. P. Delyusin）曾任蘇聯駐廣州總領事，他在《中國共產黨政策中的農民土地問題，1921-1928》（*La question paysanne et agraire dans la politique du PCC de 1921 à 1928*, Moscou, Nauka, 1972）一書中提到沃林（Volin）和約爾克（Yolk）於1927年在廣州出版的書，序言由鮑羅廷撰寫。

98　即富農的土地。毛澤東的父親僱了一個長工，毛澤東本人繼承了土地，自己不耕作，但仍是土地所有者，他們都是富農。

99　蔣永敬的版本有點不同，毛澤東還說（p. 282）：「所謂土地沒收，就是不納租，並無須別的辦法……中國土地問題的解決，應先有事實，然後再用法律去承認他就得了」。或許台北的國民黨檔案中保存的毛澤東的發言稿和他寫的文章有所不同。

100 1926年10月15日至28日在廣州召開的國民黨中央執行委員會擴大會議
     上，毛澤東已經採取了這種做法，遭到宋子文和孫科的反對。

101 蔣永敬認為 (p. 289) 這可能是國民黨土地委員會的一份補充材料，毛澤
     東是作者之一。羅易·霍夫海因茲 (Roy Hofheinz)，《破碎的浪花》(*The
     Broken Wave*) 則認為指的是另一位蘇聯專家奧斯卡·塔爾哈諾夫 (Oskar
     Tarkhanov) 的一本書，他曾在廣西做調查，4月23日向土地委員會介
     紹中國各種不同類型的土地所有權。

102 蔣永敬說毛澤東和他的研究小組在此次土地調查中寫道：「所有擁有超
     過30畝 (2公頃) 的富農，小、中、大地主，約佔總人口的13%，無一
     例外都是反革命。」(p. 289) 這些話迄今為止沒有找到原文。斯圖爾
     特·施拉姆在他的《通向權力之路》中沒有採用這些內容，但在註釋中
     做了說明。我也採取了這種保守的做法。

103 此次大會於4月15日召開，包括680名代表、620位農民和60名士兵，
     再也沒有集合過。

104 Manabendra N. Roy, *Revolution and Counter-Revolution in China*, Calcutta,
     1946.

105 6月28日，解散武漢工人糾察隊的軍官。隨後，何鍵從1929年3月至
     1937年11月一直統治湖南。他後來在台北去世。

106 21日的電報代日韻目是「馬」字，故稱這次事變為「馬日事變」。

107 選擇進攻除長沙以外更容易奪取的城市讓人覺得奇怪，因為衝突發生
     在長沙。這在一定程度上證明了一個假設，即農民運動經常被哥老會
     的成員控制。蔣永敬引用的國民黨檔案 (p. 336) 有多處強調哥老會在農
     民運動的失控中起作用。毛澤東說：「這些人〔這個秘密社會的成員滲
     透到農民協會中〕不知道共產黨，也不知道國民黨，對他們來說最重要
     的事情是殺人放火」。據蔡和森回憶，鮑羅廷曾說農協的過激行為「是
     因為農協握在暴徒和哥老會的手中，而不是由我們控制」。

108 31日，這個最新的官僚機構給毛澤東提供了一個宴請太平洋勞動會議
     代表的機會，這個會議隸屬於國際赤色工會。毛澤東提出農民運動是
     中國革命的先鋒隊 (農民「與全世界工人階級攜手前進，今天中國農民
     能得到國際無產階級領袖之指導，其有益於革命前途，實在無可限
     量」。我們看到，毛澤東很快就學會說冠冕堂皇的話了)。

109 *Mao's Road* 2, pp. 510–517. 1927年6月7日、8日、11日和15日，這些訓令發表在國民黨在漢口的《民國日報》上。

110 *Dans la tragédie de la révolution chinoise, 1925–1927*, Paris, Gallimard, 1967. 20世紀30年代哈羅德‧伊羅生（Harold Isaacs）在上海籌備他的這本書，他的書中舉了相同的事實，依據是6月12日和13日在漢口《民國日報》上發表的湖南湖北農民協會的報告。他在書中配了從愛麗絲‧何（Alice Ho）和安德烈‧勒高爾（André Le Gall）的檔案中找到的這一次農民大屠殺的照片。

111 當時共產黨約有五萬人。

112 對這封電報的回應，請參閱 *CHOC* 12, p. 657。陳獨秀認為這個建議很荒謬：「這就像在廁所洗澡」。張國燾不知道「是該笑還是該哭」。6月15日政治局的電告回復是「原則上……接受這些指示」。

113 這一時期，毛澤東的生活不為人所知。我的文章參考了金沖及的書，他使用了一些活動家後來的回憶（頁133–135），其中包括一個叫袁任遠的人。《石門南起義：星星之火可以燎原》（北京：人民文化出版社，1964），頁429。這篇文章的日期和標題標明它發表在「文革」籌備期，這讓人質疑它的內容。斯圖爾特‧施拉姆沒有採用這篇文章。不過，金沖及在他的作品中並沒有顯示出他是毛澤東的崇拜者，而且1936年毛澤東和埃德加‧斯諾的談話在一定程度上證實了這篇文章的內容（頁153）。

114 傳統俗語，指參加山上的土匪部隊，後指打游擊。

第五章　毛澤東轉入地下（1927年7月–12月）

1 中國人民革命軍事博物館編寫的供內部使用的《毛澤東軍事生涯》一書第29頁的報告將本次會議稱為中國共產黨政治局常委的一次會議——當時政治局常委並不存在。斯圖爾特‧施拉姆引用了在軍事博物館工作的孫綱一篇題為〈毛澤東上山思想的提出〉的文章中的一大段摘錄，載《黨的文獻》（北京，1988）（*Mao's Road* 3, pp. 1–9）。《金》（頁136）的說法更準確，他認為此次會議是政治局擴大會議。孫綱的文章後附着

軍事博物館的一份資料，每名與會者都用一個漢字指代 ——「仲」指仲甫，陳獨秀的字；「羅」指羅邁，李維漢的化名；「毛」指毛澤東；「和」指蔡和森；「中」指鄧中夏；「劉」指劉志勛；「周」指周恩來；「述之」指彭述之；最後是「特立」，這是張國燾的字。

2　通過上下文可以看出因為不是合法的行動，所以加入軍隊是準備叛變，和打游擊相似。

3　此山海拔1,500米，是九江和長江流域的最高峰。19世紀末英國人選擇在這裏建造酒店避暑。坐着轎夫的轎子三個小時內可到達。

4　7月27日，鮑羅廷離開武漢去（河南）鄭州。他不能通過西北方離開，如果借道上海，蔣介石或張作霖會為難他。宋子文交給他一封汪精衛寫給蘇聯當局的信，對他們的支持表示感謝，並宣布將派一位國民黨高級官員到莫斯科「澄清有關情況」。鮑羅廷到達中國西北後受到馮玉祥的熱情接待（感謝蘇聯捐贈的武器），帶領由五輛汽車和五輛卡車組成的商隊穿越戈壁沙漠。9月中旬他到達烏蘭巴托，10月6日回到莫斯科。他的妻子范婭在南京被捕，2月下旬被交付給張作霖。7月12日，被蘇聯收買的中國法官宣布她無罪釋放，這名法官事後立即逃往日本。范婭在蘇聯大使館避難一段時間後，偽裝成一個天主教修女離開北京，並在8月底返回蘇聯。請參閱丹尼爾・雅各布斯的書《鮑羅廷：斯大林派到中國的人》（*Borodin, Stalin's Man in China*, Cambridge, Harvard University Press, 1981, pp. 281–300）。

5　維薩里昂（貝索）・羅米那茲（Vissarion Lominadze）（1898–1934），格魯吉亞人，1927年7月23日抵達武漢，有些資料認為他到達武漢的時間是4月底。他因為激烈反對季諾維耶夫（Zinoviev）和托洛茨基（Trotski），贏得了斯大林的信任。用張國燾的話說，羅米那茲像「（斯大林）沙皇的檢察長」那樣，讓瞿秋白坐上了中國共產黨領導的位置，口授支持軍事起義的政策。1930年12月他被開除出蘇共中央委員會，並於1935年自殺。

6　*Saich*, pp. 291–295; *Mao's Road* 3, pp. 212–219.

7　*Mao's Road* 3, pp. 27–28. 這篇文章也出現在《毛澤東軍事文集》中，卷一，頁4–5。

8　1925年，工人革命運動的搖籃萍鄉安源煤礦被關閉。成千上萬的礦工

失業。有些被招入軍隊，大部分人參加了影響該地區的群眾革命運動。

9　南昌的各個部隊集合後，起義者的總數達到了二萬一千人。

10　Roy Hofheinz, "The Autumm Harvest Insurrection," *The China Quarterly*, no. 32, 1967, pp. 42–46. 這篇過時的文章最大的優點在於第一次挑戰了這次起義中的「毛澤東神話」，這個神話起源於 1936 年毛澤東本人對埃德加．斯諾講述的經過加工的故事。*Snow*, pp. 138–142.

11　*Mao's Road* 3, pp. 29–42.

12　Ibid., p. 51.

13　*Saich*, pp. 319–321.

14　馬也爾（中文名馬科夫）是蘇聯駐長沙領事，他也代表了共產國際。

15　《年譜》，頁 209。

16　綠林朋友，通常指「仗義的土匪」。參見譚震林：《回憶井崗山鬥爭時期》（北京：中共黨史出版社，1987），卷二，頁 10。

17　我寫這一小節的時候使用了之前已經提到的毛澤東的傳記，尤其是金沖及和肖特寫的傳記。還有一些特殊的資料：Pack Hyobom, *Documents of the Chinese Communist Party, 1927–1930: 89 Documents Selected from Chung-yang Tung-hsun (Zhongyang Tongxun)*, Hong Kong, U. R. I., 1971 (*Pack*)。這本書的第 87–111 頁是 8 月 19 日至 9 月 4 日毛澤東領導的湖南省委和武漢黨中央之間的信件來往，還有三封馬也爾（馬科夫）寫給黨中央的信。彭公達提交給中國共產黨中央委員會關於 1927 年 10 月 9 日秋收起義的報告來自 *Saich*（document C8, pp. 322–331）。1929 年 7 月由潘心源起草的毛澤東 9 月初抵達安源的報告來自 *Mao's Road* 3——引述中國共產黨中央委員會的內部檔案《秋收起義》和 1982 年在北京重新出版的中央委員會的文件，其中包括金沖及曾大量參考的各種檔案的影印本（《金》，頁 136–157）。最後，由於從 1927 年 9 月初到 1928 年 4 月沒有任何關於毛澤東的文件，既沒有講話，也沒有文章或報告，我大量查考了逄先知主編的《毛澤東年譜》卷一（頁 222–244）——其中搜集了各種回憶錄中的內容、1951 年中國共產黨中央委員會的調查、四部寫於 1979 年和 1987 年之間的關於井崗山革命的內部專題歷史資料。

18　《年譜》1，頁 209。

19 他的老師的故居被稱為板倉楊寓，位於清泰鄉，似乎是一個舒適的屋子。

20 《年譜》1，頁209。

21 張戎援引未公開的羅章龍的回憶錄和1960年對一些當事人的採訪，認為此次會議應該是在蘇聯領事館召開的(*Mao the Unknown Story*, p. 53)。

22 1927年10月9日，彭公達提交給中央一份關於秋收起義的報告，介紹了省委主要領導人之間的討論(*Saich*, doc. C8, pp. 322–331)。最主要的分歧是土地問題。毛澤東主張中間路線，徵用所有大小地主的土地，共產黨的官方立場是只沒收大地主的土地，而極端路線主張沒收全體土地，所有者的土地。毛澤東與這五位家鄉農民的談話讓他最終提出激進的方案。

23 *Pack*, pp. 87–89. 中央和毛澤東之間的其他信件在第91–101頁。

24 不知名的人。《年譜》1，頁212–213。

25 在斯大林和托洛茨基的衝突正處於白熱化階段時，馬也爾對於毛澤東提出的路線有這樣的評論似乎令人懷疑，尤其是關於「蘇維埃」這樣一個敏感的問題。可能是翻譯的原因，因為除了馬也爾，所有與會者都只會說一種語言，尤其是湖南話的發音讓最好的語言學家都摸不着頭腦。

26 長沙、湘潭、寧鄉、瀏陽、平江、岳州(今岳陽)和安源。毛澤東組織萍鄉安源煤礦罷工和1926年冬撰寫著名的〈湖南農民運動考察報告〉時曾訪問過這些地區。

27 毛澤東想到的是國民黨第六軍的兩個團，其隊伍中有許多共產黨員，兵變可能成功，但不久之前它們仍在福建邊界。6日，毛澤東說他不知道這些部隊到哪裏去了。信息交流不便是那個時代的標誌之一。只有政府當局有莫爾斯電報機。第一次世界大戰無線電在西歐用於軍事目的，之後在美國用於民用，但在中國的使用還非常有限——20世紀30年代後半期它才在大城市流行起來。在湖南，只有長沙市中心區域才有能運行收音機的電力供應。叛亂分子只有通訊員，他們依賴步行、初期的鐵路網絡和路況糟糕的公路。

28 1929年7月2日，潘心源寫了一份關於毛澤東抵達安源的報告，這是記

錄毛澤東在那幾個至關重要的星期內有關活動的少數資料之一（*Mao's Road* 3）。斯圖爾特·施拉姆根據《毛澤東集》（IX，第323頁）翻譯而來。1977年，湖南人民出版社編寫的《秋收起義》第121頁也有這份報告的一個版本。

29　參見*Short*標有三個「紅色」團的位置的地圖（p. 185）。

30　第一團的歷史被共產黨的歷史學家金沖及和逄先知重新詮釋過，本書中的版本參考了上文引述的霍夫海因茲刊登在《中國季刊》（*The China Quarterly*）上的一篇文章。它的主要來源是一個叫鐵心（化名）的目擊者寫的一篇文章，題為〈毛澤東落草井崗山〉，台灣雜誌《社會新聞：現代史料》（卷三，頁232–252）。

31　這個情節仍然沒有得到證實。各位傳記作者採用的唯一來源是1936年毛澤東在陝北接受埃德加·斯諾採訪時說的話。*Snow*, 1965, pp. 139-140. 1979年12月，北京出版了這本書的中文版，全文引用了毛澤東的這一段自述。《毛澤東年譜》第217頁和金沖及的《毛澤東傳記》第148-149頁也是如此。可能考慮到一個證人不足以證明一個歷史事實——張戎和喬·哈利戴在《毛澤東：鮮為人知的故事》中沒有參考這段自述。他們認為毛澤東沒有去安源，更沒有去銅鼓，而是在9月初離開長沙，去瀏陽以東40公里的文家寺山上避難，通過計謀掌控了起義部隊（p. 54），打消了他們去長沙的念頭（pp. 54–57）。事實上，在那個時期，毛澤東本來計劃掌握自己的軍隊以奪取政權。大多時候，作者們在著作中使用全新的資源，展示自己的博學是出於論戰而不是科學的目的。1936年，還沒有形成毛澤東崇拜，他還不是最高領導者。在我看來，毛澤東不可能編造這個情節，冒著眾多政治反對派的證人可能會拆穿它的風險。不過，如同這本自傳的其他部分一樣，他可能會美化事實，並給自己塑造一個「綠林好漢」的英雄形象。他可能只是買通了逮捕他的士兵。我們注意到他對斯諾說一個富有的同志給了他幾十元錢，他逃脫後只剩七塊錢。我們可以推測，少掉的二三十元錢用於讓押送他的人對他睜一隻眼閉一隻眼。

32　只有《年譜》記載了毛澤東到達銅鼓指揮起義隊伍的時間是10日。我們對此表示懷疑，他能夠在一天一夜之內走50公里崎嶇不平的山路嗎？而且有一段沒有穿鞋子。同時清鄉隊四處搜索他，他可能要繞路或躲

避一陣。當時的見證人之一，後來的羅榮桓將軍在一篇文章中寫道，毛澤東在政治上指揮秋收起義，使它成為「中國革命歷史的轉折點」，但他是在起義爆發後到達的，也許是11日或12日，甚至13日。因此他遇到起義部隊的時候，最早的行動已經失敗了。羅榮桓這篇描寫紅軍創建初期的文章1958年7月31日刊登在《人民日報》上，1962年8月3日再次刊登在《北京消息》上。

33　這是官方傳記中又一處奇怪的地方。因為在盧德銘去武漢前，師長余灑度是他的助手。不久余灑度就叛變投奔國民黨，而盧德銘在一次戰鬥中犧牲，成為革命烈士。因為助手的叛變而被撤職顯得有些異乎尋常。

34　鐵心，根據台灣的資料，事件發生在15日。馬也爾在9月16日關於秋收起義失敗的報告中，提到這是一出「鬧劇」，因為「慘重的損失」只不過是60個農民和10枝槍——只有恐懼可以解釋為甚麼1,300枝槍面對130枝槍會失敗。而且第二天起義者佔領了瀏陽，證實起義沒有真正失敗。馬也爾認為伏擊發生在9月14日，他想說明造成將要成功的行動功虧一簣的是彭公達和當地領導的懦弱。9月15日這些人決定放棄起義的時候，一切都在好轉。事實上，這個自以為是的專家混淆了萍鄉和平江，以為瀏陽是平江以北50公里的一個小鎮。

35　《年譜》，頁218。

36　Hofheinz, *The China Quarterly*, pp. 51–57. 起義者只有幾百人，在建立了一個以羅亦農為首的特殊委員會後，他們的活動僅限於湖北南部武漢—長沙鐵路沿線。這個委員會無法與湖南起義者合作，認為湖南人自私。8日，起義者和當地土匪協同襲擊了位於咸寧和蒲圻之間的中夥鋪火車站的軍運列車，繳獲紙幣3.4萬、銀元86塊和一些武器。雖然得到了800個農民的支持，但起義者進攻有一個團把守的蒲圻縣未克，後進攻咸寧也失敗了。於是，起義者退往由參與劫車的土匪控制的新田。但是這些土匪覺得分贓時吃了虧，朝共產黨領導人開火。過去曾受邀巡視土匪武器倉的共產黨人不得不逃走。這個事情發生在15日或16日，就像《水滸傳》現代版的續集。18日，湖北的起義結束。

37　據估計，參加起義的人數為四至五千人，槍枝三千條，幾十挺機關槍，四千枚手榴彈，大部分農民拿着彎刀。

38　下文幾乎都來自《年譜》（頁220–229）和《金》（頁150–257）。金沖及説他的資料來源是1987年8月湖南人民出版社出版的《湘贛邊界秋收起義》和1987年9月根據老兵的回憶錄整理的中國共產黨黨史資料集《井崗山根據地》。余灑度的報告見1982年3月中國共產黨中央黨校出版的一本秋收起義資料集，蘇先俊1927年9月17日的報告和任弼時1927年9月27日的報告見《中央政治通訊》，第12期（1927年12月）。

39　《金》，頁14和註釋2。金沖及在註釋中強調這首詞被作者修改過，用的是1991年湖南文藝出版社出版的《毛澤東詩詞對聯輯註》這個版本。而《毛澤東年譜》上的版本（頁237）日期是9月30日，和斯圖爾特・施拉姆在 Mao's Road 3 中採用的版本有諸多不同。施拉姆採用的是1957年《解放軍文藝》第7期發表的版本。和那個時期的其他共產主義作品一樣，這篇作品講的是「鐮刀」而不是榔頭。他想要糾正對蘇維埃紅旗的錯誤詮釋。我認為這符合他的想法。

40　《金》，頁150。

41　《年譜》，頁220。金沖及認為毛澤東讓蘇先俊承擔了失敗的責任，因為後者沒有派偵察兵（頁153）。

42　關於井崗山的土匪，請參閱 Phil Billingsley, *Bandits in Republican China*, Stanford, Stanford Univertsity Press, 1988.

43　「客家人」的本意是「客人」，指明末因為「蠻族入侵」從中國北方不斷遷徙而來的移民。他們開墾丘陵上最貧瘠的土地，把平原和河谷留給本地人。毛澤東受到客家人的接待，客家人更適合參加起義運動，19世紀的太平軍中很多主要首領是客家人。

44　關於毛澤東和這兩個土匪之間的關係，下書做了全新的闡釋：我會在本書的第六章再講到相關內容。韋思諦（Stephen Averill）做了全新的闡釋：《高原上的革命：共產主義運動在江西省的興起》（*Revolution in the Highlands: The Rise of the Communist Movement in Jiangxi Province*, Cornell University Press, 1989）。我會在本書的第六章再講到相關內容。

45　傳説中山東的一個地名，《水滸傳》中的一百零八位好漢在這裏建功立業，曾經讓年輕的毛澤東神往。我們有一本很出色的法語譯本，由雅克・達爾斯翻譯，內有大量註釋。Shi Nai' an et Luo Guanzhong, *Au Bord de l'eau [Shui hu zhuan]*, Paris, Gallimand, "bibliothèque de la Pléiade," 2 volumes, 1978.

46　也許毛澤東影射的是《水滸傳》的英雄。斯諾 (*Snow*) 的法語版第60頁提到：李江林在西安和保安之間為記者當嚮導，他對毛澤東説賀龍帶着兩把菜刀，回到湖南西北的故鄉桑植縣，在哥老會朋友的幫助下襲擊了一個警察局局長和他的警衞，奪了十枝槍。

47　何長工，1900年出生在洞庭湖北的華容，這個農民的兒子先後在長沙和北京學習機械，1919–1924年赴法國和比利時勤工儉學。他在沙勒羅瓦工人大學獲得工程師文憑，1922年夏天在巴黎加入共產黨。1957年出版巴黎回憶錄。1925年四大上成為中國共產黨中央委員，1927年成為游擊隊員和特工。秋收起義後成為彭德懷的部下。長征通過第一道封鎖線時，是他秘密和廣東軍閥陳濟棠交涉。因為和張國燾有聯繫，1949年後，他沒有得到本來應該得到的地位，並受到紅衞兵的虐待。從1979年開始，他主持中國共產黨歷史人物研究會。他的傳記參見 Nym Wales, *Red Dust*, Stanford University Press, 1952, p. 165.

48　《年譜》1，頁221。瞿秋白的建議是這樣的：「澤東能來，必須加入，我黨有獨立意見的是算澤東。」

49　我們可以在 *Saich*, pp. 331–341 中讀到這篇〈中共中央關於目前時局與黨的任務的決定〉。

50　當時負責中央軍事事務的周恩來對毛澤東特別嚴厲。在1928年的一份通告中，説毛是「軍事」機會主義的典型，「不惜一切代價和這個或那個土匪為伍，挑起和群眾沒有任何關係的起義」(*Short*, p. 192)。

51　《年譜》1，頁236；*Short*, p. 193.

52　王佐仍然不信任毛澤東，直到1928年2月，何長工將他的對頭尹道一的首級帶給他時，王才歸順毛澤東，4月加入共產黨。

53　10月23日、24日，羅榮桓在毛澤東領導下帶領第一團邊戰邊退。《年譜》1，頁225，註釋1引用了這位老兵1958年寫的關於紅軍早期戰鬥的一篇回憶文章。

54　譚震林 (1902–1983)，出生於湖南茶陵附近的攸縣，曾在書紙店當學徒，1926年加入共產黨，參加了秋收起義。曾任中共中央委員、中央書記處書記、中央政治局委員、國務院副總理等職。

55　因此茶陵的工農兵政權非常短暫。1928年1月至2月，在遂川和寧岡先後建立工農兵政權。

56　《年譜》1，頁 229。

57　喬治‧拉比卡 (George Labica) 在他的《馬克思主義批評詞典》(*Dictionnaire critique du marxisme*) 中將民粹主義定義為「一種運動或學說，依靠排他或優先的方法號召作為無差別實體的人民或群眾」。拉比卡不承認城市無產階級起先鋒作用，激勵被資本主義摧毀了價值觀的農民發揮作用，尤其是外來農民 (Paris, Presses universitaires de France, 1982, pp. 703–705)。關於農民和「農民主義」，請參閱 Frantz Fanon, *Les damnés de la terre.* 法農和馬克思主義的傳統不同，他認為城市和農村的遊民無產者也是革命者。

58　1918 年 11 月 15 日，陳獨秀在《新青年》上撰文〈克林德碑〉，說義和團運動代表了「一條向專制的、迷信的、神權的黑暗道路」。1924 年 9 月 3 日，已經成為中國共產黨總書記的陳獨秀在機關報《嚮導》上發表文章〈我們對於義和團兩個錯誤的觀念〉，對義和團大加讚揚（「義和團，在中國現代史上是一重要事件，其重要不減於辛亥革命」）。我們可以在《馬克思主義和亞洲》(*Le Marxisme et l'Asie*) 中讀到這兩篇文章的譯文，Hélène Carrére d'Encausse et Stuart Schram, Paris, Armand Colin, "Col U," 1965, pp. 289–291 et pp. 310–312.

59　*Short*, p. 193.

60　他的信件證明他將這些財富一直保留到晚年。

參考文獻

此處我列出的是最常用的參考文獻，每本書在第一次出現後，我會在括號中增加該書名的縮寫。關於翻譯成法語的著作，除非特殊說明，頁碼指的均是譯本的頁碼。

關於20世紀中國歷史的著作

Barnouin, Barbara and Changgen Yu. *Ten Years of Turbulence: The Chinese Cultural Revolution*. New York, Paul Kegan, 1993. (*Barnouin*)

Bergère, Marie-Claire. *La Chine de 1949 à nos jours*. Paris, Armand Colin, 1987, 2000. (*Bergère 1987*)

Bianco, Lucien. *Les origines de la révolution chinoise 1915–1949*. Paris, Gallimard, 1967, 2007. (*Bianco 1967*)

——, et Yves Chevrier. *Dictionnaire biographique du mouvement ouvrier international: la Chine*. Paris, les Éditions ouvrières, 1985. (*Dicobio*)

Bowie, Robert and John Fairbank. *Communist China 1955–1959: Policy Documents with Analysis*, Cambridge, Harvard University Press, 1965. (*Bowie*)

Escherick, Joseph, Paul Pickowicz and Andrew Walder. *The Chinese Cultural Revolution as History*. Stanford, Stanford University Press, 2006.(*Escherick 2006*)

MacFarquhar, Roderick. *The Origins of the Cultural Revolution*. Oxford, Oxford University Press, 1974–1997. (*MacFarquhar*)

Résolution sur l'histoire du parti communiste chinois de 1949 à 1981. Pékin, Éditions en langues étrangères, 1981. (*Résolution*)

Saich, Tony. *The Rise to Power of the Chinese Communist Party*. Armonk, M. E. Sharpe, 1996. (*Saich*)

Schoenhals, Michael. *Mao's Last Revolution*. Cambridge, Harvard University Press, 2006. (*Last Revolution*)

Teiwes, Frederik and Warren Sun. *The Lin Biao Tragedy: Riding the Tiger during the Cultural Revolution*. London, Hurst, 1996. (*The Tragedy*)

The Cambridge History of China, 1912–1982, vol. 12–15. Cambridge University Press, 1983–1991. (*CHOC*)

常凱主編:《中國工運史辭典》。北京:勞動人事出版社,1990。(*Dicomo*)

毛澤東傳記

Benton, Gregor ed. *Mao Zedong and the Chinese Revolution* (4 vol). London, Routledge, 2008. (*Benton*)

Chang, Jung, and Jon Halliday. *Mao: The Unknown Story*. London, Jonathan Cape, 2005. [法文版:Paris, Gallimard, Biographies, 2006.] (*Jung*)

Chevrier, Yves. *Mao et la révolution chinoise*. Florence, Casterman Giunti, 1993. (*Chevrier 1*)

Hu, Chi-hsi. *L'armée rouge et l'ascension de Mao*. Paris, Éditions de l'EHESS, 1982. (*Hu Chi-hsi*)

Leys, Simon (Pierre Ryckmans). *Les habits neufs du président Mao*. Paris, Champ libre, 1971. (*Leys*)

Li, Zhisui. *La vie privée du président Mao*. Paris, Plon, 1994. (*La vie privée*)

Schram, Stuart. *Mao Tsé-toung*. Paris, Armand Colin, Collection U, 1963. (*Schram 1963*)

———. *Mao Tse-tung*. Harmondsworth, Penguin Books, 1966–1968. (*Schram 1968*)

Short, Philip. *Mao Tse-toung*. London, Hodder et Stoughton, 1999.〔法文版：*Mao Tsé-Toung*. Paris Fayard, 2005〕(*Short*)

Siao, Yu (Xiao Yu). *Mao Tse-tung and I Were Beggars*. New York, Collier Books. 1973 (*Xiao Yu*)

Snow, Edgar. *Red Star over China*. New York, Random House, 1938〔法文版：*Étoile rouge sur la Chine*. Paris, Stock, 1965〕(*Snow*). 引文基於法文版。

Spence, Jonathan. *Mao Zedong*. Putnam, 1999.〔法文版：Québec, Fides, 2001.〕(*Spence*)

Teiwes, Frederick and Warren Sun. *The End of the Maoist Era: Chinese Politics during the Twilight of the Cultural Revolution, 1972–1976*. Armonk, M. E. Sharpe, 2007. (*Teiwes 2007*)

Terrill, Ross. *Mao: A Biography*. Stanford, Stanford University Press, 1999. (*Terrill*)

Wang, Nora. *Mao: Enfance et adolescence*. Paris, Autrement, 1999. (*Wang*)

Wilson, Dick. *Mao, 1893–1976*. Paris, Éditions Jeune Afrique, 1979. (*Wilson*)

李銳：《毛澤東同志的初期革命活動》。北京：中國青年出版社，1957。〔英文版：*The Early Revolutionary Years of Comrade Mao Tse-tung*. Armonk, M. E. Sharpe 1977.〕(*Li Rui*)

金沖及主編：《毛澤東傳 (1893–1949)》(上下)。北京：中央文獻出版社，1996。(《金》)

逢先知等主編：《毛澤東年譜 (1983–1949)》(上中下)。北京：中央文獻出版社，1993。(《年譜》)

逢先知、金沖及主編：《毛澤東傳 (1949–1976)》(上下)。北京：中央文獻出版社，2004。(《逢和金》)

關於毛澤東的著作

Kau, Michael and John K. Leung. *The Writings of Mao Zedong*, vol. I: 1949–1955; vol. II : 1956–1957. Armonk, M. E. Sharp, 1986 and 1992. (*Kau*)

MacFarquhar, Roderick et al. ed. *The Secret Speeches of Chairman Mao: From the Hundred Flowers to the Great Leap Forward*. Cambridge (Ma), Harvard University Press, 1989. (*Secret*)

Schoenhals, Michael. *China's Cultural Revolution, 1965–1969: Not a Dinner Party.* Armonk, M. E. Sharpe, 1996. (*Schoenhals*)

Schram, Stuart. *Mao's Road to Power: Revolutionary Writings* (7 vol). Armonk, M. E. Sharpe, 1992–2009. (*Mao's Road*)

《毛澤東文集》(八卷)。北京：人民出版社，1993–1999。(《文集》)

《毛澤東選集 (1926–1949)》(四卷)。北京：人民出版社，1951–1964。《毛澤東選集》第五卷包括了 1949–1957 年的內容，於 1977 年出版。(*Mao V*)

《建國以來毛澤東文稿》(十三卷)。北京：中央文獻出版社，1987–1998。(《文稿》)